Сидни Шелдон

Гнев ангелов

АСТ ИЗДАТЕЛЬСТВО

Москва
2001

УДК 821.111(73)-312.4
ББК 84 (7США)
Ш42

Sidney Sheldon
RAGE OF ANGELS
1980

Перевод с английского И.С. Коноплевой, С.Л. Коноплева

Оформление А.А. Кудрявцева

Печатается с разрешения The Sidney Sheldon Family
Limited Partnership c/o Janklow & Nesbit Associates
и литературного агентства Permissions & Rights Ltd.

Подписано в печать с готовых диапозитивов 13.09.01.
Формат 84×108^1/$_{32}$. Печать высокая с ФПФ. Бумага
типографская. Усл. печ. л. 21,84. Тираж 5000 экз.
Заказ 1614.

Шелдон С.

Ш42   Гнев ангелов: Роман / С. Шелдон; Пер. с англ. И.С. Коноплевой, С.Л. Коноплева. — М.: ООО «Издательство АСТ»,
2001. — 411,[5] с.

ISBN 5-17-000040-5.

Героиня романа «Гнев ангелов» — Дженнифер Паркер — пре-
лестная женщина, модный адвокат. Жизнь преподносит ей множество
неожиданностей. Стремительно развивающийся сюжет заинтригует любого читателя.

УДК 821.111(73)-312.4
ББК 84 (7США)

ISBN 5-17-000040-5

Сидни
Шелдон

Sidney Sheldon

Rage of Angels

КНИГА ПЕРВАЯ

Глава 1

Нью-Йорк. 4 сентября 1969 года

Кольцо охотников сжималось вокруг жертвы.

Пару тысяч лет назад, в Риме, этот поединок мог бы происходить в цирке Нерона или Колизее, где на обагренной кровью песчаной арене кровожадные львы разрывали несчастного на куски. Но в цивилизованном двадцатом веке эта арена находилась в зале заседаний номер шестнадцать в здании суда, расположенном в деловой части Манхэттена.

Место Светония занимал судебный стенографист, записывающий каждую фразу для будущих поколений. Также здесь находились дюжина представителей прессы и посетители, которые, привлеченные газетными заголовками о деле об убийстве, вынуждены были занимать очередь в семь утра, чтобы попасть в зал.

Жертва, Майкл Моретти, молчаливый привлекательный мужчина лет тридцати, сидел за столом рядом с защитником. Он был высоким и стройным, с резко выраженными чертами, придававшими его лицу неукротимый вид. У него были черные волосы, уложенные по последней моде, выдающийся подбородок с ямочкой и глубоко посаженные глаза темно-оливкового цвета. На нем были серый костюм, сшитый на заказ, голубая рубашка, синий шелковый галстук и лаковые туфли, сделанные на заказ. Если не считать глаз, постоянно осматривающих аудиторию, Майкл Моретти был неподвижен.

Атакующий его лев был Роберт Ди Сильва, агрессивный окружной прокурор округа Нью-Йорк, представляющий на суде народ. Если Майкл Моретти сидел спокойно, то Роберт Ди Сильва был весь в движении. Он всегда выглядел так, будто опаздывает на пять минут на важную встречу. Ни секунды он не находился в покое, сражаясь с тенью невидимого соперника. Он был невысокого роста, крепкого сложения, с коротко подстриженными волосами, где местами уже проблескивала седина. Шрамы на лице Роберта Ди Сильвы говорили о том, что в молодости он был боксером. Однажды на ринге он убил человека, но никогда не сожалел об этом. С тех пор сочувствия в нем не прибавилось.

Роберт Ди Сильва был крайне честолюбив. Он пробил себе путь наверх без помощи денег и влиятельных покровителей. Поднимаясь по ступенькам власти, он облекся в личину цивилизованного защитника народа, но внутри оставался приверженцем грязной борьбы, никогда не забывавшим и не прощавшим поражений.

При обычном стечении обстоятельств окружной прокурор Роберт Ди Сильва не находился бы сегодня в зале суда. У него был большой штат помощников, многие из которых легко бы справились с ведением этого дела. Но с самого начала Ди Сильва знал, что делом Моретти займется он сам.

Майкл Моретти, о котором трубили все газеты, был зятем Антонио Гранелли, capo di capi*, главы самой могущественной из пяти «семей», контролирующих восточное побережье. Антонио Гранелли старел, и ходили слухи, что Майкл Моретти займет место своего тестя. Хотя Майкл Моретти был замешан в дюжине преступлений, от мошенничества до убийства, ни один окружной прокурор не мог собрать достаточно улик. Между Моретти и непосредственными исполнителями всегда находилось множество тщательно подобранных посредников. Ди Сильва и сам потратил три года, пытаясь добыть хоть какую-нибудь улику против Моретти. И наконец к Ди Сильве пришла удача.

* Глава мафии *(ит.)*. — *Здесь и далее примечания переводчиков.*

6

Камилло Стела, один из soldati* Моретти, был арестован за убийство, совершенное во время ограбления. В обмен на обещание сохранить ему жизнь он согласился «расколоться». Ди Сильва ликовал — теперь он сможет поставить на колени самую могущественную «семью» мафии, а самого Майкла Моретти отправить на электрический стул. Ди Сильва метил в губернаторское кресло. Немало губернаторов Нью-Йорка становились впоследствии хозяевами Белого дома: Мартин Ван Берен, Гровер Кливленд, Тедди Рузвельт и Франклин Рузвельт. Ди Сильва намеревался пополнить этот список.

Время было самым подходящим. Выборы губернатора должны состояться в следующем году.

Один из самых могущественных боссов штата, встретившись с Ди Сильвой, сказал ему: «Лучшей рекламы, чем этот процесс, и не придумать. Кресло губернатора тебе обеспечено, Бобби. Прижми к ногтю Моретти — и ты наш кандидат».

Роберт Ди Сильва решил не рисковать. Он подготовился к суду над Майклом Моретти с особой тщательностью. Он приказал своим помощникам собрать и проверить все доказательства и улики, чтобы не осталось никаких лазеек, которыми могли бы воспользоваться адвокаты Моретти. Вскоре возможные лазейки были перекрыты.

Почти две недели понадобилось для подбора присяжных. Окружной прокурор также приказал иметь на всякий случай шесть «запасок» — запасных присяжных. Это была не просто мера предосторожности. Во время процессов, где были замешаны крупные фигуры из мафии, присяжные часто пропадали или становились жертвами несчастных случаев со смертельным исходом. Ди Сильва позаботился, чтобы с самого начала присяжные находились под усиленной охраной и каждую ночь проводили под замком, чтобы никто не мог до них добраться.

Ключевым свидетелем против Майкла Моретти был Камилло Стела, и Ди Сильва приказал, чтобы охрана ни на секунду не отходила от него. Окружной прокурор хорошо

_____

* Рядовой член мафии (*ит.*).

помнил, как Эйб Релс по кличке Сверло, будучи свидетелем против мафии, «выпал» из окна шестого этажа отеля «Хафмун» на Кони-Айленд, находясь под неусыпным надзором шести полицейских. Роберт Ди Сильва лично отобрал охранников для Камилло Стелы, и до начала процесса каждую ночь свидетель проводил в разных местах. А теперь, когда суд наконец начался, Стела находился в изолированной камере под охраной четырех вооруженных полицейских. Никто не мог приблизиться к нему, так как готовность Камилло выступать в роли свидетеля зависела от его веры в слово окружного прокурора Ди Сильвы защитить его от мести Майкла Моретти.

Настало утро пятого дня судебного заседания.

Это был первый день работы Дженнифер Паркер на этом процессе. Она сидела за столом обвинителя с пятью другими помощниками окружного прокурора, которых сегодня привели к присяге.

Дженнифер Паркер была стройной темноволосой женщиной двадцати четырех лет, с умным подвижным лицом и зелеными проницательными глазами. Ее лицо было скорее привлекательным, чем красивым. Лицо, отражавшее гордость, смелость и чувственность, лицо, которое трудно забыть. Она сидела, выпрямив спину, как будто стараясь отгородиться от теней прошлого.

День для Дженнифер Паркер начался кошмарно. Церемония приведения к присяге в суде была назначена на восемь утра. Дженнифер приготовила перед сном одежду и поставила будильник на шесть часов, чтобы успеть вымыть голову.

Будильник не зазвонил. Проснувшись в семь тридцать, Дженнифер в ужасе вскочила с кровати. Чулок пополз, каблук сломался, так что ей пришлось заново переодеваться. Она захлопнула дверь своей крохотной квартирки в тот момент, когда вспомнила, что оставила ключи дома. Вообще-то она собиралась добираться до здания суда на автобусе, но теперь это было исключено. Пришлось ехать на такси, кото-

8

рое она не могла себе позволить, и вдобавок слушать несконьчаемый монолог водителя, рассуждавшего о том, почему мир катится к своей погибели.

Когда, запыхавшись, Дженнифер наконец добежала до здания суда на Леонард-стрит, было уже четверть девятого.

В кабинете окружного прокурора собралось двадцать пять юристов, большинство из которых были выпускниками юридических факультетов. Все они сгорали от нетерпения начать работу с окружным прокурором Нью-Йорка.

Кабинет выглядел впечатляюще: стены, обитые панелями светлых тонов, огромный письменный стол с удобным кожаным креслом, стол для совещаний с дюжиной стульев, книжные шкафы, заполненные трудами по юриспруденции.

На стенах в рамках висели фотографии Эдгара Гувера, Джона Линдсея, Ричарда Никсона и Джека Демпсия с их автографами.

Когда Дженнифер быстро вошла в кабинет, рассыпавшись в извинениях, Ди Сильва как раз обращался к присутствующим с речью. Он остановился, перенеся свое внимание на Дженнифер, и сказал:

— Черт возьми, вы что, собрались на чаепитие?

— Я прошу извинения...

— Мне наплевать на ваши извинения. Чтобы это больше не повторялось!

Все посмотрели на Дженнифер, тщательно стараясь скрыть свое сочувствие.

Повернувшись к группе, Ди Сильва продолжал:

— Я знаю, почему вы тут собрались. Вы будете крутиться возле меня, набираясь опыта и перенимая мои хитрости, а когда почувствуете, что достаточно поднаторели, смотаетесь, дабы стать известными адвокатами по уголовным делам. Но всего лишь один из вас, возможно, будет достоин когда-нибудь занять мое место. — Ди Сильва кивнул помощнику: — Приведите их к присяге.

Покорно они произнесли слова присяги.

Когда с этим было покончено, Ди Сильва сказал:

— Вы теперь представители судебной власти, принявшие присягу, да поможет вам Господь. Здесь вам предстоит работать, но не слишком раскатывайте губы. Вам придется зарыться в различные правовые документы по самую макушку, готовить проекты всевозможных бумаг — повесток, ордеров, делать все то, чему вас учили в университете. Пройдет пара лет, прежде чем я вас подпущу к ведению судебного процесса.

Ди Сильва замолчал, раскуривая короткую сигару.

— Я сейчас представляю обвинение на одном процессе. Возможно, вы об этом читали. — В его голосе сквозил сарказм. — Так что я, наверное, выберу из вас человек шесть — выполнять мелкие поручения.

Дженнифер первой подняла руку. Поколебавшись, Ди Сильва выбрал ее и пять человек.

— Идите в зал номер шестнадцать.

Позже им выдали карточки, удостоверяющие личность. Дженнифер не огорчило отношение окружного прокурора. «Ему надо быть жестким, — думала она. — Ведь у него такая нелегкая работа». И теперь она работала на него. Она была в штате окружного прокурора округа Нью-Йорк! Тяжелые годы учебы остались позади. И, хотя в устах преподавателей закон был чем-то абстрактным и древним, Дженнифер понимала — настоящий закон неразрывно связан с живыми людьми и их поступками. Она была второй по успеваемости в группе. Экзамен на звание юриста ей удалось сдать с первого раза, хотя около половины тех, кто сдавал его вместе с ней, провалились. Она чувствовала, что понимает Роберта Ди Сильву, и была уверена, что справится с любым его поручением.

Дженнифер хорошо подготовилась к работе. Она знала, что окружному прокурору подчиняются четыре отдела — судопроизводства, апелляций, по расследованию вымогательств и мошенничества. Дженнифер не знала, в каком отделе предстоит работать ей. В Нью-Йорке было пять окружных прокуроров — по числу районов — и более двухсот помощников прокуроров. Самым ответственным районом, несомненно, был Манхэттен — вотчина Ди Сильвы.

Теперь Дженнифер сидела за столом обвинителя, наблюдая Роберта Ди Сильву за работой — могущественного, безжалостного инквизитора.

Дженнифер бросила взгляд на подсудимого Майкла Моретти. И, хотя она столько всего читала о нем, все же не могла поверить, что он убийца. «Он больше походит на популярного актера, снимающегося в сцене суда», — подумала Дженнифер. Он сидел неподвижно, лишь его темные глаза выдавали внутреннее напряжение. Глаза постоянно находились в движении, рассматривая каждый уголок зала заседаний, будто ища путь к спасению. Но путей к спасению у него не было. Ди Сильва позаботился об этом.

На свидетельском месте стоял Камилло Стела. Он здорово напоминал хорька своим длинным, вытянутым лицом с тонкими губами и желтыми зубами. Маленькие глазки так и бегали. Еще не раскрыв рта, он вызвал недоверие публики. Роберт Ди Сильва знал о недостатках свидетеля, но это не волновало его. Самое главное заключалось в показаниях Камилло. Он должен рассказать леденящую кровь историю, которую до этого момента не рассказывал никому. В ней-то и была сокрыта правда.

Окружной прокурор подошел к свидетельскому месту, после того как Стела поклялся на Библии.

— Мистер Стела, я хочу, чтобы присяжные знали, что вы согласились давать свидетельские показания лишь после того, как вам пообещали заменить статью «убийство» на более мягкую — непреднамеренное убийство. Это так?

— Да, сэр. — Его правая рука дрожала.

— Мистер Стела, вы знакомы с обвиняемым Майклом Моретти?

— Да, сэр. — Он старался не смотреть на стол защиты, где сидел Майкл Моретти.

— Какого характера было ваше знакомство?

— Я работал на Майка.

— Как долго вы знаете Майкла Моретти?

— Почти десять лет. — Его голос был едва слышен.

— Не могли бы вы говорить погромче?

— Почти десять лет. — Шея свидетеля задергалась.

— Не могли бы вы сказать, насколько близки вы были с обвиняемым?

— Протестую! — Томас Колфакс вскочил на ноги. Адвокат Майкла Моретти был седовласым мужчиной лет пятидесяти. Занимая ранг consigliere* в мафиозном синдикате, он считался одним из самых ловких адвокатов в стране. — Окружной прокурор пытается задавать наводящие вопросы.

— Протест принимается, — сказал судья Лоренс Уолдман.

— Я перефразирую вопрос. В качестве кого вы работали на мистера Моретти?

— В качестве человека, улаживающего щекотливые дела.

— Не могли бы вы развить свою мысль?

— Ага. Ну, если возникла проблема, скажем, кто-то позволял себе лишнее, Майк вызывал меня, чтобы я вправил тому мозги.

— И как вы это делали?

— Известно как — кулаками.

— Не могли бы вы привести какой-нибудь пример для присяжных?

Томас Колфакс снова встал:

— Протестую, ваша честь. Этот вопрос не имеет никакого отношения к делу.

— Протест не принимается. Свидетель может отвечать на вопрос.

— Ну, Майк занимается «акульим промыслом»**, так? Значит, пару лет назад Джимми Серрано вовремя не выплатил должок, ну, Майк и послал меня проучить его как следует.

— В чем это заключалось?

— Я переломал ему ноги. Видите ли, — охотно принялся объяснять Стела, — дай только кому-нибудь послабление, и все перестанут платить в срок.

---

* Юрист, работающий на мафию *(ит.).*

** «Акулий промысел» — ссужение денег под огромные проценты.

12

Краем глаза Роберт Ди Сильва видел выражение ужаса. застывшее на лицах присяжных.

— Чем еще, кроме «акульего промысла» занимается Майкл Моретти?

— Чем только не занимается. Вы и сами знаете.

— Я хочу, чтобы об этом сказали вы, мистер Стела.

— Ага. Ну значит, Майк держал в кулаке профсоюз докеров. Еще он контролировал изготовление одежды, игорный бизнес, игральные автоматы, сбор мусора, прачечные. Ну и тому подобное.

— Мистер Стела, Майкл Моретти обвиняется в убийстве Эдди и Альберта Рамосов. Вы их знали?

— Еще бы!

— Вы присутствовали при их убийстве?

— Ну. — Свидетель дрожал всем телом.

— И кто же их убил?

— Майк. — На секунду он встретился глазами с Майклом Моретти и быстро отвел взгляд.

— Майкл Моретти?

— Правильно.

— А чем мотивировал обвиняемый необходимость убийства братьев Рамосов?

— Ну, Эдди и Ал занимались ставками...

— Они были букмекерами? Нелегальный тотализатор?

— Ага. Майк узнал, что они жульничали. Ему надо было проучить их, ведь они работали на него, так ведь? Вот он и подумал...

— Протест.

— Протест принимается. Свидетель должен придерживаться фактов.

— Факты заключаются в том, что Майк велел мне пригласить ребят...

— Эдди и Альберта Рамосов?

— Ну. На маленькую вечеринку в «Пеликан». Это частный клуб на побережье. — Рука его снова задрожала. Заметив это, Стела прижал ее другой ладонью.

13

Дженнифер Паркер посмотрела на Майкла Моретти. Он сидел неподвижно. Его лицо было бесстрастным.

— И что же с ними произошло, мистер Стела?

— Я забрал Эдди и Ала и привез их на автомобильную стоянку. Там их уже ждал Майк. Когда ребята вылезли из машины, я отошел в сторону, и Майк стал стрелять.

— Видели ли вы, как они упали на землю?

— Да, сэр.

— Они были мертвы?

— Мы похоронили их, не зная, мертвы они или нет.

Зал зашумел. Подождав, когда восстановится тишина, Ди Сильва продолжал:

— Мистер Стела, вы понимаете, что эти показания могут быть использованы против вас?

— Да, сэр.

— Вы дали присягу, и на карту поставлена человеческая жизнь. Вы отдаете себе в этом отчет?

— Да, сэр.

— Вы заявляете, что обвиняемый Майкл Моретти хладнокровно убил двух человек за то, что они утаивали от него деньги?

— Протест!

— Протест принимается.

Окружной прокурор посмотрел на лица присяжных и понял, что победил. Он повернулся к Камилло Стеле.

— Мистер Стела, я понимаю, что вам потребовалось немалое мужество, чтобы выступить в этом зале с подобным заявлением. От имени народа штата хочу выразить вам благодарность. — Роберт Ди Сильва повернулся к Томасу Колфаксу: — Можете приступить к допросу свидетеля.

Томас Колфакс с изяществом встал на ноги.

— Спасибо, мистер Ди Сильва. — Поглядев на настенные часы, он перевел взгляд на судью. — Ваша честь, смею заметить, что уже почти полдень. Мне бы не хотелось, чтобы мой допрос прерывался. Поэтому я прошу сейчас сделать перерыв на обед. Свидетеля я допрошу во второй половине дня.

В зале все встали, когда судья поднялся с места и через боковую дверь прошел в свой кабинет. Присяжные по одному покинули зал. Четверо вооруженных полицейских, окружив Камилло Стелу, увели его в свидетельскую комнату.

Ди Сильва тут же оказался в кольце репортеров.

— Вы не хотите сделать заявление?

— Что вы можете сказать по поводу процесса, мистер Ди Сильва?

— Как вы собираетесь защитить свидетеля, когда суд закончится?

При обычных обстоятельствах он не стерпел бы такой бесцеремонности, но сейчас, когда он собирался заняться политикой, ему это было лишь на руку. Поэтому он вежливо стал отвечать на вопросы.

— Вам удастся добиться обвинительного приговора?

— Я не гадалка, — услышала Дженнифер скромный ответ прокурора, — для этого у нас есть присяжные. Именно они решат, виновен мистер Моретти или нет.

Дженнифер увидела, как Майкл Моретти встал. Он выглядел спокойным и невозмутимым. Трудно было представить, что он действительно виновен в тех страшных делах, которые ему приписывали. «Если бы мне поручили определить виновного, — подумала Дженнифер, — я бы выбрала Камилло Стелу».

Репортеры отошли в сторону, и теперь Ди Сильва совещался со своими помощниками. Дженнифер была готова отдать все на свете за то, чтобы послушать, о чем они говорят.

Дженнифер увидела, как какой-то человек сказал что-то Ди Сильве, отошел от группы и поспешил к ней. В руках он держал пакет из плотной бумаги.

— Мисс Паркер?

Дженнифер удивленно посмотрела на него:

— Да.

— Шеф приказал, чтобы вы передали это Стеле. Скажите, пусть прочитает, освежит в памяти детали. Колфакс собирается не оставить камня на камне от его показаний, поэтому шеф хочет, чтобы Стела был начеку.

Взглянув на Ди Сильву, он передал пакет Дженнифер. «Он запомнил мое имя, — подумала она. — Это хорошее предзнаменование».

— Поторопитесь. Прокурор сказал, что Стела — никудышный читатель.

— Да, сэр. — И она поспешила выполнить поручение.

Дженнифер подошла к двери комнаты, куда увели свидетеля. Вооруженный полицейский преградил ей путь:

— Что вы хотели, мисс?

— Я — помощник окружного прокурора, — отрывисто сказала Дженнифер. Она показала свою карточку, удостоверяющую личность. — Я должна передать свидетелю пакет от мистера Ди Сильвы.

Внимательно изучив удостоверение, охранник открыл дверь. Дженнифер оказалась в помещении, предназначенном для свидетелей. Это была маленькая неуютная комнатка с обшарпанным столом, старым диваном и несколькими стульями. На одном из них сидел Стела. Его рука сотрясалась от дрожи. Кроме него в комнате находились четверо вооруженных охранников.

Один из них сказал вошедшей Дженнифер:

— Эй! Посторонним вход запрещен.

Полицейский, впустивший ее, произнес:

— Все в порядке, ребята. Она из команды прокурора.

Дженнифер протянула пакет Стеле:

— Мистер Ди Сильва хочет, чтобы вы освежили это в памяти.

Стела смотрел на нее, моргая и дрожа всем телом.

Глава 2

Направляясь на обед, Дженнифер прошла мимо открытой двери опустевшего зала заседаний. Она не могла удержаться, чтобы не зайти сюда на минутку.

По обе стороны от прохода находилось пятнадцать рядов с местами для зрителей. Перед судейским местом располагались два длинных стола, на левом стояла табличка «Обвинение», на правом — «Защита». Сбоку — два ряда по восемь кресел для присяжных. «Обычный зал заседаний, — подумала Дженнифер. — Невзрачный, даже уродливый, но именно здесь бьется сердце свободы».

Эта комната, как и все другие залы заседаний, демонстрировала отличие цивилизации от варварства. Право быть судимым себе подобными — присяжными заседателями — вот что лежало в основе каждой свободной нации. Дженнифер подумала о тех странах, где не существовало таких залов заседаний, где любого могли вытащить из постели среди ночи, подвергнуть пыткам и убить, не объясняя причин: Иран, Уганда, Аргентина, Перу, Бразилия, Румыния, Россия, Чехословакия... Нескончаемый список.

«Если бы американский суд лишили этой власти, — подумала Дженнифер, — если бы у граждан отняли право быть судимыми судом присяжных, Америка перестала бы существовать как свободная страна». Она была частичкой этой власти, и, стоя здесь, Дженнифер почувствовала прилив гордости. Она сделает все возможное, чтобы не уронить честь суда, укрепить его авторитет. Постояв еще несколько минут, она направилась к двери.

В дальнем конце коридора послышался шум, который становился все громче и громче. Завыла сирена. У Дженнифер мелькнула мысль, что Майклу Моретти каким-то образом удалось бежать, несмотря на усиленную охрану. Она поспешила туда, откуда доносился шум. Это был настоящий сумасшедший дом. Какие-то люди бегали взад-вперед, отдавая приказы и стараясь перекричать вой сирены. Полицейские с оружием на изготовку перекрыли все выходы. Репортеры, оставив телефоны, по которым передавали новости в свои редакции, мчались выяснить, что происходит. Вдруг Дженнифер увидела окружного прокурора Ди Сильву, бешено оравшего на стоящих перед ним полицейских.

«Господи, с ним сейчас случится инфаркт», — подумала Дженнифер.

Она стала протискиваться через толпу, направляясь к нему в надежде, что ему может понадобиться ее помощь. Когда она приблизилась, один из полицейских, охранявших Камилло Стелу, поднял глаза и увидел Дженнифер. Он поднял руку и указал на нее. Через пять секунд Дженнифер уже была в наручниках, окруженная со всех сторон полицейскими.

В кабинете судьи Лоренса Уолдмана находились четыре человека: сам судья, окружной прокурор Роберт Ди Сильва, Томас Колфакс и Дженнифер.

— Вы имеете право давать показания в присутствии адвоката, — произнес судья Уолдман, обращаясь к Дженнифер. — Вы также имеете право молчать. Если вы...

— Мне не нужен адвокат, ваша честь! Я могу объяснить, что произошло.

Роберт Ди Сильва склонился над ней так низко, что Дженнифер видела, как у него на виске неистово билась жилка.

— Кто заплатил вам, чтобы вы передали пакет Камилло Стеле?

— Заплатил мне? Мне никто не платил. — Ее голос дрожал от негодования.

Ди Сильва взял со стола судьи знакомый ей пакет.

— Никто вам не заплатил? Вы просто подошли к моему свидетелю и передали ему это? — Он потряс пакет, и из него на стол выпала дохлая канарейка. Голова птицы была свернута.

Дженнифер в ужасе уставилась на канарейку.

— Я... Один из ваших людей... передал мне...

— Кто именно из моих людей?

— Я... я не знаю...

— Но вы знаете, что он именно из моих людей. — В его голосе звучало недоверие.

— Да, я видела, как он разговаривал с вами, затем подошел ко мне, протянул конверт и сказал, что вы приказали отнести его мистеру Стеле. Он даже знал, как меня зовут.

— Еще бы не знать! Сколько он заплатил вам?

«Это какой-то кошмар, — подумала Дженнифер. — Сейчас я проснусь, будет шесть часов утра, я оденусь и пойду на принятие присяги в кабинет окружного прокурора».

— Сколько, я вас спрашиваю? — В его голосе звучала такая ярость, что Дженнифер подскочила.

— Вы что, обвиняете меня в...

— Обвинять вас? — Руки Ди Сильвы сжались в кулаки. — Я пока еще и не брался за вас. К тому времени когда вы выйдете из тюрьмы, вы будете слишком старой, чтобы потратить эти деньги.

— Не брала я никаких денег, — с вызовом произнесла Дженнифер.

До сих пор молчавший Томас Колфакс обратился к судье:

— Извините, ваша честь, но я боюсь, что это ни к чему нас не приведет.

— Согласен, — ответил судья Уолдман. Он повернулся к окружному прокурору: — Твое решение, Бобби? Согласен ли Стела отвечать на вопросы защиты?

— Отвечать на вопросы? Да он так напуган, что и рта не раскроет. Он теперь бесполезен.

Томас Колфакс быстро вставил:

— Если я не смогу допросить свидетеля обвинения, ваша честь, мне придется подать протест и считать суд недействительным.

Все понимали, что это означало, — Майкл Моретти выйдет из зала суда свободным человеком.

Судья Уолдман взглянул на окружного прокурора:

— Ты предупредил свидетеля, что в этом случае ему придется нести ответственность за неуважение к суду?

— Да. Но Стела боится их больше, чем нас. — Он бросил испепеляющий взгляд на Дженнифер. — Он полагает, что мы больше не в силах защитить его.

Судья Уолдман медленно произнес:

— Тогда, очевидно, суду не остается другого выхода: придется принять протест защиты и считать суд недействительным.

Роберт Ди Сильва стоял, глядя, как победа ускользает из его рук. Без Стелы он был беспомощен. Майкл Моретти теперь был вне его власти, чего нельзя было сказать о Дженнифер Паркер.

— Я распоряжусь, чтобы обвиняемого освободили, а присяжных распустили.

— Спасибо, ваша честь, — произнес Томас Колфакс. На его лице не было ни малейшего признака торжества.

— Ну, если это все... — начал судья Уолдман.

— Еще не все! — Роберт Ди Сильва повернулся к Дженнифер Паркер. — Я хочу арестовать ее за то, что она чинит препятствия суду, за махинации со свидетелем в процессе об убийстве, за... — Он задыхался от гнева, и почти невозможно было разобрать его слова.

Дженнифер тоже разозлилась.

— Вы не можете доказать ни одного из ваших обвинений, так как все это неправда. Я виновата лишь в собственной глупости, но это моя единственная вина. Никто не давал мне взятку. Я думала, что выполняю ваше поручение.

Поглядев на Дженнифер, судья Уолдман сказал:

— Как бы то ни было, последствия этого поступка оказались крайне неблагоприятными. Я вынужден обратиться в апелляционный суд, чтобы было проведено расследование. Если вашу вину докажут, будут приняты меры к лишению вас квалификации юриста.

Дженнифер почувствовала внезапную слабость.

— Ваша честь! Я...

— На сегодня все, мисс Паркер.

Дженнифер стояла, глядя на их враждебные лица. Что она еще могла сказать?

Желтая канарейка была красноречивее всех слов.

Глава 3

Имя Дженнифер Паркер не просто появилось в вечернем выпуске новостей, а все новости были посвящены только ей. Уж слишком «жареной» оказалась история с передачей главному свидетелю обвинения желтой канарейки. По всем телеканалам показывались кадры, когда Дженнифер выходила из кабинета судьи Уолдмана, с трудом пробираясь к выходу сквозь толпу репортеров и зевак.

Дженнифер не могла поверить в свою печальную известность. Со всех сторон на нее наседали телевизионщики, радиорепортеры, журналисты из газет. Ей хотелось убежать от них, но чувство гордости не позволяло этого сделать.

— Кто вам дал дохлую канарейку, мисс Паркер?

— Встречались ли вы с Майклом Моретти?

— Знали ли вы, что Ди Сильва хотел использовать этот процесс, чтобы заполучить пост губернатора?

— Окружной прокурор говорит, что собирается лишить вас звания юриста. Будете ли вы оспаривать это решение?

На все вопросы Дженнифер отвечала, стиснув зубы: «Без комментариев».

Телекомпания Си-би-эс назвала ее в выпуске новостей «никудышной Паркер». Эй-би-си дала ей прозвище Желтая канарейка. Спортивный комментатор Эн-би-си сравнил ее с Роем Ригельсом, футболистом, который забил гол в свои ворота.

В «Тони Плейс», ресторане, принадлежавшем Майклу Моретти, царило шумное веселье. В зале находилось около дюжины мужчин, празднующих победу.

Майкл Моретти в одиночестве сидел у стойки бара, глядя на изображение Дженнифер Паркер на экране телевизора. Торжественно отсалютовав ей бокалом, он выпил содержимое.

Все юристы обсуждали случай с Дженнифер Паркер. Половина из них верила, что она была подкуплена мафией, другие склонялись к тому, что она просто невинная жертва. Но несмотря на различие мнений, и те и другие единодушно соглашались, что ее карьера юриста закончена.

Она длилась ровно четыре часа.

Дженнифер родилась в Келсо, штат Вашингтон, небольшом городке, основанном в 1847 году тоскующим по родине шотландцем, назвавшим его так в честь своего города в Шотландии.

Отец Дженнифер был адвокатом. Сначала он работал на лесозаготовительные компании, которым и принадлежал городишко, а затем стал защищать интересы рабочих с лесопильных заводов. Первые воспоминания детства Дженнифер были наполнены радостью. Штат Вашингтон был для нее настоящей книгой природы, с его поразительными горами, ледниками и национальными парками. Она каталась на лыжах зимой и на каноэ летом. А когда подросла, то взбиралась на ледники, побывала в местах с чудными названиями: Оханапекош и Нискуали, озере Кле-Элум и водопаде Ченуис, Хорс-Хавен и Якима-Вэлли. Вместе с отцом покорила гору Маунт-Рейнер и каталась с ним на лыжах с крутых склонов Тимберлайна.

Отец всегда находил для нее время, тогда как ее очаровательная и деятельная мать вечно была чем-то занята и редко бывала дома. Дженнифер обожала отца. В жилах Алана Паркера текла английская, ирландская и шотландская кровь. Это был отзывчивый человек с глубоким чувством справедливости. Деньги его не интересовали, его интересовали люди. Он мог часами рассказывать Дженнифер о тех судебных делах, которыми он занимался, о тех проблемах, с которыми люди приходили в его скромный кабинет. Лишь спустя много лет Дженнифер поняла, что он говорил с ней потому, что она была единственным человеком, с кем он мог поделиться своими мыслями.

После занятий в школе Дженнифер спешила в зал суда, чтобы увидеть отца за работой. Если не было судебных заседаний, она приходила в его кабинет, слушая, как он обсуждает вопросы с клиентами. Они никогда не говорили о том, что она будет учиться на юриста. Это подразумевалось само собой.

Когда Дженнифер исполнилось пятнадцать лет, она стала работать с отцом во время летних каникул. В том возрасте, когда другие девушки встречались с парнями, Дженнифер была поглощена судебными разбирательствами и заседаниями.

Мальчики обращали на нее внимание, но она редко встречалась с ними. На вопросы отца она обычно отвечала: «Они все такие молодые, папа». Она знала, что когда-нибудь выйдет замуж за адвоката, похожего на ее отца.

В день шестнадцатилетия Дженнифер ее мать смоталась из города с восемнадцатилетним сыном их соседей, и отец Дженнифер тихо умер. Понадобилось семь лет, чтобы его сердце перестало биться, но он был мертв с того момента, когда узнал правду о своей жене. Весь город знал об этом и с сочувствием относился к нему, что усугубляло его страдания, так как Алан Паркер был гордым человеком. Именно тогда он начал пить. Дженнифер старалась изо всех сил помочь ему, но все было безрезультатно. Ничего нельзя было сделать, чтобы все было как раньше.

На следующий год, когда подошло время поступать в университет, Дженнифер заявила, что хочет остаться с отцом, но он и слышать об этом не хотел.

— Мы будем с тобой партнерами, Дженни, — сказал он ей. — Давай скорее получай диплом юриста.

Юриспруденцию она изучала в университете Сиэтла. В то время как ее однокурсники с трудом продирались через премудрости актов гражданских правонарушений, гражданского и уголовного права, Дженнифер чувствовала себя как рыба в воде. Жила она в университетском общежитии и нашла работу в юридической библиотеке.

Дженнифер обожала Сиэтл. По воскресеньям она, студент-индеец по имени Аммини Уильямс и высокая костлявая ирландка Джозефина Коллинз ходили на озеро Грин-Лейк, расположенное в центре города, чтобы погрести на лодках, посещали гонки на озере Вашингтон, наблюдая за разноцветными гидропланами.

В Сиэтле были потрясающие джаз-клубы. Больше всего Дженнифер любила ходить в «Питерс Поп Дек», где вместо столов стояли деревянные ящики, а вместо стульев пеньки.

После занятий Дженнифер, Аммини и Джозефина встречались в «Хэсти Тэсти», где подавали самую вкусную в мире жареную картошку.

Два молодых человека добивались расположения Дженнифер: привлекательный студент-медик по имени Джон Ларкин и студент юридического факультета Бен Мунро. Время от времени она ходила на свидания то с одним, то с другим, но была слишком занята, чтобы серьезно увлечься.

Осенью и зимой стояла холодная и сырая погода с пронизывающим ветром, и казалось, что дождь будет идти вечно. Дженнифер носила куртку из сине-зеленой шотландки, на ворсе которой, словно изумруды, сверкали капли дождя, и глаза Дженнифер вспыхивали, подобно изумрудам. Не замечая непогоды, она ходила, погруженная в свои мысли, еще не зная, что она будет постоянно возвращаться к прошлому в своей памяти.

По весне девушки расцветали яркими платьями. Юноши собирались группами на лужайках, наблюдая за проходящими студентками. Но в Дженнифер чувствовалось нечто такое, что заставляло их оставить свои шутки, когда она проходила мимо. В ней было свойство, трудно поддающееся определению, чувство, что она уже достигла того, к чему они только стремились.

Каждое лето Дженнифер навещала отца. Он сильно изменился за последнее время. Не напивался до беспамятства, но и трезвым тоже не был. Он заперся в своей башне из слоновой кости, где никто не мог до него добраться.

Отец умер, когда Дженнифер заканчивала последний семестр обучения. Город помнил о нем, и на похороны пришли почти сто человек, люди, с которыми он дружил и которым помогал советом много лет. Дженнифер страдала в одиночку. Она потеряла не только отца. Она также потеряла учителя и наставника.

После похорон Дженнифер вернулась в Сиэтл продолжать учебу. Отец оставил ей меньше тысячи долларов, и ей

24

предстояло принять решение, как жить дальше. Она знала, что не может возвратиться в Келсо для адвокатской деятельности, так как для его жителей навсегда останется маленькой девочкой, чья мать сбежала с молодым человеком.

Благодаря высоким показателям в учебе Дженнифер получила предложение о работе от представителей дюжины крупных адвокатских фирм.

Уоррен Оакс, ее преподаватель по уголовному праву, сказал ей:

— Это признание ваших достоинств, леди. Женщине очень трудно получить место в хорошей адвокатской конторе.

Вскоре после выпуска проблема Дженнифер разрешилась сама собой. Уоррен Оакс попросил ее зайти к нему после занятий.

— Я тут получил письмо из канцелярии окружного прокурора Манхэттена. Они просят прислать им самого лучшего выпускника. Тебе это подходит?

Нью-Йорк!

— Да, сэр! — Дженнифер была настолько поражена, что ответ сам слетел с ее губ.

Она слетала в Нью-Йорк, где сдала экзамен на звание юриста, и вернулась в Келсо закрыть контору отца. Это была грустная процедура, так как здесь все напоминало ей о прошлом. Дженнифер казалось, что все ее детство прошло в этой конторе.

Она решила не бросать работу в юридической библиотеке университета, пока не узнает результаты экзамена на право заниматься адвокатской деятельностью.

— В Нью-Йорке одна из самых строгих комиссий в стране, — предупредил ее Уоррен Оакс.

Дженнифер и сама об этом знала.

Сообщение о том, что она успешно сдала экзамен, пришло вместе с приглашением из канцелярии окружного прокурора Нью-Йорка.

Через неделю Дженнифер перебралась в Нью-Йорк.

Она нашла на Третьей авеню небольшую квартирку с имитацией камина, на третьем этаже в доме без лифта. «Подъем пешком пойдет мне только на пользу», — подумала она. В Манхэттене не было ни высоких гор, на которые можно было совершать восхождения, ни быстрых рек, чтобы плавать на каноэ. Квартирка состояла из небольшой гостиной, где стоял диван-кровать, и крошечной ванной, единственное окошко в которой было закрыто наглухо и выкрашено черной краской. Мебель, похоже, была пожертвована бывшему хозяину Армией спасения. «Конечно, я не задержусь здесь надолго, — подумала Дженнифер. — Это лишь временное пристанище, пока я не стану настоящим адвокатом».

Но это осталось в мечтах. Реальность была совсем другой: в Нью-Йорке она находилась менее семидесяти двух часов, ее вышвырнули из штата окружного прокурора, и к тому же ей грозило потерять права на адвокатскую практику.

Дженнифер перестала читать газеты и журналы, не включала телевизор, так как вокруг речь шла только о ней. Она чувствовала, как люди показывают на нее пальцами на улице, в автобусе, в магазине. Она заперлась в своей квартирке, не отвечала на звонки и не подходила к двери. Дженнифер подумывала о том, чтобы собрать чемодан и вернуться в Келсо. Подумывала и о том, чтобы подыскать работу в другой сфере. Подумывала о самоубийстве. Долгими часами она сочиняла письма окружному прокурору Роберту Ди Сильве. В одних письмах она язвительно отзывалась о его бесчувственности и скудости ума. В других униженно извинялась и просила дать возможность начать все сначала. Ни одно из писем так и не было отправлено.

Впервые в жизни Дженнифер была на грани отчаяния. Друзей, которым можно было излить душу, у Дженнифер в Нью-Йорке не было. Целыми днями она сидела дома и лишь поздно вечером выходила погулять по опустевшим улицам. Забулдыги, которым город принадлежал ночью, никогда не приставали к ней. Возможно, в ее глазах отражалось их собственное одиночество и отчаяние.

Гуляя по улицам, Дженнифер снова и снова прокручивала одну и ту же сцену, но каждый раз с другим концом.

Человек отходит от группы людей, собравшихся вокруг Ди Сильвы, и направляется к ней. В руках у него пакет.
— Мисс Паркер?
— Да.
— Шеф хочет, чтобы вы передали это мистеру Стеле.
Дженнифер холодно смотрит на него:
— Предъявите, пожалуйста, ваше удостоверение.
Человек в панике убегает.

Человек отходит от группы людей, собравшихся вокруг Ди Сильвы, и направляется к ней. В руках у него пакет.
— Мисс Паркер?
— Да.
— Шеф хочет, чтобы вы передали это мистеру Стеле.
Дженнифер открывает пакет и видит дохлую канарейку.
— Я вас арестовываю.

Человек отходит от группы людей, собравшихся вокруг Ди Сильвы, и направляется к ней. В руках у него пакет. Он проходит мимо нее и обращается к другому молодому помощнику прокурора:
— Шеф хочет, чтобы вы передали это мистеру Стеле.

Она могла обыгрывать эту сцену бессчетное количество раз, но ничего нельзя было изменить. Одна глупая ошибка перечеркнула всю ее карьеру. Но кто сказал, что перечеркнула? Пресса? Ди Сильва? Пока еще никто не сказал, что ее лишили звания юриста, значит, она все еще является адвокатом. «Многие адвокатские фирмы предлагали мне работу», — сказала сама себе Дженнифер.

Обрадовавшись, она достала список фирм, с представителями которых встречалась, и принялась обзванивать их. Кого бы она ни спрашивала, человека никогда не оказывалось на месте. Прошло четыре дня, прежде чем она поняла, что стала парией в мире юристов. Шум, поднятый вокруг нее, улегся, но люди продолжали помнить.

Дженнифер без устали звонила потенциальным работодателям, переходя от отчаяния к негодованию и опять к разочарованию. Она часто думала, чем еще может заниматься, и всегда приходила к одному и тому же выводу — единственное, что ее действительно волновало, так это юриспруденция. Она была юристом, и, Бог тому свидетель, пока ее не дисквалифицировали, будет искать способ заниматься адвокатской практикой.

Она стала обзванивать все адвокатские конторы Манхэттена. Приходя без предварительного звонка, она сообщала свое имя секретарше и говорила, что хочет встретиться с начальником отдела персонала. Иногда ее удостаивали аудиенции, но Дженнифер чувствовала, что делалось это скорее из любопытства. Она была «уродом», и им хотелось просто поглазеть на нее живьем. Но чаще всего ей сообщали, что свободных вакансий нет.

Спустя шесть недель деньги стали таять. Она переехала бы в более дешевую квартиру, но дешевле квартир уже не было. Дженнифер отказалась от завтраков и обедов, позволяя себе поужинать в дешевых забегаловках, где кормят плохо, но цены доступные. Она обнаружила две пивные, где за скромную сумму подавали горячее блюдо, сколько угодно пива и салата. Дженнифер ненавидела пиво, но оно притупляло чувство голода.

Когда Дженнифер обошла все крупные адвокатские фирмы, она переключилась на небольшие конторы и снова взялась за телефон. Но о ее репутации были наслышаны и там. Мужчины предлагали ей свидания, но работы не предлагал никто. Она впала в отчаяние. «Ладно, — с вызовом подумала она. — Раз никто не хочет принять меня на работу, я открою собственную адвокатскую контору». Вся беда была в том, что на это требовались деньги. По крайней мере десять тысяч долларов. Ей надо было оплатить аренду помещения, телефон, секретаршу, приобрести книги по юриспруденции, столы, стулья. А у нее не хватило бы денег и на почтовые марки.

Дженнифер рассчитывала на зарплату, что собиралась получать, работая в штате окружного прокурора, но об этом теперь и мечтать не приходилось. Можно было забыть и о деньгах, которые ей должны были выплатить при увольнении. Ее не уволили, а просто вышвырнули за дверь. Нет, не было ни малейшей возможности открыть свою собственную контору. Оставалось одно — найти кого-нибудь, с кем на паях можно было бы арендовать помещение.

Купив «Нью-Йорк таймс», Дженнифер принялась просматривать объявления. Наконец она наткнулась на объявление, которое привлекло ее внимание: «Сдается часть помещения за умеренную плату».

Для Дженнифер главная информация заключалась в двух последних словах. Вырезав объявление, она спустилась в метро и отправилась по указанному адресу.

Это был обветшалый дом на нижнем Бродвее. Помещение находилось на десятом этаже. На двери висела табличка:

КЕННЕТ БЭЙЛИ
СЫСКНОЕ АГЕНТСТВО «АС»

А под ней — другая:

АГЕНТСТВО РОКФЕЛЛЕРА
ПО СБОРУ НАЛОГОВ

Глубоко вздохнув, Дженнифер толкнула дверь и вошла. Она очутилась в маленькой комнате без окон. В ней стояли три обшарпанных стола и несколько стульев, два из них были заняты.

За одним из столов лысый, плохо одетый человек средних лет заполнял какие-то бумаги. За другим, у противоположной стены, сидел человек лет тридцати. У него были рыжие волосы и голубые глаза. Кожа на лице была светлой и в веснушках. Он был в узких джинсах и футболке. Белые парусиновые туфли были надеты на босу ногу. Он разговаривал по телефону.

— Не беспокойтесь, миссис Дессер. Двое моих самых лучших агентов работают над вашим делом. Вскоре вы узнаете о своем супруге. Боюсь, что вынужден буду попросить у вас еще денег на покрытие расходов... Нет-нет, по почте высылать не надо. Почта работает просто ужасно. Я буду сегодня в вашем районе, так что заберу их сам.

Он положил трубку и, подняв глаза, увидел Дженнифер. Встав из-за стола, он улыбнулся и протянул ей руку.

— Я — Кеннет Бэйли. Чем могу быть вам полезен в это чудесное утро?

Обведя взглядом комнатку, Дженнифер неуверенно произнесла:

— Я... я пришла по объявлению.

— А! — В его голубых глазах промелькнуло удивление. Лысый поднял голову и тоже посмотрел на Дженнифер. Кеннет Бэйли представил его:

— Это Отто Вензел. Он возглавляет «Агентство Рокфеллера по сбору налогов».

Дженнифер кивнула и повернулась к Бэйли.

— А вы, значит, из сыскного агентства «АС»?

— Точно. А вы чем занимаетесь?

— Я? Я — адвокат.

Кеннет Бэйли скептически посмотрел на нее:

— И вы собираетесь открыть свою контору здесь?

Оглядевшись вокруг, Дженнифер представила себя сидящей за пустым столом в компании этих людей.

— Я, пожалуй, пойду, — сказала она. — Я не уверена.

— Вам придется платить всего лишь девяносто долларов в месяц.

— За девяносто долларов я могу купить весь этот дом, — ответила Дженнифер, собираясь уходить.

— Эй, подождите!

Дженнифер остановилась.

Кеннет Бэйли потер рукой подбородок:

30

— Хорошо. Согласен за шестьдесят. Когда дела у вас пойдут, тогда и поговорим об увеличении платы.

Игра стоила свеч. Дженнифер знала, что дешевле ей ничего не найти. С другой стороны — как привлечь клиентов в такую дыру? И еще одно — у нее не было шестидесяти долларов.

— Я согласна, — сказала Дженнифер.

— Вы не пожалеете, — пообещал Кеннет Бэйли. — Когда вы принесете свои вещи?

— Они со мной.

Кеннет Бэйли сам написал табличку:

ДЖЕННИФЕР ПАРКЕР
АДВОКАТ

Дженнифер смотрела на эту надпись со смешанным чувством. Даже во время самых тяжелых депрессий ей в голову не могло прийти, что ее имя будет соседствовать с именами частного детектива и сборщика налогов. И все же, глядя на неровную надпись, она не могла не почувствовать прилив гордости. Она была адвокатом. Табличка на двери была тому подтверждением.

Теперь, когда у Дженнифер имелось свое место, ей не хватало только одного — клиентов. Она уже не могла себе позволить питаться в пивных. Утром на электроплитке она подогревала себе кофе и тост на завтрак. Отказываясь от обеда, Дженнифер ходила ужинать в дешевые забегаловки, где подавали большие порции кислой капусты и огромные ломти хлеба.

Каждое утро в девять часов Дженнифер сидела за своим столом, но, кроме как слушать разговоры по телефону Кена Бэйли и Отто Вензела, делать ей было нечего.

Деятельность Кена Бэйли в основном заключалась в поисках пропавших супругов и детей. Сначала Дженнифер решила, что он был обыкновенным мошенником, у которого дело не шло дальше обещаний, хотя это не мешало ему брать с клиентов кругленькие суммы. Но вскоре она поняла, что работал он на совесть и часто добивался успеха. Это был умный и проницательный человек.

Отто Вензел оставался для нее загадкой. Телефон его звонил не переставая. Он поднимал трубку, что-то бормотал туда, записывал какие-то сведения на листок бумаги и исчезал на несколько часов.

— Отто занимается возвратом, — объяснил ей однажды Кен Бэйли.

— Возвратом?

— Ага. Различные компании нанимают его, чтобы изымать машины, телевизоры, стиральные машины, за которые не были выплачены взносы. — Он с любопытством посмотрел на Дженнифер: — У вас есть какие-нибудь клиенты?

— Так, намечается кое-что, — уклончиво ответила Дженнифер.

Он кивнул:

— Не огорчайтесь. У каждого бывают ошибки.

Дженнифер почувствовала, как ее лицо заливает краска. Значит, он знал о ней.

Кен Бэйли достал сандвич с огромным куском мяса.

— Хотите?

Сандвич выглядел очень аппетитно.

— Нет, спасибо, — твердо ответила она. — Я никогда не обедаю.

— Ладно.

Она посмотрела, как он впился зубами в сандвич. Увидев выражение ее лица, он спросил:

— Вы уверены, что...

— Нет, спасибо. Я... я спешу на важную встречу.

Дженнифер вышла из комнаты. Кен Бэйли проводил ее задумчивым взглядом. Он всегда гордился способностью определять характер людей, но Дженнифер Паркер была для него загадкой. Из газет и телепередач он вынес уверенность, что кто-то заплатил ей, чтобы сорвать процесс над Майклом Моретти. Но после того как познакомился с ней, он уже не был так уверен. Когда-то Кен был женат и, пройдя через все круги ада, к женщинам относился с презрением. Но что-то внутри говорило ему, что эта женщина — особенная. Она была красивой, умной и очень гордой. «Господи, — сказал он сам себе, — не будь идиотом. Достаточно одного убийства на твоей совести».

«Эмма Лэзрес была сентиментальной идиоткой, — думала Дженнифер. — «Пошли мне свои убогие, усталые, нищие массы страждущих, стремящихся испить глоток свободы... Пошли бездомных, увечных ко мне». Действительно! В Нью-Йорке никому нет дела, работаешь ты или нет. Да и вообще, кого интересует в Нью-Йорке, жив ты или умер. Перестань себя жалеть», — говорила себе Дженнифер. Но это было нелегко.

Денежные запасы Дженнифер сводились к восемнадцати долларам, плата за квартиру была просрочена, арендную плату за место в конторе она тоже не внесла. У нее не было денег, чтобы оставаться в Нью-Йорке, и не было денег, чтобы уехать оттуда.

Открыв телефонную книгу, Дженнифер принялась звонить во все юридические конторы в алфавитном порядке, стараясь найти хоть какую-нибудь работу. Она звонила из телефона-автомата, так как не хотела, чтобы Кен Бэйли и Отто Вензел знали, о чем она говорит. Результат был все тот же. Никто не хотел брать ее на работу. Придется ей возвращаться в Келсо и работать юридическим консультантом или секретарем одного из друзей ее отца. Как ей не хотелось этого! Это было горькое поражение, но другого выхода не было. Она вернется домой неудачницей. Самая ближайшая проблема была добраться до Сиэтла. Проглядев дневной выпуск «Нью-Йорк пост», она нашла объявление, в котором предлагалась поездка в Сиэтл на машине с оплатой половины расходов на бензин. Дженнифер позвонила по указанному телефону, но никто не отвечал. Она решила позвонить утром.

На следующий день Дженнифер пришла на работу в последний раз. Отто Вензела не было, а Кен Бэйли, как всегда, висел на телефоне. На нем были джинсы и кашемировый свитер.

— Я нашел вашу жену, — говорил он в трубку. — Единственная проблема, приятель, что она не собирается возвращаться домой, насколько я понял. Кто может понять этих женщин? Ладно, я скажу вам, где она, а вы уж сами между собой разбирайтесь. — Он продиктовал адрес гостиницы. — Всего хорошего.

Повесив трубку, он повернулся к Дженнифер:

— Что-то вы сегодня поздновато.

— Мистер Бэйли, боюсь, что мне придется уехать. Причитающиеся с меня деньги я вышлю вам, как только смогу.

Откинувшись на стуле, Кен Бэйли изучающе посмотрел на нее. От его взгляда Дженнифер стало не по себе.

— Вы согласны?

— Возвращаетесь в Сиэтл?

Дженнифер кивнула.

— Прежде чем уехать, — сказал Кен Бэйли, — не могли бы вы оказать мне услугу? Один знакомый адвокат попросил меня разнести повестки, а времени у меня нет. Он платит двенадцать долларов пятьдесят центов за каждую врученную повестку плюс транспортные расходы. Вы не поможете мне?

Через час Дженнифер Паркер находилась в роскошно обставленной адвокатской фирме «Пибоди энд Пибоди». Именно в такой фирме мечтала она работать, а со временем стать полноправным партнером и занимать огромный кабинет. Ее провели в небольшую комнату, где озабоченная секретарша вручила ей пачку повесток.

— Держите. Не забудьте отмечать километраж. Вы ведь на машине?

— Нет, видите ли...

— Если вы будете ездить на метро, записывайте расходы.

— Хорошо.

34

Остаток дня Дженнифер разносила повестки под проливным дождем в Бронксе, Бруклине и Куинсе. К вечеру она заработала пятьдесят долларов. Она вернулась в свою квартирку озябшая и измотанная. Но наконец она заработала деньги, первые деньги с тех пор, как приехала в Нью-Йорк: Секретарша сказала ей, что осталось еще много повесток. Работа была не из легких — мотаться по всему городу, подвергаясь оскорблениям. Перед ней захлопывали двери, ей угрожали, кричали на нее и дважды предложили переспать. Перспектива провести еще один день подобным образом приводила ее в отчаяние. Но пока она может остаться в Нью-Йорке, у нее есть надежда, пусть даже слабая.

Дженнифер наполнила ванну и погрузилась в горячую воду, чувствуя наслаждение всем телом. Она и не подозревала, как устала. У нее болел каждый мускул. Она решила, что для поднятия настроения ей нужен хороший ужин. Она может пошиковать.

«Я пойду в ресторан со скатертями и салфетками, — подумала Дженнифер. — Послушаю спокойную музыку, выпью бокал вина...»

Трель звонка прервала ее мысли. Это был чуждый звук. С тех пор как она поселилась здесь два месяца назад, к ней никто не приходил. Это могла быть только домохозяйка, которая пришла за квартплатой. Дженнифер лежала не шевелясь, ожидая, что хозяйке надоест звонить и она уйдет.

Звонок прозвучал снова. Нехотя Дженнифер вылезла из теплой ванны. Закутавшись в махровый халат, она подошла к двери:

— Кто там?

Мужской голос за дверью произнес:

— Мисс Паркер?

— Да.

— Меня зовут Адам Уорнер. Я адвокат.

Удивленная Дженнифер, накинув цепочку, отворила дверь. На лестничной площадке стоял широкоплечий мужчина со светлыми волосами. На вид ему было лет тридцать. Из-под очков в роговой оправе на нее изучающе смотрели голубые глаза. Он был одет в сшитый на заказ костюм, который, должно быть, обошелся ему в целое состояние.

— Можно войти?

Бандиты не носят сшитые на заказ костюмы, туфли фирмы «Гуччи» и шелковые галстуки. И у них нет чувственных рук с тщательно ухоженными ногтями.

— Минуточку.

Сняв цепочку, Дженнифер открыла дверь. Когда Адам Уорнер зашел, Дженнифер окинула комнату взглядом, видя всю ее убогость его глазами. Она ужасно огорчилась. Он, судя по всему, привык к другой обстановке.

— Чем могу быть вам полезна, мистер Уорнер?

И вдруг Дженнифер поняла, зачем он пришел, и ее охватило чувство ликования. Это насчет работы! Как бы ей хотелось быть в роскошном темно-синем платье, с безукоризненной прической...

Адам Уорнер сказал:

— Я член дисциплинарного комитета нью-йоркской коллегии адвокатов, мисс Паркер. Окружной прокурор Роберт Ди Сильва и судья Лоренс Уолдман направили в апелляционный суд требование начать процесс по вашей дисквалификации.

Глава 4

Адвокатская фирма «Нидхэм, Финч, Пирс энд Уорнер» располагалась в доме номер тридцать по Уолл-стрит, занимая целый этаж. В фирме работали сто двадцать пять юристов. Здесь витал дух денег и присутствовала ненавязчивая роскошь, подобающая солидной организации с известным именем.

Адам Уорнер и Стюарт Нидхэм пили утренний чай. Стюарту Нидхэму, одетому в безукоризненную твидовую тройку, было за шестьдесят. У него была вандейковская бородка.

По его виду казалось, что он принадлежал к прошлой эпохе, но сотни его соперников обнаруживали, что, к сожалению для них, мозг Стюарта Нидхэма принадлежал двадцатому веку. Он был настоящий титан, но его имя знали только те, кого это касалось. Он всегда предпочитал оставаться в тени, используя свое огромное влияние на принятие законов, результаты правительственных встреч и государственной политики. Выходец из Новой Англии, он был настоящим затворником.

Адам Уорнер был женат на внучке Нидхэма и являлся его протеже. Отец Адама был известным сенатором, а сам он — блестящим адвокатом. С отличием окончив юридический факультет Гарвардского университета, он получил предложения о работе от самых престижных фирм страны. Он выбрал «Нидхэм, Финч энд Пирс», а через семь лет стал полноправным партнером. Адам был привлекательным и обаятельным мужчиной, а его ум выгодно подчеркивал эти качества. Он держался уверенно, что привлекало женщин. Уже давно Адам дал себе зарок не иметь дел с любвеобильными клиентками. Четырнадцать лет он был женат на Мэри Бет и не был сторонником внебрачных связей.

— Еще чаю, Адам? — спросил Стюарт Нидхэм.

— Нет, спасибо. — Адам Уорнер ненавидел чай, но был вынужден пить его каждое утро на протяжении последних восьми лет, чтобы не обидеть своего тестя. Нидхэм собственноручно готовил этот отвратительный на вкус напиток.

Сегодня у Стюарта Нидхэма было две новости, и, как обычно, он начал с приятной.

— Вчера я встречался с друзьями, — сказал Нидхэм. Под друзьями, очевидно, подразумевались влиятельные финансисты страны. — Они считают, что неплохо бы тебе баллотироваться в сенат США, Адам.

Адам был приятно поражен. Зная скрытную натуру Стюарта Нидхэма, он был уверен, что разговор был гораздо серьезнее, иначе Нидхэм не стал бы и упоминать об этом.

— Вопрос теперь в том, интересует ли это тебя. Ведь это изменит всю твою жизнь.

Адам Уорнер прекрасно понимал это. Если он победит на выборах, ему придется переехать в Вашингтон, оставить адвокатскую практику и полностью изменить образ жизни. Он был уверен, что Мэри Бет будет в восторге, а что касается его самого — то не совсем. Но Адам умел принимать ответственные решения. К тому же он вынужден был признаться, что ему приятно обладать властью.

— Меня это очень интересует, Стюарт.

Стюарт Нидхэм удовлетворенно кивнул.

— Хорошо. Им будет приятно это услышать. — Налив себе еще чашку чая, он перешел ко второй новости. — Дисциплинарная коллегия адвокатов хотела бы поручить тебе одну работенку. Это займет у тебя не более одного-двух часов.

— Что за работа?

— Насчет процесса над Майклом Моретти. Похоже, кто-то подкупил одного из молодых помощников.

— Я читал об этом. Желтая канарейка.

— Правильно. Судья Уолдман и Бобби хотят, чтобы ее имя было вычеркнуто из списков представителей нашей достойной профессии. Я тоже придерживаюсь этого мнения.

— И что от меня требуется?

— Быстренько все проверить. Убедиться, что эта Паркер действовала вразрез с законом, попирая нормы этики, а затем предложить лишить ее звания юриста. Тогда ее вызовут в суд, а там уже — дело техники.

Адам удивился:

— А почему выбрали меня? У нас есть пара дюжин молодых адвокатов, которые смогут заняться этим.

— Наш уважаемый окружной прокурор попросил, чтобы этим занялся именно ты. Он хочет быть уверенным, что ничего не сорвется. Как мы оба знаем, — сухо добавил он, — Бобби не являет собой образец всепрощения. Он хочет повесить скальп Паркер у себя на стене.

Адам Уорнер сидел, продумывая свой напряженный график работы.

— Никогда не знаешь, какая услуга нам может понадобиться от окружного прокурора, Адам. Quid pro quo*. Так что этот вопрос решен.

_____
* Одно вместо другого (*лат.*).

— Ладно, Стюарт. — Адам встал.

— Может, еще чаю?

— Нет, спасибо. Чай был просто превосходный.

Вернувшись в свой кабинет, Адам Уорнер вызвал одну из своих помощниц.

— Синди, собери мне всю информацию об адвокате по имени Дженнифер Паркер.

Улыбнувшись, она сказала:

— Желтая канарейка.

Все знали о ней.

Вечером того же дня Адам Уорнер принялся за изучение стенограммы судебного заседания «Народ Нью-Йорка против Майкла Моретти». Роберт Ди Сильва прислал ее с посыльным. Было уже далеко за полночь, когда Адам закончил читать. Он попросил Мэри Бет пойти на званый ужин без него. Читая стенограмму, Адам пришел к выводу, что присяжные обязательно признали бы Майкла Моретти виновным, если бы не вмешалась судьба в лице Дженнифер Паркер. Ди Сильва вел процесс безукоризненно.

Адам перешел к чтению показаний Дженнифер Паркер в кабинете судьи Уолдмана.

ДИ СИЛЬВА. У вас высшее образование?

ПАРКЕР. Да, сэр.

ДИ СИЛЬВА. Вы выпускница юридического факультета?

ПАРКЕР. Да, сэр.

ДИ СИЛЬВА. Значит, когда посторонний человек дает вам пакет и просит передать его ключевому свидетелю в деле об убийстве, вы выполняете его просьбу? Не кажется ли вам, что это переходит все границы глупости?

ПАРКЕР. Все было совсем не так.

ДИ СИЛЬВА. Вы же сами рассказали, как это было.

ПАРКЕР. Я имела в виду... Я не думала, что это посторонний человек. Я думала, что он из вашего штата.

ДИ СИЛЬВА. Что заставило вас прийти к такой мысли?

ПАРКЕР. Я уже сказала вам. Я видела, как он разговаривал с вами, затем он подошел ко мне с пакетом, назвал меня по имени и попросил передать пакет свидетелю. Все это произошло так быстро, что...

ДИ СИЛЬВА. Не думаю, что это произошло так быстро. Думаю, что вам понадобилось немало времени, чтобы организовать это. Кто-то подкупил вас, чтобы вы передали пакет.

ПАРКЕР. Это неправда. Я...

ДИ СИЛЬВА. Что неправда? Что вы передали пакет?

ПАРКЕР. Я не знала, что внутри.

ДИ СИЛЬВА. Значит, то, что вас подкупили, — правда?

ПАРКЕР. Не надо искажать мои слова. Никто мне ничего не платил.

ДИ СИЛЬВА. Вы сделали это в качестве услуги?

ПАРКЕР. Нет. Я думала, что выполняю ваше поручение.

ДИ СИЛЬВА. Вы сказали, что этот человек назвал вас по имени.

ПАРКЕР. Да.

ДИ СИЛЬВА. А как же он узнал ваше имя?

ПАРКЕР. Не знаю.

ДИ СИЛЬВА. Хватит. Придумайте что-нибудь другое. Может, он просто угадал, как вас зовут. Может, оглядев зал заседаний, он подумал, вот стоит женщина, которую наверняка зовут Дженнифер.

ПАРКЕР. Я уже вам сказала, что не знаю.

ДИ СИЛЬВА. Как долго вы состояли в любовной связи с Майклом Моретти?

ПАРКЕР. Мистер Ди Сильва, вы уже об этом спрашивали. Уже пять часов без перерыва вы допрашиваете меня. Я устала. Мне больше нечего добавить. Можно, я отдохну?

ДИ СИЛЬВА. Если вы попытаетесь встать со стула, я арестую вас. У вас большие неприятности, мисс Паркер. Есть только один способ избавиться от них. Перестаньте лгать и говорите правду.

ПАРКЕР. Я рассказала вам правду. Я рассказала вам все, что знала.

ДИ СИЛЬВА. Кроме имени человека, вручившего вам пакет. Я хочу знать, как его зовут и сколько он вам заплатил.

Адам Уорнер прочитал еще тридцать страниц стенограммы. Роберт Ди Сильва перепробовал все способы, разве что не бил Дженнифер Паркер резиновой дубинкой. Но она стояла на своем. Закончив читать, Адам устало протер глаза. Было два часа ночи.

Завтра он закончит дело о Дженнифер Паркер.

К удивлению Адама, дело Дженнифер Паркер оказалось не таким уж и простым. Будучи человеком скрупулезным, он внимательно изучил биографию Дженнифер. Ему стало ясно, что ни в преступной, ни в какой другой связи с Майклом Моретти она не состояла.

Но что-то не давало ему покоя. Уж слишком неубедительные доводы она приводила в свою защиту. Если бы она работала на Моретти, он придумал бы для нее надежную легенду. Но все ее объяснения были настолько наивными, что, похоже, она говорила правду.

В полдень Адаму позвонил окружной прокурор:

— Ну как дела, Адам?

— Хорошо, Роберт.

— Я так понял, что роль палача Дженнифер Паркер возложена на тебя.

Адам Уорнер недовольно поморщился:

— Да, я согласился взяться за это дело.

— Я надолго упеку ее за решетку. — Адама поразила ненависть, звучащая в голосе прокурора.

— Не торопись, Роберт. Ее еще не лишили звания юриста.

Ди Сильва хмыкнул:

— Этим ты и займешься, мой друг. — Его голос изменился. — Ходят слухи, что скоро ты перебираешься в Вашингтон. Хотел тебе сказать, что можешь рассчитывать на мою поддержку.

Адам знал, что окружной прокурор был довольно влиятельным лицом. Он давно находился на этом посту и прекрасно ориентировался в коридорах власти.

— Спасибо, Роберт. Очень тебе признателен.

— Не стоит благодарностей. Надеюсь, что скоро услышу от тебя приятные новости.

Он имел в виду Дженнифер Паркер. Девушка играла роль пешки в этой игре. Адам подумал над словами Роберта Ди Сильвы: «Я надолго упеку ее в тюрьму». После чтения стенограммы Адам пришел к выводу, что против Дженнифер нет явных доказательств. Пока она сама не сознается или пока не всплывет какая-нибудь информация, подтверждающая ее вину, Ди Сильва ничего с ней сделать не сможет. Он рассчитывал, что Адам даст ему возможность отомстить.

Застенографированные ответы были ясными и точными, и все же Адаму хотелось услышать голос пытающейся доказать свою невиновность Дженнифер Паркер.

Адама ждали неотложные дела и важные клиенты. Проще простого было махнуть на все рукой и исполнить просьбу Стюарта Нидхэма, судьи Уолдмана и Роберта Ди Сильвы, но что-то удерживало его от этого шага. Взяв досье на Дженнифер Паркер, он сделал кое-какие заметки и принялся звонить в разные города.

Адам ответственно подходил к каждому поручению и старался исполнить его как можно лучше. Он прекрасно понимал, каких трудов стоит получить юридическое образование и сдать экзамен на адвоката. Это звание было вознаграждением за годы упорной учебы, и он не собирался лишить его человека, пока не убедится в правильности такого решения.

На следующее утро Адам вылетел в Сиэтл, штат Вашингтон. Он встретился с преподавателями Дженнифер, владельцем маклерской конторы, где она подрабатывала во время летних каникул, и некоторыми из ее бывших сокурсников.

Стюарт Нидхэм позвонил Адаму в Сиэтл.

— Чем ты там занимаешься? Здесь тебя ждут важные дела, Адам. Слишком долго ты возишься с этой Паркер.

— Тут возникло несколько вопросов, — осторожно сказал Адам. — Через пару дней я вернусь, Стюарт.

На том конце провода воцарилась тишина.

— Понятно. Не надо тратить на нее больше времени, чем необходимо.

К тому времени когда Адам Уорнер вылетел из Сиэтла, он знал Дженнифер Паркер не хуже ее самой. Он создал ее мысленный образ на основании услышанного от ее преподавателей, сокурсников, владельца конторы, где она подрабатывала. Этот образ совершенно не был похож на тот портрет, который нарисовал ему Роберт Ди Сильва. Если, конечно, Дженнифер Паркер не была искусной актрисой, она никак не могла участвовать в заговоре с целью освободить такого преступника, как Майкл Моретти.

И вот теперь, почти через две недели после того утреннего разговора со Стюартом Нидхэмом, Адам Уорнер стоял перед женщиной, чье прошлое он исследовал с такой тщательностью. Хотя Адам видел ее фотографии в газетах, без косметики, с мокрыми волосами, выглядела она просто потрясающе.

— Мне поручено расследовать ваше участие в процессе над Майклом Моретти, мисс Паркер, — сказал Адам.

— Ах, вот как! — Дженнифер чувствовала, как в ней закипает ярость. Они никак не оставляли ее в покое. Им хочется, чтобы она платила за свою ошибку всю жизнь. Но с нее достаточно.

Когда Дженнифер заговорила снова, ее голос дрожал.

— Мне нечего вам сказать! Так им и передайте! Я совершила глупость, но, насколько я знаю, нет закона, карающего за глупость. Окружной прокурор думает, что меня подкупили. — Она сделала жест рукой. — Если бы у меня были деньги, неужели я бы жила в таком убожестве? — Голос ее сорвался. — Я... Мне все равно, что вы сделаете. Я только хочу, чтобы меня оставили в покое. А теперь уходите, пожалуйста.

Развернувшись, Дженнифер вошла в ванную, с силой захлопнув за собой дверь. Она встала напротив зеркала, тяжело дыша и вытирая слезы. Она знала, что вела себя глупо. «Дура вдвойне», — хмуро подумала она. Ей надо было вести себя с Адамом Уорнером совсем по-другому. Вместо того чтобы нападать на него, ей следовало попытаться объяснить ему, что произошло. Может, тогда бы ее не лишили звания адвоката. Но она знала, что все это впустую. Следующим шагом будет вызов в суд, и машина придет в действие. Ее дело будут рассматривать три юриста, которые дадут свои рекомендации дисциплинарной комиссии, а та, в свою очередь, губернаторской комиссии.

Рекомендация известна заранее — лишение звания юриста. Ей будет запрещено заниматься юриспруденцией в штате Нью-Йорк. «Единственная радость, — горько подумала Дженнифер, — это то, что я могу попасть в Книгу рекордов Гиннесса как юрист с самой короткой карьерой в мире».

Она снова залезла в ванну и теперь лежала, чувствуя, как теплая вода понемногу снимает напряжение. Она слишком устала, чтобы думать о том, что с ней будет. Она почти заснула, когда остывшая вода заставила ее вернуться к действительности. Она понятия не имела, сколько времени пролежала в ванне. Нехотя Дженнифер вылезла и стала вытираться. Она уже не чувствовала голода. После разговора с Адамом Уорнером у нее пропал аппетит.

Дженнифер расчесала волосы и намазала лицо кремом. Она решила лечь спать без ужина. Утром она позвонит по телефону и договорится о поездке в Сиэтл. Открыв дверь ванной, она вошла в гостиную.

Адам Уорнер сидел в кресле, листая журнал. Он поднял глаза и увидел перед собой обнаженную Дженнифер.

— Извините, — пробормотал Адам. — Я...

Вскрикнув от неожиданности, Дженнифер скрылась в ванной, где набросила на себя халат. Когда она снова вышла из ванной, лицо ее пылало гневом.

— Допрос закончен. Я, кажется, попросила вас уйти.

Отложив журнал, Адам сказал:

— Мисс Паркер, может, мы поговорим об этом спокойно?

— Нет! — Ярость переполняла Дженнифер. — Мне нечего сообщить вашей дисциплинарной комиссии. Пусть катятся к черту! Мне надоело, что на меня смотрят как на преступницу!

— Разве я вас назвал преступницей? — спокойным голосом спросил Адам.

— А разве вы не за этим сюда пришли?

— Я сказал, зачем я пришел. Меня уполномочили провести расследование и выдать рекомендации — лишить вас звания юриста или нет. Вот я и хочу вас выслушать.

— Понятно. И как мне вас подкупить?

Лицо Адама окаменело.

— Извините, мисс Паркер. — Он встал и направился к двери.

— Подождите!

Адам вернулся.

— Простите меня, — сказала Дженнифер. — Я в каждом человеке вижу врага. Извините.

— Я принимаю ваши извинения.

Дженнифер внезапно вспомнила, что на ней старый халат.

— Если вы хотите поговорить со мной, то я сначала переоденусь.

— Хорошо. А может, поужинаем вместе?

Дженнифер не знала, что ответить.

— Но...

— Я знаю один французский ресторанчик, который прекрасно подходит для инквизиции.

Это было уютное бистро на 56-й улице.

— Об этом местечке мало кто знает, — сказал Адам, когда они сели за столик. — Оно принадлежит одной французской паре. Кухня просто великолепная.

Дженнифер пришлось поверить Адаму на слово. Она была просто неспособна ощутить вкус еды. Она не ела целый день, но из-за нервного напряжения у нее кусок в горло не лез. Она пыталась расслабиться, но у нее ничего не получалось. Как бы она себя ни убеждала в обратном, человек, сидящий напротив, был ее врагом. Однако Дженнифер была вынуждена признать, что он очаровательный мужчина, умный и интересный собеседник. При других обстоятельствах Дженнифер получила бы огромное наслаждение от такого вечера. Но сейчас в руках этого незнакомца находилось ее будущее. В следующие час или два должна решиться ее судьба.

Адам, как мог, пытался развеселить ее. Недавно он вернулся из Японии, где встречался с высокопоставленными чиновниками. В его честь был устроен банкет.

— Вы когда-нибудь ели муравьев в шоколаде? — спросил он Дженнифер.

— Нет.

Он усмехнулся:

— Это немного лучше, чем кузнечики в шоколаде.

Он рассказал ей, как в прошлом году охотился на Аляске, где на него напал медведь. Он говорил обо всем, только не о том, зачем он пригласил ее сюда.

Дженнифер готовила себя к допросу, и, когда наконец Адам коснулся этой темы, она почувствовала, как все тело ее напряглось.

Покончив с десертом, Адам сказал:

— Я хочу задать вам несколько вопросов, только, пожалуйста, не волнуйтесь. Ладно?

Дженнифер почувствовала комок в горле. Будучи не в силах вымолвить ни слова, она молча кивнула.

— Я хочу, чтобы вы подробно рассказали мне все, что произошло в тот день. Все, что вы помните. Не спешите, время у нас есть.

Сначала Дженнифер враждебно отнеслась к Адаму, заявив, что он может делать все, что хочет. Но, сидя с ним за столиком, слушая его спокойный голос, она почувствовала, что ей совершенно не хочется сопротивляться. Вся картина настолько ярко стояла у нее перед глазами, что ей больно было даже думать об этом. Больше месяца она пыталась все забыть, а теперь должна была вспомнить снова.

Она прерывисто вздохнула:

— Ладно.

Запинаясь, Дженнифер принялась рассказывать о событиях того дня. Постепенно она стала говорить все быстрее и быстрее. Адам слушал ее, не перебивая.

Когда Дженнифер закончила, Адам сказал:

— Человек, который передал вам пакет, был ли в кабинете окружного прокурора, когда вы принимали присягу?

— Я уже думала об этом. Честно говоря, не помню. Там было много людей, и я никого из них раньше не видела.

— И этого человека раньше не встречали?

Дженнифер беспомощно покачала головой:

— Не знаю. Думаю, что нет.

— Вы сказали, что видели, как он разговаривал с окружным прокурором перед тем, как подойти к вам и передать пакет. Вы видели, как окружной прокурор передал ему пакет?

— Нет...

— Вы уверены, что тот человек действительно разговаривал с окружным прокурором, или он просто стоял рядом с ним?

— Извините. У меня все смешалось в голове. Я... я не знаю.

— Как вы думаете, откуда он узнал, как вас зовут?

— Не знаю.

— А почему он выбрал вас?

— Очень просто. Он, наверное, разглядел во мне идиотку. — Она покачала головой. — Не знаю. Извините, мистер Уорнер.

— Это был крупный процесс, — сказал Адам. - Окружной прокурор Ди Сильва давно охотился за Майклом Моретти. Пока вы не появились, Моретти был у него в руках. Не думаю, что окружной прокурор вам это простит.

— Я сама не могу себе этого простить.

Дженнифер не могла винить Адама Уорнера за то, что он делал. Он просто выполнял свою работу. Они хотели ее уничтожить, и им это удалось. Адам Уорнер был не виноват. Он всего лишь был орудием в их руках.

Внезапно Дженнифер захотелось остаться одной. Она не хотела, чтобы кто-то видел ее страдания.

— Извините, — сказала она. — Я... я себя не очень хорошо чувствую. Мне бы хотелось вернуться домой.

Адам изучающе посмотрел на нее:

— Может, вы почувствуете себя лучше, если я вам скажу, что собираюсь рекомендовать комиссии не лишать вас звания юриста?

Дженнифер понадобилось время, чтобы до нее дошел смысл сказанного. Она внимательно посмотрела в его голубые глаза за стеклами роговых очков.

— Вы серьезно?

— Для вас ведь очень важно остаться юристом?

Дженнифер вспомнила отца, его уютный кабинет, их беседы, долгие годы учебы в университете, свои мечты и надежды.

«Мы будем с тобой партнерами, Дженни. Давай поскорее получай диплом юриста».

— Да, — прошептала она.

— Уж если вы смогли выдержать такой нелегкий старт, то я верю, что вы будете хорошим юристом.

Дженнифер благодарно улыбнулась:

— Спасибо. Я постараюсь.

Она снова мысленно повторила — я постараюсь. Теперь ее уже не волновало, что ей приходится делить скромное помещение вместе с частным детективом и сборщиком налогов. Это ее адвокатская контора. Она юрист и может заниматься юриспруденцией. Ее охватило чувство ликования. Она посмотрела на Адама и поняла, что всю жизнь будет благодарна этому человеку.

Официант принялся убирать со стола. Дженнифер пыталась заговорить, но ей хотелось и плакать и смеяться.

— Мистер Уорнер...

— После того что вам пришлось пережить, я думаю, вы можете называть меня Адам, — серьезным голосом сообщил он.

— Адам...

— Да?

— Я думаю, что это не повлияет на наши отношения, но... — Дженнифер застонала. — Я просто умираю от голода.

Глава 5

Следующие несколько недель пролетели незаметно. С раннего утра до позднего вечера Дженнифер была занята тем, что разносила повестки с вызовом в суд. Она понимала, что у нее не было никаких шансов получить работу в крупной адвокатской фирме. После такого фиаско никто не осмелится взять ее к себе.

А пока ее ждали стопки повесток в адвокатской фирме «Пибоди энд Пибоди». Нельзя сказать, что она занималась юриспруденцией, но все же ей платили по двенадцать долларов пятьдесят центов плюс расходы.

Иногда, когда Дженнифер работала допоздна, Кен Бэйли приглашал ее поужинать. Он был циничным человеком, но Дженнифер чувствовала, что это всего лишь маска. Она видела, как он одинок. Кен окончил Брауновский университет, был способным и образованным человеком. Она никак не могла понять, почему ему нравилось проводить свою жизнь в такой обшарпанной конторе, разыскивая сбежавших жен и мужей. Такое впечатление, что он когда-то потерпел поражение и теперь не хотел снова испытывать судьбу.

Однажды, когда Дженнифер спросила его, женат ли он, Кен проворчал: «Тебя это не касается», — и Дженнифер больше никогда не задавала ему подобных вопросов.

Отто Вензел был полной противоположностью Кена. Невысокий, с брюшком, он был счастлив в браке. Он относился к Дженнифер как к дочери и часто приносил ей суп или пирог, приготовленные его женой. К сожалению, его супруга совершенно не умела готовить, но, чтобы не обидеть Отто, Дженнифер заставляла себя съедать все, чем он ее угощал. Однажды в пятницу Отто пригласил ее на ужин. Миссис Вензел приготовила солянку. Капуста была безвкусной, мясо жестким, а рис — недоваренным. Все это плавало в луже куриного жира. Дженнифер смело бросилась в атаку, размазывая все по тарелке, чтобы сделать вид, что она ест.

— Вам нравится? — спросила миссис Вензел с лучезарной улыбкой.

— Это мое любимое блюдо.

С тех пор всегда, когда Дженнифер приглашали на ужин к Вензелам, хозяйка готовила ее любимое блюдо.

Однажды утром Дженнифер позвонила личная секретарша мистера Пибоди-младшего.

— Мистер Пибоди хотел бы встретиться с вами сегодня утром в одиннадцать часов. Не опаздывайте, пожалуйста.

— Конечно.

До этого Дженнифер имела дело с мелкими клерками в «Пибоди энд Пибоди». Это была солидная юридическая фирма, в которой мечтает работать каждый молодой юрист. Готовясь к этой встрече, Дженнифер принялась фантазировать. Если сам мистер Пибоди решил поговорить с ней, то речь пойдет о чем-то важном. Он, наверное, заметил ее и хочет предложить ей работу, дать шанс проявить себя. Она не разочарует их. Может, даже когда-нибудь эта юридическая фирма будет называться «Пибоди, Пибоди энд Паркер».

Полчаса стояла Дженнифер в коридоре и ровно в одиннадцать зашла в приемную. Она не хотела, чтобы заметили ее нетерпение. Ей пришлось подождать в приемной два часа, прежде чем ее провели в кабинет мистера Пибоди. Это был высокий человек, одетый в костюм-тройку. На нем были туфли, сделанные на заказ в Лондоне.

Он даже предложил ей сесть.

— Мисс Поттер... — У него был неприятный писклявый голос.

— Паркер.

Он взял со стола листок бумаги:

— Это повестка. Я хочу, чтобы вы отнесли ее и вручили одному лицу.

Дженнифер поняла, что ей не собираются предлагать работу в фирме.

Протянув повестку Дженнифер, мистер Пибоди-младший сказал:

— За это мы вам заплатим пятьсот долларов.

Дженнифер показалось, что она ослышалась:

— Вы сказали — пятьсот долларов?

— Да. Если, конечно, вы вручите эту повестку.

— Есть какие-то сложности?

— Да, — признался Пибоди-младший. — Больше года мы пытаемся вручить повестку в суд этому человеку. Его зовут Уильям Карлайл. Он живет в своем поместье на Лонг-Айленде и никогда не выходит из дому. Честно говоря, мы уже раз десять пытались вызвать его повесткой в суд. Однако его управляющий дальше ворот никого не пускает.

— Не знаю, смогу ли я... — начала Дженнифер.

Мистер Пибоди-младший нахмурился:

— Речь идет о больших деньгах. Но я не могу добиться вызова Уильяма Карлайла в суд, пока ему не вручат повестку. Может, вам это удастся сделать, мисс Поттер?

Дженнифер решила не поправлять его. Она думала, что может сделать, имея пятьсот долларов.

— Что-нибудь придумаю.

В два часа дня Дженнифер стояла перед оградой поместья Уильяма Карлайла. Дом в викторианском стиле располагался посреди ухоженного парка, занимавшего десять акров. Дорога вела к воротам, возле которых росли стройные ели. Дженнифер думала, как же ей быть. Если в дом попасть невозможно, то надо найти способ выманить Уильяма Карлайла наружу.

В квартале от поместья она заметила грузовик. Рядом с ним работали три садовника-японца.

Дженнифер подошла к рабочим:

— Кто у вас главный?

Один из них выпрямился:

— Я.

— У меня есть для вас небольшая работа... — начала Дженнифер.

— Извините, мисс. Мы слишком заняты.

— Это займет у вас не больше пяти минут.

— Нет, мы не можем.

— Я заплачу вам сто долларов.

Все трое посмотрели на нее. Главный сказал:

— Вы заплатите нам сто долларов за пять минут работы?

— Именно так.

— Что нам надо делать?

Через пять минут грузовик с садовниками остановился у ворот имения Уильяма Карлайла. Из него вылезли трое садовников и Дженнифер. Она осмотрелась и, выбрав самое красивое дерево, сказала японцам:

— Выкопайте его.

Взяв лопаты, садовники принялись за дело. Не прошло и минуты, как дверь распахнулась и оттуда выскочил мужчина огромного роста, одетый в ливрею дворецкого.

— Что вы тут делаете, черт побери!

— Нью-йоркская служба озеленения, — коротко сказала Дженнифер. — Нам надо выкорчевать это дерево.

— Вы с ума сошли! Мистера Карлайла удар хватит. — Он повернулся к садовникам. — Прекратите немедленно!

— Послушайте, мистер, — сказала Дженнифер, — я знаю, что мне делать. — Она посмотрела на садовников. — Продолжайте, ребята.

— Нет! — заорал дворецкий. — Здесь какая-то ошибка! Мистер Карлайл не просил выкорчевывать дерево.

Дженнифер пожала плечами:

— А мой начальник сказал, что просил.

— Как я смогу связаться с ним?

Дженнифер посмотрела на часы:

— Сейчас он в Бруклине. Он вернется в контору около шести вечера.

Дворецкий злобно посмотрел на нее:

— Подождите. Я сейчас вернусь.

— Копайте, копайте, — сказала Дженнифер садовникам.

Дворецкий развернулся и с треском захлопнул за собой дверь. Через несколько минут дверь снова распахнулась, и дворецкий вышел в сопровождении невысокого человека средних лет.

— Может, вы мне объясните, какого черта вам тут нужно?

— А вам-то какое дело? — спросила Дженнифер.

— Большое! — рявкнул мужчина. — Я — Уильям Карлайл, и это, кстати, моя собственность!

— В таком случае, мистер Карлайл, — сказала Дженнифер, — у меня для вас кое-что есть. — Она вытащила из кармана повестку и отдала ее Карлайлу. Повернувшись к садовникам, она сказала: — Хватит копать.

На следующее утро ей позвонил Адам Уорнер. Дженнифер сразу же узнала его по голосу.

— Я хотел сообщить, — сказал Адам, — что принято официальное решение не принимать к вам никаких дисциплинарных мер. Так что больше вам не о чем волноваться.

Закрыв глаза, Дженнифер мысленно произнесла молитву.

— Я... У меня нет слов, чтобы высказать всю мою благодарность.

— Правосудие не всегда слепо.

Адам не стал ей рассказывать о разговоре со Стюартом Нидхэмом и Робертом Ди Сильвой. Нидхэм был разочарован, но воспринял все философски.

Окружной прокурор взревел, как рассвирепевший бык:

— Ты хочешь сказать, что эта стерва не будет наказана? Господи, она же работает на мафию, Адам! Неужели ты не видишь? Она тебя обвела вокруг пальца.

Ди Сильва никак не мог успокоиться, и в конце концов Адаму это надоело.

— Все улики против нее — косвенные, Роберт. Она оказалась в нужное время в нужном месте, и ее заманили в ловушку. Тут мафией и не пахнет.

— Ладно, — сказал Ди Сильва. — Итак, она все еще адвокат. Дай Бог, чтобы она работала в Нью-Йорке, потому что, как только мы встретимся с ней в зале суда, я сотру ее в порошок.

Но Адам решил ничего этого Дженнифер не рассказывать. У нее появился заклятый враг, и ничего поделать было нельзя. Роберт Ди Сильва слыл мстительным человеком, а Дженнифер была уязвимой жертвой. Красивая, молодая и умная идеалистка.

Адам знал, что ему не следует с ней больше встречаться.

Были дни, недели и месяцы, когда Дженнифер была готова все бросить. На двери все еще висела табличка «Дженнифер Паркер. Адвокат», но вряд ли это могло кого-нибудь обмануть. И уж тем более саму Дженнифер. Она не занималась адвокатской деятельностью. Целыми днями, и в дождь и в снег, она моталась по городу, разнося повестки людям, которые ненавидели ее за это. Изредка она брала мелкие дела, помогая престарелым получать талоны на бесплатную еду, или давала консультации неграм и пуэрториканцам, живущим в гетто. Но удовлетворения от этого она не получала.

Однако по сравнению с днями ночи были просто невыносимыми. Казалось, у них нет конца. Дженнифер страдала бессонницей, а когда наконец засыпала, начинались кошмары. Они преследовали ее с того дня, когда мать Дженнифер бросила их с отцом.

Дженнифер умирала от одиночества. Иногда она встречалась с молодыми адвокатами, но они не шли ни в какое сравнение с Адамом Уорнером. После ужина ее приглашали в кино или на спектакль, а потом начиналась неизбежная борьба у дверей ее квартиры. Дженнифер так до конца и не была уверена — хотели они переспать с ней потому, что заплатили за ужин, или потому, что им приходилось подниматься пешком на третий этаж. Иногда ей так хотелось сказать «да», чтобы не быть одной, чтобы кто-то обнимал ее, чтобы с кем-то разделить свое одиночество.

Но ей был нужен не просто мужчина. Она нуждалась в человеке, который бы заботился о ней и о котором заботилась бы она.

Наиболее привлекательные мужчины, которые предлагали ей встречаться, были женаты, и она решительно отвергала их. Мать Дженнифер разрушила семью и убила отца Дженнифер. Она не могла этого забыть.

Наступило Рождество, потом — Новый год, и Дженнифер встретила его в одиночестве. Снег падал большими хлопьями, и город был похож на гигантскую рождественскую открытку. Бродя по улицам, Дженнифер с завистью глядела на прохожих, спешащих домой. Ее охватывало чувство опустошения. Как ей не хватало отца! Когда праздники закончились, она вздохнула с облегчением. «Семидесятый год должен быть лучше», — подумала она.

В эти тяжелые дни Кен Бэйли как мог старался подбодрить ее. Он водил ее в «Мэдисон-Сквер-Гарден» на матчи «Рейнжерс», в диско-клубы, на спектакли или в кино. Дженнифер чувствовала, что он неравнодушен к ней, но всегда держала дистанцию.

В марте Отто Вензел решил переехать с женой во Флориду.

— Мои старые кости уже не выносят нью-йоркских морозов, — пожаловался он.

— Я буду скучать без вас, — искренне сказала Дженнифер. Ей очень нравился Отто Вензел.

— Заботьтесь о Кене.

Дженнифер вопросительно посмотрела на него.

— Он вам не рассказывал?

— Что именно?

Поколебавшись, Отто сказал:

— Его жена покончила с собой. Он во всем винит себя.

Дженнифер была поражена.

— Какой ужас! Почему... почему она это сделала?

— Она застала его в постели с молодым человеком.

— Господи!

— Она сначала выстрелила в Кена, а затем направила пистолет на себя. Он выжил, она — нет.

— Кошмар! Я понятия не имела...

— Я знаю. Он, конечно, держится молодцом, но живет в аду.

— Спасибо, что рассказали мне об этом.

Когда Дженнифер вернулась в контору, Кен сказал:

— Итак, старый Отто покидает нас.

— Да.

Кен Бэйли усмехнулся:

— Теперь нам вдвоем придется сражаться против всего мира.

— Пожалуй, так.

Теперь Дженнифер смотрела на Кена Бэйли по-другому. Они вместе обедали и ужинали. Хотя Дженнифер не замечала в нем гомосексуальных наклонностей, она знала, что Отто Вензел сказал ей правду — Кен Бэйли жил в аду.

К ней приходило мало клиентов. Это были неимущие люди, а иногда попадались и сумасшедшие.

Проститутки часто обращались к Дженнифер, чтобы она выступала в роли их поручителя. Она была поражена, что некоторые из них отличались молодостью и красотой. Все это давало Дженнифер небольшой, но постоянный доход. Она никак не могла выяснить, кто направлял их к ней. Когда она спросила об этом у Кена, тот лишь недоуменно пожал плечами и отвернулся.

Когда к Дженнифер приходил клиент, Кен Бэйли тактично выходил из комнаты. Он был похож на гордого отца, радующегося успехам своей дочери.

Несколько раз Дженнифер предлагали заняться бракоразводными делами, но она неизменно отказывалась. Она до сих пор помнила, как говорил один из ее преподавателей по юриспруденции: «Развод в адвокатской работе занимает такое же место, как проктология в медицине». У многих адвокатов, занимающихся бракоразводными делами, была дурная слава. Ведь разводящаяся пара всегда видела все в другом свете, нежели адвокат. Высокооплачиваемых адвокатов, специализировавшихся на разводах, называли «бомбардирами», так как они использовали «тяжелую артиллерию» закона, чтобы выиграть дело, однако нередко при этом уничтожая и мужа, и жену, и детей.

Впрочем, приходили и такие клиенты, которые заметно отличались от обычных посетителей. Хорошо одетые, они держались с достоинством. Дела, по которым они обращались к ней, были солидными — разрешение имущественных конфликтов, где состояния достигали астрономических сумм, и судебные иски, которыми с удовольствием занялась бы любая крупная юридическая фирма.

— Почему вы обратились ко мне? — спрашивала их Дженнифер.

Ответы были уклончивыми. От друга... Я читал о вас... Кто-то упомянул ваше имя на вечеринке... Только когда один из клиентов, объясняя суть проблемы, назвал имя Адама Уорнера, Дженнифер внезапно все поняла.

— Вас направил ко мне мистер Уорнер?

Клиент замялся:

— Видите ли, вообще-то он просил, чтобы я не упоминал его имени.

Дженнифер решила позвонить Адаму. Она хотела поблагодарить его. Она будет разговаривать с ним вежливо, но не более того. Чтобы у Адама не возникло и мысли, что она звонит не просто из чувства благодарности, а с другой целью. Она снова и снова мысленно репетировала предстоящий разговор. Когда же наконец Дженнифер собралась с духом и позвонила, секретарша ответила, что мистер Уорнер уехал в Европу и вернется через несколько недель. Это сообщение повергло Дженнифер в глубокую депрессию.

Она ловила себя на мысли, что думает об Адаме Уорнере все чаще и чаще. Она вспоминала, как он пришел к ней домой и как ужасно она вела себя. Как хорошо, что он сумел погасить в ней эту вспышку гнева. А теперь, ко всему прочему, еще и присылает к ней клиентов.

Выждав три недели, Дженнифер снова позвонила Адаму. На этот раз он был в Южной Америке.

— Что ему передать?

— Ничего, — ответила Дженнифер после секундного колебания.

Дженнифер пыталась выбросить Адама из головы, но это ей никак не удавалось. Ее терзала мысль: женат он или обручен?

Она представляла, каково быть миссис Адам Уорнер. «Я, наверное, сошла с ума», — думала Дженнифер.

Время от времени в газетах и журналах она встречала имя Майкла Моретти. В «Нью-йоркере» она прочитала большую статью об Антонио Гранелли и «семьях» мафии, контролирующих восточное побережье страны. Сообщалось, что здоровье у Антонио Гранелли слабое, и его зять — Майкл Моретти — скоро будет управлять всей империей. В «Лайфе» она прочитала о том, какой образ жизни вел Майкл Моретти. Упоминалось там и о суде над ним. Камилло Стела отбывал срок в Левенворте, в то время как Майкл Моретти оставался на свободе. Журнал напоминал читателям, что лишь благодаря оплошности Дженнифер Паркер Майкл Моретти не попал в тюрьму или на электрический стул. Прочитав это, Дженнифер почувствовала, как все внутри у нее перевернулось. Электрический стул? Она бы сама с удовольствием включила рубильник!

Дела, с которыми клиенты обращались к Дженнифер, были мелкими, но она обогащалась бесценным опытом. За месяц Дженнифер побывала во всех кабинетах здания суда, расположенного на Сентер-стрит, и познакомилась с людьми, которые там работали.

Когда ее клиентов арестовывали за кражи в магазинах, бродяжничество, проституцию или продажу наркотиков, Дженнифер направлялась в суд, чтобы оформить поручительство.

— Арестованный может быть выпущен под залог в пятьсот долларов.

— Ваша честь, но у арестованного нет таких денег. Если суд уменьшит сумму залога до двухсот долларов, он снова сможет работать и содержать семью.

— Хорошо, двести долларов.

— Спасибо, ваша честь.

Дженнифер познакомилась с заведующим канцелярией, куда направлялись все копии отчетов о совершенных арестах.

— Опять ты, Паркер! Господи, ты что — никогда не спишь?

— Привет, лейтенант. Моего клиента задержали по обвинению в бродяжничестве. Можно посмотреть список арестованных? Его зовут Коннери Клэренс Коннери.

— Послушай, крошка, зачем тебе приходить сюда в три часа ночи, чтобы освободить какого-то бродягу?

— Чтобы не слоняться по улицам, — улыбнулась Дженнифер.

Она узнала, как работает ночной суд, заседающий в зале номер 218. Это был темный, непонятный мир со своим жаргоном.

— Паркер, у вашего клиента ПОЧКИ.

— Почки?

— Да, ПОЧКИ: попытка ограбления частной квартиры, избиение. Ясно?

— Ясно.

— Я представляю мисс Луну Тарнер.

— Господи!

— Не могли бы вы сказать, в чем ее обвиняют?

— Минутку. Сейчас я найду ее карточку Так, Луна Тарнер. Ага, вот. Прос. Ее задержал ГРОБ. Внизу.

— Гроб?

— Вы что, новенькая? ГРОБ — это Группа расследования и обеспечения безопасности. Прос — это проститутка. Внизу — значит, к югу от 42-й улицы. Понятно?

— Понятно.

Ночной суд угнетал Дженнифер. Человеческая волна откатывала и вновь набегала, ударяясь о берег правосудия.

Более ста пятидесяти дел разбиралось каждую ночь. Кого здесь только не было — проститутки, трансвеститы, прирожденные алкоголики и наркоманы. Чередой проходили пуэрториканцы, мексиканцы, евреи, ирландцы, греки, итальянцы. Их обвиняли в ограблениях и кражах, незаконном хранении оружия и сбыте наркотиков, изнасилованиях и проституции. У всех была общая черта — все они были бедными. Они были бедными, побежденными и потерянными. Это были отбросы процветающего общества. В основном — жители Центрального Гарлема, но, так как тюрьмы были переполнены преступниками, все они, кроме самых отпетых, отпускались на свободу или подвергались штрафу. Они возвращались домой на авеню Св. Николаса, Морнингсайд и Манхэттен-авеню, где на площади в три с половиной мили проживали двести тридцать три тысячи негров, восемь тысяч пуэрториканцев и примерно один миллион крыс.

Большинство клиентов Дженнифер были подавлены бедностью и существующей системой. Это были люди, давно махнувшие на все рукой. Дженнифер обнаружила, что их страхи давали ей уверенность в себе. Она не чувствовала себя выше их. Вряд ли она могла служить примером головокружительного успеха. И все же между ней и ее клиентами была большая разница — она никогда не сдавалась.

Кен Бэйли познакомил ее со святым отцом Фрэнсисом Джорджем Райеном. Отцу Райену было за пятьдесят. Это был жизнерадостный цветущий мужчина. Его черные, с легкой сединой волосы немного вились, и было заметно, что он давно не пользовался услугами парикмахерской. Он сразу понравился Дженнифер.

Время от времени, когда пропадал кто-нибудь из его прихожан, отец Райен приходил к Кену и пользовался его услугами. И всегда Кен находил сбежавших жен, мужей и детей. Он никогда не брал за это деньги.

— Оплата будет на небесах, — говорил Кен.

Однажды, когда Дженнифер была одна в конторе, зашел отец Райен.

— Кен ушел, отец Райен. Он уже сегодня не вернется.

— Я вообще-то к вам, Дженнифер, — сказал отец Райен. Он уселся в кресло, стоящее напротив. — У одного из моих друзей проблемы.

Так он всегда начинал разговор с Кеном.

— Слушаю вас, святой отец.

— Это одна из моих старых прихожанок. Бедняга никак не может получить свою пенсию по социальному страхованию. Она недавно переехала в другой район, а вся информация в проклятом компьютере стерлась, чтоб ему гореть в аду!

— Понятно.

— Я знал, что вы поможете, — сказал отец Райен, поднимаясь. — Боюсь только, что заплатить она вам не сможет.

Дженнифер улыбнулась:

— Не беспокойтесь. Я все улажу.

Вопреки ее ожиданиям, Дженнифер понадобилось целых три дня, чтобы в компьютер заложили новую информацию.

Месяц спустя отец Райен вновь пришел к Дженнифер.

— Извините за беспокойство, дорогая, но у одного из моих друзей небольшие проблемы. Боюсь, что у него нет... — Он замялся.

— Денег, — угадала Дженнифер.

— Да! Именно! Но бедняге срочно нужна помощь.

— Хорошо. Расскажите, в чем дело.

— Его зовут Абрахам. Абрахам Уилсон. Это сын одной моей прихожанки. Он сейчас отбывает срок в Синг-Синге за то, что во время ограбления винного магазина убил его владельца.

— Если его осудили и он сидит в тюрьме, то я не знаю, чем могу помочь.

Отец Райен посмотрел на Дженнифер и вздохнул.

— Проблема не в этом.

— Не в этом?

— Нет. Пару недель назад Абрахам убил еще одного человека — заключенного по имени Раймонд Торп. Теперь его будут судить за преднамеренное убийство, и ему грозит смертная казнь.

Дженнифер что-то читала об этом.

— Если я не ошибаюсь, он избил человека до смерти.

— Так говорят.

Дженнифер взяла блокнот и ручку.

— Вы не знаете, есть ли свидетели?

— Боюсь, что да.

— Сколько?

— Сто, а может, и больше. Видите ли, это случилось в тюремном дворе.

— И что вы от меня хотите?

— Помогите Абрахаму, — просто сказал отец Райен.

Дженнифер отложила ручку.

— Думаю, что теперь ему может помочь только Всевышний. — Она откинулась в кресле. — Абрахам в незавидном положении. Он чернокожий, он отбывает срок за убийство, и он убил еще одного человека на глазах у сотни свидетелей. Если он действительно это сделал, то вряд ли ему можно помочь. Если бы тот заключенный угрожал ему, он мог бы попросить помощи у охранников. А он решил, что стоит над законом и сам может вершить суд. Ни одно жюри в мире не оправдает его.

— Но он все же человек. Хотя бы поговорите с ним.

Дженнифер вздохнула:

— Если вы так настаиваете, я поговорю с ним, но ничего обещать не могу.

Отец Райен кивнул:

— Я понимаю. Думаю, в газетах будут писать об этом деле.

Они оба думали об одном и том же. Не один только Абрахам Уилсон находился в незавидном положении.

Тюрьма Синг-Синг находится в городке Оссининг в тридцати милях от Манхэттена на восточном берегу Гудзона возле бухты Хаверстроу.

Дженнифер добралась туда на автобусе. Она заранее позвонила заместителю начальника тюрьмы и договорилась о встрече с Абрахамом Уилсоном, находящимся в одиночной камере.

Сидя в автобусе, Дженнифер немного волновалась. Она ехала в Синг-Синг на встречу с возможным клиентом, которого обвиняли в убийстве. В университете их учили вести именно такие дела, именно к этому стремилась и она сама. Впервые за год Дженнифер почувствовала себя настоящим адвокатом, хотя и отдавала себе отчет в том, что это лишь мечты. Она ехала не к клиенту. Она ехала, чтобы сказать человеку, что не сможет защищать его. Она не могла позволить себе взяться за громкое дело, выиграть которое у нее не было ни малейшей возможности.

Абрахаму Уилсону придется искать себе другого защитника.

В обшарпанном такси Дженнифер доехала от автобусной станции до тюрьмы, занимавшей семьдесят акров земли у самой реки. Дженнифер нажала на кнопку звонка, и охранник открыл ей дверь. Найдя в списке посетителей ее имя, он показал, как пройти к заместителю начальника тюрьмы.

Заместитель начальника тюрьмы был крупным широкоплечим мужчиной с короткой стрижкой военного образца и лицом, побитым оспой. Его звали Ховард Паттерсон.

— Я буду вам очень признательна, если вы расскажете мне про Абрахама Уилсона, — начала Дженнифер.

— Боюсь, что это вряд ли вам понравится. — Паттерсон взглянул на досье, лежавшее перед ним на столе. — Большую часть жизни Уилсон провел в тюрьме. Первый привод — в одиннадцать лет за угон машины, в тринадцать — арестован за драку, в пятнадцать — за изнасилование, в восемнадцать — стал сутенером, сидел за зверское избиение одной из своих подруг... — Он полистал досье. — Тут все что угодно — поножовщина, вооруженное ограбление и, наконец, убийство.

Устрашающий список.

— А существует такая вероятность, что Уилсон не убивал Раймонда Торпа? — спросила Дженнифер.

— Что вы! Уилсон сам признался в этом. Впрочем, если бы даже он отрицал свою вину, разницы бы не было. У нас сто двадцать свидетелей.

— Можно мне увидеться с мистером Уилсоном?

Ховард Паттерсон встал:

— Конечно. Только вы зря потеряете время.

Никогда еще Дженнифер не видела такого отвратительного человека, как Абрахам Уилсон. Он был цвета антрацита, со сломанным носом, щербатым ртом и маленькими глазками на лице, изуродованном шрамами. Он был ростом в шесть футов и четыре дюйма, крепкого телосложения. Переступая тяжелыми ножищами, Абрахам слегка косолапил. Если бы Дженнифер надо было описать его одним словом, она выбрала бы слово «угрожающий». Она могла представить, какое впечатление произведет этот человек на присяжных.

Разделенные сеткой из толстой проволоки, Абрахам Уилсон и Дженнифер сидели в комнате для свиданий. Возле двери стоял охранник. Уилсон только что вышел из одиночной камеры и теперь моргал от яркого света. Если Дженнифер раньше сомневалась, что возьмется за это дело, то, после того как она увидела Абрахама Уилсона, ее сомнения уступили место решимости. Даже сидя напротив, она чувствовала, как из него буквально сочится ненависть.

Дженнифер начала разговор сама:

— Меня зовут Дженнифер Паркер. Я — адвокат. Отец Райен попросил, чтобы я встретилась с вами.

Абрахам Уилсон плюнул через сетку, забрызгав Дженнифер слюной.

— Козел он вонючий!

«Прекрасное начало», — подумала Дженнифер. Она с трудом удержалась, чтобы не вытереть слюну с лица.

— Вы в чем-нибудь нуждаетесь, мистер Уилсон?

Его губы растянулись в беззубой ухмылке:

— Да, малышка. В бабе. Понятно?

Она постаралась не обращать на это внимания.

— Может быть, вы мне расскажете, что произошло?

— Слушай, ты. Если хочешь узнать историю моей жизни — плати. Я продам ее для кино. А может, и сам там снимусь в главной роли.

Исходящая от него злоба пугала Дженнифер. Ей хотелось уйти отсюда как можно быстрее. Паттерсон был прав. Она зря потеряла время.

— Боюсь, что я вряд ли смогу вам помочь, мистер Уилсон. Я пообещала отцу Райену, что по крайней мере поговорю с вами.

Абрахам Уилсон снова беззубо улыбнулся:

— Ишь ты какая! Потрахаться со мной не хочешь?

Дженнифер встала. С нее было довольно.

— Вы что, всех так ненавидите?

— Знаешь, куколка, ты влезь в мою шкуру, а я — в твою. А потом мы поговорим о ненависти.

Дженнифер стояла, глядя на безобразное черное лицо, пытаясь переварить услышанное. Затем она медленно села.

— Расскажите, что же все-таки случилось, Абрахам.

Он молча смотрел на нее. Дженнифер ждала, разглядывая его, представляя, каково находиться в его шкуре. Он был весь в шрамах. А сколько шрамов было у него на душе?

Они сидели, долго не произнося ни слова. Наконец Абрахам Уилсон сказал:

— Я пришил этого сукина сына.

— Зачем вы убили его?

Он пожал плечами:

— Этот ублюдок полез на меня с тесаком, и я...

— Не пытайтесь меня провести. Откуда у заключенного тесак?

Лицо Уилсона окаменело.

— А ну мотай отсюда! Я тебя не звал. — Он встал. — И чтобы больше тебя здесь не было. Я очень занятой человек.

Развернувшись, он зашагал к охраннику. Они оба вышли из комнаты. Вот и все. По крайней мере Дженнифер могла сказать отцу Райену, что поговорила с Уилсоном. Большего сделать она не могла.

Охранник проводил Дженнифер к выходу. Шагая через тюремный двор, она думала об Абрахаме Уилсоне и о своем отношении к нему. Он ей не нравился, и поэтому Дженнифер допустила то, на что не имела права, — она осудила его. Она заранее считала его виновным, хотя суд еще не состоялся. Может, кто-то и напал на него, не с ножом, конечно. Но может, нападавший держал в руке камень или кирпич. Дженнифер замедлила шаг и в нерешительности остановилась. Инстинкт подсказывал ей, что надо вернуться в Манхэттен и забыть об Абрахаме Уилсоне.

Повернувшись, Дженнифер пошла к заместителю начальника тюрьмы.

— Это тяжелый случай, — сказал Ховард Паттерсон. — Если возможно, мы стараемся перевоспитывать, а не наказывать, но Абрахам Уилсон зашел слишком далеко. Его успокоит только электрический стул.

«Странная логика», — подумала Дженнифер.

— Он сказал мне, что на него напал человек, вооруженный тесаком.

— Все может быть.

Ответ ошеломил ее.

— Что вы хотите сказать этим «может быть»? Что заключенный может раздобыть здесь нож? И даже тесак?

Ховард Паттерсон пожал плечами:

— Мисс Паркер, у нас тут тысяча двести заключенных, и некоторые из них довольно изобретательные люди. Я кое-что покажу вам.

Дженнифер пошла за Паттерсоном по коридору, и они остановились у запертой двери. Выбрав из связки нужный ключ, Паттерсон открыл дверь и зажег свет. Дженнифер зашла в комнату, где вдоль стен тянулись полки.

— Здесь мы держим игрушки, которые отбираем у заключенных. — Он подошел к большому ящику и поднял крышку.

Дженнифер глянула внутрь и не поверила своим глазам. Она подняла глаза на Ховарда Паттерсона.

— Я хочу встретиться со своим клиентом еще раз.

Глава 6

Дженнифер готовилась к суду над Абрахамом Уилсоном, как никогда ни к чему не готовилась раньше. Она проводила бессчетные часы и в юридической библиотеке, изучая тактику защиты, и со своим клиентом, по крохам вытягивая из него информацию. Это была нелегкая задача. С самого начала Уилсон упрямился и издевался над ней.

— Хочешь узнать обо мне, малышка? Я начал трахаться в десять лет, а ты?

Дженнифер изо всех сил старалась не обращать внимания на его ненависть и презрение, так как понимала, что за всем этим кроется страх. И Дженнифер продолжала расспрашивать его о раннем детстве, о родителях, о его привязанностях. Через некоторое время упрямство Уилсона уступило место интересу, а затем восхищению. Он никогда не задумывался над вопросом, кто он и почему стал таким.

Настойчивые расспросы Дженнифер заставляли его углубляться в свои воспоминания. Несколько раз, когда Дженнифер расспрашивала его об отце, который нещадно колотил его, Уилсон просил оставить его одного. Она уходила, но потом снова возвращалась.

Если раньше у Дженнифер и была какая-то личная жизнь, то теперь о ней пришлось забыть. Если она не встречалась с Абрахамом Уилсоном, то все время проводила в своей конторе. С утра до поздней ночи она читала все, что попадалось ей под руку об убийствах, преднамеренных и непреднамеренных. Она изучила сотни апелляционных судов, приговоров, описаний вещественных доказательств, постановлений, стенограмм. Она просматривала справочную литературу о само-защите, умышленных убийствах, временном помешательстве.

Дженнифер пыталась найти возможности сделать так, что-бы Абрахама Уилсона судили только за непреднамеренное убийство.

Абрахам не собирался убивать того человека. Но поверят ли в это присяжные? Особенно местные. Здесь, в городке, люди ненавидели заключенных. Дженнифер подала запрос о переносе суда в другое место. Ее прошение было удовлетво-рено. Суд должен был состояться в Манхэттене.

Дженнифер предстояло принять важное решение: позво-лить ли Абрахаму Уилсону выступать в суде? Он выглядел устрашающе, но, если бы присяжные услышали всю исто-рию из его уст, возможно, они бы прониклись к нему жало-стью. Сложность заключалась в том, что обвинение непре-менно вытащит на свет его уголовное прошлое. Тогда станет известно, что у него на совести еще одно убийство.

Дженнифер было интересно, кто из помощников окруж-ного прокурора Ди Сильвы будет ее соперником. У него было немало хороших юристов, и Дженнифер постаралась изу-чить их манеру ведения процесса.

Она старалась проводить как можно больше времени в Синг-Синге, осматривая тюремный двор, где было соверше-но преступление, разговаривая с охранниками и допрашивая заключенных, которые были свидетелями убийства.

— Раймонд Торп набросился на Абрахама Уилсона с но-жом. Вернее, тесаком. Вы видели это?

— Я? Никакого тесака я не видел.

— Вы должны были его видеть. Вы же стояли рядом.

— Послушайте, ничего я не видел.

Никто не хотел быть замешанным в это дело.

Иногда Дженнифер выкраивала время, чтобы как следу-ет пообедать, но обычно ее еда состояла из бутерброда с кофе в буфете здания суда. Она похудела, и у нее часто кружи-лась голова.

Кен Бэйли начал беспокоиться. Он пригласил ее в ресто-ран и заказал ей шикарный ужин.

— Ты что, решила умереть с голоду? — спросил он.

— Нет, конечно.

— Ты хоть смотрела на себя в зеркало в последнее время?

— Нет.

Посмотрев на нее изучающим взглядом, он сказал:

— Если у тебя еще осталось немного ума, откажись от этого дела.

— Почему?

— Потому что тебя разнесут в пух и прах. У меня тоже уши есть. Газетчики ждут не дождутся, чтобы снова потрепать тебя как следует.

— Я адвокат, — упрямо сказала Дженнифер. — Абрахам Уилсон имеет право на справедливый суд, и я постараюсь, чтобы так все и было. — Она заметила, что Кен Бэйли нахмурился. — Не волнуйся. Не думаю, что это дело так уж сильно будет освещаться в газетах.

— Ты так думаешь? Знаешь, кто будет обвинителем?

— Нет.

— Роберт Ди Сильва.

Дженнифер подъехала ко входу в здание суда на Леонард-стрит и стала прокладывать себе путь через толпу людей в вестибюле. Здесь были полицейские в форме и в штатском, адвокаты с атташе-кейсами. Дженнифер прошла мимо стойки с надписью «Информация», где никогда никого не было, и на лифте поднялась на шестой этаж. Она направлялась к окружному прокурору. Прошел почти год с тех пор, когда она в последний раз встречалась с Ди Сильвой. Дженнифер не собиралась сражаться с ним снова. Она хотела сообщить ему, что отказывается защищать Абрахама Уилсона.

Три бессонные ночи провела Дженнифер, прежде чем решилась на это. В конце концов она решила, что так будет лучше для ее клиента. Дело Уилсона было не таким уж важным, чтобы им занимался Роберт Ди Сильва. Единственная причина, которая заставила его взяться за это дело, — участие Дженнифер Паркер. Ди Сильва жаждал мщения. Он хотел преподнести ей урок. Поэтому в конце концов она решила, что у нее нет другого выбора, кроме как отказаться от защиты Уилсона. Дженнифер не хотела, чтобы ему вынесли смертный приговор лишь только потому, что она когда-то совершила ошибку. Если она не будет его адвокатом, Ди Сильва не будет так суров с Уилсоном. Дженнифер хотела таким образом спасти ему жизнь.

Воспоминания нахлынули на нее, когда она подошла к знакомой двери с табличкой «Окружной прокурор. Округ Нью-Йорк». Та же самая секретарша, что и раньше, сидела за столом.

— Я — Дженнифер Паркер. У меня встреча с...

— Проходите, — сказала секретарша. — Окружной прокурор ждет вас.

Роберт Ди Сильва стоял рядом со своим столом и, жуя сигару, отдавал приказания своим помощникам. Когда вошла Дженнифер, он умолк.

— Я был уверен, что вы не придете.

— Я пришла.

— А я полагал, что вы смотаетесь из города, поджав хвост. Что вам надо?

Рядом со столом стояли два кресла, но Ди Сильва не предложил ей сесть.

— Я хочу поговорить с вами о моем клиенте Абрахаме Уилсоне.

Роберт Ди Сильва сел, откинувшись в кресле, и напустил на себя задумчивый вид.

— Абрахам Уилсон... Ах да... Ниггер, что избил человека до смерти на тюремном дворе. Зря вы взялись за его защиту. — Он посмотрел на своих помощников, и они вышли из комнаты. — Ну что, госпожа адвокат?

— Я хотела бы прийти к соглашению.

Роберт Ди Сильва изобразил на своем лице удивление:

— Вы хотите сказать, что пришли договориться со мной? Вы меня поражаете. Уж вы-то с вашим талантом юриста смогли бы без труда выпустить его на волю.

— Мистер Ди Сильва, я понимаю, что это кажется про́стым делом, — начала Дженнифер, — но есть смягчающие обстоятельства...

Окружной прокурор перебил ее:

— Давайте перейдем на язык, который вам будет более понятен, адвокат. Можете взять свои смягчающие обстоятельства и засунуть себе в задницу! — Он встал и продолжал дрожащим от ярости голосом: — Вы хотели прийти к согласию, леди? Да вы разрушили всю мою жизнь! Есть труп, и ваш черномазый приятель получит вышку! Ясно? Я лично прослежу, чтобы его отправили на электрический стул.

— Я хочу вам сообщить, что не собираюсь защищать его. Вы можете судить его по статье «непреднамеренное убийство». Вы можете...

— Ни за что! Он — убийца, это ясно как Божий день.

Дженнифер старалась держать себя в руках.

— Я полагала, что это решают присяжные заседатели.

Ди Сильва криво улыбнулся:

— Как приятно, когда такой знаток законов, как вы, приходит и учит тебя уму-разуму.

— Может, мы забудем о личной неприязни?

— Пока я жив — нет! Передавайте привет своему дружку Майклу Моретти.

Полчаса спустя Дженнифер пила кофе с Кеном Бэйли.

— Не знаю, что и делать, — призналась Дженнифер. — Я думала, что Уилсону будет лучше, если я откажусь от его защиты. Но Роберт Ди Сильва и слышать ничего не хочет. Ему не нужен Уилсон, ему нужна я.

Кен Бэйли задумчиво посмотрел на нее:

— Может, это психологическая атака? Он хочет тебя напугать.

— Я и так напугана. — Она глотнула кофе. — Положение скверное. Ты бы только видел этого Абрахама Уилсона. Чтобы вынести ему смертный приговор, присяжным достаточно лишь раз взглянуть на него.

— А когда суд?

— Через четыре недели.

— Я могу тебе чем-нибудь помочь?

— Да. Убить Ди Сильву.

— У тебя есть хоть один шанс добиться оправдания Уилсона?

— С точки зрения пессимиста, это выглядит так: я пытаюсь выиграть свое первое дело у самого ловкого окружного прокурора страны, который мечтает отомстить мне, а мой клиент — закоренелый негр-убийца, лишивший жизни человека на глазах у ста двадцати свидетелей.

— Кошмар. А с точки зрения оптимиста?

— Надеюсь, что за день до суда меня собьет грузовик.

До суда теперь оставалось три недели. Дженнифер добилась, чтобы Абрахама Уилсона перевели в тюрьму на Рикер-Айленд. Его поместили в корпус для заключенных мужского пола, где девяносто пять процентов его сокамерников ожидали суда за тяжкие преступления: убийства, поджоги, изнасилования и вооруженные ограбления.

Частные машины сюда не допускались, поэтому Дженнифер довезли на небольшом зеленом автобусе до административного корпуса, где она предъявила свои документы. Возле ворот, где останавливали всех посетителей, стояли два вооруженных охранника. Из административного корпуса Дженнифер повели по Хазел-стрит — небольшой тюремной улице — к центральному корпусу, где в помещении для встречи с посетителями ее ожидал Абрахам Уилсон. Эта комната была разделена на восемь кабинок.

Идя по длинному коридору на встречу с Абрахамом Уилсоном, Дженнифер думала: «Это похоже на приемную в аду». Стоял ужасный шум. Постоянно лязгали стальные двери. В каждом блоке находилось по сто заключенных, которые разговаривали и кричали без остановки, два телевизора работали на разных каналах, из динамиков гремел рок. В здании несли стражу триста охранников, чьи рявкающие команды перекрывали шум.

— В тюремном обществе все ведут себя очень вежливо, — сказал ей охранник. — Если один заключенный толкнет другого, то немедленно извинится. Мало ли что у кого на уме, и достаточно любой мелочи...

Сидя напротив Абрахама Уилсона, Дженнифер подумала: «Жизнь этого человека у меня в руках. Если его казнят, то это случится потому, что я не помогла ему». Она взглянула в его полные отчаяния глаза.

— Я сделаю все возможное, — пообещала она.

До начала суда оставалось десять дней. Дженнифер сообщили, что судьей назначен Лоренс Уолдман, который председательствовал на суде над Майклом Моретти и который пытался лишить ее звания юриста.

Глава 7

В тот сентябрьский день 1970 года Дженнифер проснулась в четыре утра, чувствуя себя совершенно разбитой. Наступил понедельник — день начала суда над Абрахамом Уилсоном. Дженнифер плохо спала, ее одолевали видения предстоящего суда. В одном из таких кошмаров она стояла на месте свидетеля, а Роберт Ди Сильва расспрашивал ее о Майкле Моретти. Каждый раз, когда Дженнифер хотела ответить на вопрос, присяжные кричали ей: «Ложь! Ложь! Ложь!»

Хотя кошмары были разными, но в чем-то все они были похожи. Последним ей приснился сон, как Абрахама Уилсона привязали к электрическому стулу. Когда Дженнифер наклонилась, чтобы успокоить его, он плюнул ей в лицо. Дженнифер проснулась, вся дрожа, и больше уже не могла заснуть. Она до утра просидела в кресле, глядя, как занимается заря. От нервного напряжения ей совсем не хотелось есть. Ах, если бы она могла выспаться! И не нервничать. И чтобы понедельник уже закончился.

Пока она принимала душ и одевалась, ее не покидало предчувствие надвигающегося несчастья. Ей хотелось одеться в черный цвет, но она выбрала зеленое платье «под Диора», купленное на дешевой распродаже.

В восемь тридцать Дженнифер подъехала к зданию суда, чтобы выступить в роли защитника в деле «Народ штата Нью-Йорк против Абрахама Уилсона». Возле входа собралась огромная толпа, и Дженнифер сначала подумала, что тут произошла авария. Она увидела телекамеры, микрофоны, и, прежде чем смогла понять в чем дело, ее окружили репортеры.

Один из них спросил:

— Мисс Паркер, это ваше первое дело с тех пор, как вы провалили процесс над Майклом Моретти?

Кен Бэйли не зря предупреждал ее. Она была в центре внимания, а не ее клиент. Вряд ли репортеры будут объективны, это были стервятники, а она — их жертва.

Молодая женщина в потертых джинсах сунула ей в лицо микрофон:

— Правда, что окружной прокурор Ди Сильва собирается отомстить вам?

— Без комментариев. — Дженнифер стала проталкиваться ко входу.

— Вчера вечером окружной прокурор выступил с заявлением, что вам надо запретить заниматься юриспруденцией в штате Нью-Йорк. Что вы можете на это ответить?

— Без комментариев. — Дженнифер уже была рядом со входом.

— В прошлом году судья Уолдман пытался лишить вас звания юриста. Вы будете требовать его отвода?

Дженнифер скрылась в здании.

Суд должен был состояться в зале номер 37. В коридоре было полно людей, желающих войти, но зал был уже набит битком. Зрители громко переговаривались, здесь царила карнавальная обстановка. Для прессы было зарезервировано несколько рядов. «Это Ди Сильва постарался», — подумала Дженнифер.

Абрахам Уилсон сидел за столом защиты, возвышаясь над всеми, как олицетворение зла. Он был одет в темно-синий костюм, который был ему мал, и белую рубашку с галстуком, что купила ему Дженнифер. Но и это не помогло. Абрахам Уилсон выглядел настоящим убийцей. «С таким же успехом он мог прийти сюда в тюремной робе», — в отчаянии подумала Дженнифер.

Уилсон с вызовом осматривал сидящих в зале. Встречаясь с кем-то глазами, он жмурился. Дженнифер слишком хорошо знала своего клиента, чтобы не понять — за этой бравадой крылся страх. Но на всех остальных — включая судью и присяжных — он производил гнетущее впечатление. От этого гиганта исходила угроза. Присяжные будут смотреть на него как на человека, которого надо бояться, которого надо уничтожить.

У Абрахама Уилсона не было ни одной черты, которая вызывала бы сочувствие. Его уродливое лицо со шрамами, с перебитым носом и беззубым ртом, его громадное тело внушали страх.

Дженнифер подошла к столу, за которым сидел Абрахам Уилсон, и села рядом с ним.

— Доброе утро, Абрахам.

Бросив на нее взгляд, он сказал:

— Я уж думал, что вы не придете.

Дженнифер вспомнила свой ночной кошмар. Она посмотрела в его прищуренные глаза.

— Вы прекрасно знали, что я буду здесь.

Он равнодушно пожал плечами:

— Мне-то какая разница. Они меня в живых не оставят. Если понадобится, они примут закон, чтобы сварить меня в кипящем масле. Никакого суда не будет. Чистый спектакль. Надеюсь, вы взяли с собой пакетик воздушной кукурузы?

За столом обвинения послышался шорох, и Дженнифер увидела, как окружной прокурор Роберт Ди Сильва занял свое место рядом с командой помощников. Посмотрев на Дженнифер, он улыбнулся. Дженнифер почувствовала, как ее охватывает паника.

— Всем встать, — объявил секретарь суда.

Судья Лоренс Уолдман вышел из судейской комнаты.

— Начинается судебное разбирательство под председательством достопочтенного судьи Лоренса Уолдмана.

Только Абрахам Уилсон остался сидеть на месте.

— Встаньте, — прошептала Дженнифер.

— Пошли они к черту. Пусть попробуют меня поднять.

Дженнифер взяла гиганта за руку:

— Встаньте, Абрахам. Мы их победим.

Он долго смотрел на нее, а затем медленно поднялся, возвышаясь над ней.

Судья Уолдман занял свое место. Зрители сели. Секретарь суда протянул судье листок с повесткой дня.

— «Народ штата Нью-Йорка против Абрахама Уилсона, обвиняемого в убийстве Раймонда Торпа».

Сначала Дженнифер собиралась выбирать присяжных исключительно из негров, но теперь она была не уверена: стоит ли это делать? Абрахам Уилсон не был одним из них. Он был отступником, убийцей, «позором их нации». Они могли осудить его с большей готовностью, чем белые. Все, что ей оставалась, так это не допустить в жюри явных расистов. Но расисты не кичатся в открытую своими взглядами. Они ждут удобного момента, держа свои предрассудки в тайне. Она чувствовала, что ее voir dire — опрос присяжных — был неуклюжим и неловким, в то время как у Ди Сильвы — искусным и непринужденным. Он умел вызвать доверие у присяжных, расположить их к себе.

«Как я могла забыть, что Ди Сильва — превосходный актер», — подумала Дженнифер.

Ди Сильва начал пользоваться своим правом отвода присяжных только после того, как Дженнифер использовала свое. Она никак не могла понять его поведение, а когда поняла, было уже слишком поздно. Ди Сильва перехитрил ее. Среди оставшихся присяжных были частный детектив, управляющий банком, мать врача — все они принадлежали к истеблишменту, — и теперь Дженнифер никак не могла дать им отвод. Окружной прокурор тщательно готовился к наступлению.

Роберт Ди Сильва встал и начал свою речь:
— Достопочтенный суд. — Он повернулся к жюри. — И вы, леди и джентльмены присяжные заседатели, прежде всего позвольте поблагодарить вас за то, что вы пожертвовали своим драгоценным временем для слушания этого дела. — Он сочувственно улыбнулся. — Я знаю, что быть присяжным — нелегкая обязанность. У всех вас есть работа. Всех вас ждут семьи.

«Он будто один из них, — подумала Дженнифер. — Тринадцатый присяжный».

— Я постараюсь не занимать у вас много времени. Это простое дело. Сидящий здесь обвиняемый — Абрахам Уилсон. Штат Нью-Йорк обвиняет его в убийстве заключенного тюрьмы Синг-Синг Раймонда Торпа. В этом нет никаких сомнений. Он сам признался. Адвокат мистера Уилсона собирается доказать, что он совершил преступление в целях самообороны.

Окружной прокурор повернулся и посмотрел на Абрахама Уилсона. Присяжные тоже повернули головы. Дженнифер видела реакцию на их лицах. Она попыталась сконцентрировать свое внимание на том, что говорит Ди Сильва.

— Несколько лет назад двенадцать граждан, таких же, как и вы, проголосовали за то, чтобы посадить Абрахама Уилсона в тюрьму. Из-за некоторых юридических тонкостей я не могу сказать, какое преступление совершил Абрахам Уилсон. Но я могу сказать, что присяжные искренне верили, что, упрятав Абрахама Уилсона за решетку, не позволят ему совершить новое преступление. К сожалению, они ошиблись. Даже находясь за решеткой, Абрахам Уилсон смог убить человека, чтобы удовлетворить свои кровожадные инстинкты.

Теперь мы знаем, что существует только один способ удержать его от совершения новых убийств — казнить его. Это не вернет к жизни Раймонда Торпа, но может сберечь жизни других людей, которые, в противном случае, могут стать следующими жертвами подсудимого.

Ди Сильва подошел к жюри, глядя присяжным в глаза.

— Я уже сказал, что это дело не займет много времени. Сидящий здесь обвиняемый — Абрахам Уилсон — хладнокровно убил человека. Он сознался в этом. Но даже если бы он и не сознался, у нас есть свидетели этого хладнокровного убийства. Кстати, свидетелей больше ста. Давайте рассмотрим выражение «хладнокровно». Любое убийство противно вам так же, как и мне. Но иногда убийства совершаются по причинам, которые мы по крайней мере можем понять. Скажем, кто-нибудь с оружием в руках угрожает вашим близким — ребенку, мужу или жене. Если у вас пистолет — вы можете нажать на курок, чтобы спасти им жизнь. Мы с вами не одобряем этот способ, но по крайней мере можем понять его. Или такой пример. Вы просыпаетесь среди ночи и видите вооруженного грабителя, угрожающего вашей жизни. У вас есть возможность убить его, чтобы спасти себя. Вы убиваете его, и здесь тоже понятно, почему так произошло. Это не делает нас закоренелыми убийцами, не так ли? Сложилась экстремальная ситуация. — В голосе Ди Сильвы появился металл. — Но хладнокровное убийство — это совсем другое. Отнять жизнь у другого человека без всякой причины, сделать это за деньги или наркотики, убить для удовольствия...

Он умело настраивал присяжных против Абрахама Уилсона, не переходя при этом юридических границ, чтобы защита не могла выступить с протестом.

Дженнифер посмотрела на лица присяжных. Не было никакого сомнения, что Ди Сильва убедил их. Они были согласны с каждым его словом. Они кивали и хмурились. Разве что не аплодировали ему. Ди Сильва был дирижером, а они — его оркестром. Дженнифер еще никогда такого не видела. Каждый раз, когда окружной прокурор упоминал имя Абрахама Уилсона — а он делал это почти в каждом предложении, — присяжные смотрели на подсудимого. Дженнифер предупреждала Абрахама, что не следует смотреть на присяжных. Она несколько раз напоминала ему, чтобы он смотрел куда угодно, но только не в сторону жюри, потому что исходящий от него вызов мог разозлить присяжных. К своему ужасу, Дженнифер обнаружила, что Абрахам не сводит глаз с жюри, глядя прямо в глаза присяжным. В нем кипела злоба.

— Абрахам, — тихо позвала его Дженнифер.

Он даже не повернул головы.

Окружной прокурор заканчивал свою речь:

— В Библии сказано: «Око за око, зуб за зуб». Это месть. Мы не призываем к мести. Мы призываем к справедливости. Справедливости ради того несчастного, которого хладнокровно — хладнокровно! — убил Абрахам Уилсон. Спасибо.

Окружной прокурор вернулся на свое место.

Когда Дженнифер встала, чтобы обратиться к присяжным с речью, она почувствовала их враждебность и нетерпение. Когда в учебниках она читала, что по лицам можно определить отношение присяжных, она скептически расценивала подобные утверждения. Но теперь — нет. Она ясно видела, как к ней относятся присяжные. Они уже решили, что ее клиент виновен, и чувствовали нетерпение, потому что Дженнифер тратила их время, заставляя сидеть здесь, когда они могли бы заниматься более важными делами. Так сказал их друг окружной прокурор. А Дженнифер и Абрахам Уилсон были врагами.

Сделав глубокий вдох, Дженнифер начала:

— Ваша честь, леди и джентльмены. Причина, по которой вы находитесь здесь, состоит в том, что закон и его мудрость говорят нам — в каждом деле существуют две стороны. Слушая, как окружной прокурор нападает на моего клиента, слушая, как он называет моего клиента виновным без решения жюри — без вашего решения, — можно прийти к другому выводу.

Она посмотрела на присяжных, ища на их лицах поддержку или согласие. Ни того ни другого не было видно. Она заставила себя продолжать.

— Окружной прокурор Ди Сильва без конца повторял: «Абрахам Уилсон виновен». Это ложь. Судья Уолдман скажет вам, что ни один подсудимый не может быть признан виновным, пока это не решит суд или присяжные. Для того мы и находимся здесь, не так ли? Абрахама Уилсона обвиняют в убийстве заключенного в тюрьме Синг-Синг. Но Абрахам Уилсон убил его не ради денег или наркотиков. Он убил его, спасая свою жизнь. Вы помните, какие примеры приводил окружной прокурор, чтобы различить хладнокровное убийство и убийство в порыве страсти. Убийство в порыве страсти — это когда вы защищаете своих близких или когда вы убиваете, чтобы спасти собственную жизнь. Абрахам Уилсон совершил убийство в целях самообороны, и я скажу вам, что каждый сидящий в этом зале поступил бы в этих обстоятельствах точно так же. В одном я согласна с окружным прокурором — каждый человек имеет право защитить свою жизнь. Если бы Абрахам Уилсон поступил по-другому, он был бы мертв. — В голосе Дженнифер звучала искренность. Она уже забыла о своих волнениях. — Я прошу, чтобы вы запомнили следующее: по законам штата обвинение должно привести убедительные доказательства, что убийство было совершено не с целью самообороны. И прежде чем суд подойдет к концу, защита предъявит неоспоримые доказательства, которые покажут вам, что Раймонд Торп был убит, потому что угрожал убить моего клиента. Спасибо.

Началось слушание свидетелей обвинения. Роберт Ди Сильва не упустил ни одной возможности. Среди главных свидетелей были священники, охранники и заключенные, знавшие Раймонда Торпа. Один за другим они выходили к трибуне и рассказывали, каким спокойным и уравновешенным человеком был покойный.

Каждый раз, закончив допрос свидетеля, окружной прокурор обращался к Дженнифер:

— Прошу вас.

И каждый раз Дженнифер отвечала:

— Отказываюсь от допроса.

Она знала, что бесполезно пытаться очернить главных свидетелей. У присутствующих уже сложилось мнение, что только по ошибке Раймонд Торп не был причислен к лику святых. Охранники, тщательно подобранные Робертом Ди Сильвой, свидетельствовали, что Торп был образцовым заключенным, совершал добрые поступки и помогал другим осужденным стать на путь истинный. То, что Раймонд Торп сидел в тюрьме за ограбление банка и изнасилование, казалось лишь крохотным пятнышком на его безупречной репутации.

Позиции защиты ослаблялись еще и описанием внешности Раймонда Торпа. Это был невысокий человек, всего пять футов и девять дюймов*. Роберт Ди Сильва сыграл на его росте и все время напоминал об этом присяжным. Он нарисовал перед ними картину, как Абрахам Уилсон подло набросился на этого щуплого человечка и ударил его головой об стену, убив на месте. По мере того как Ди Сильва рассказывал об этом, присяжные все упорнее не сводили глаз с гигантской фигуры Уилсона, сидящего за столом защиты. Рядом с ним все казались карликами.

— Мы, наверное, никогда не узнаем, — говорил окружной прокурор, — что заставило Абрахама Уилсона напасть на беззащитного безобидного человека...

У Дженнифер застучало сердце. Одно слово, произнесенное Ди Сильвой, подало ей надежду.

— ...Мы, очевидно, никогда не узнаем, зачем ему понадобилось нападать на него, но одно нам точно известно, леди и джентльмены, — покойный не представлял никакой угрозы для Абрахама Уилсона. Тут говорили о самозащите. — Он повернулся к судье Уолдману: — Ваша честь, прикажите подсудимому встать.

Судья Уолдман посмотрел на Дженнифер.

— У защиты есть возражения?

_____
* Приблизительно 168 см.

Дженнифер понимала, что последует за этим, но возражения с ее стороны могли лишь навредить.

— Нет, ваша честь.

— Подсудимый, встаньте, пожалуйста, — сказал судья.

Абрахам Уилсон с вызовом посмотрел на него, а затем медленно поднялся во весь рост — шесть футов и четыре дюйма*.

— Судебный секретарь, мистер Гэлин, точно такого же роста, как и покойный Раймонд Торп, — пять футов и девять дюймов, — сказал Роберт Ди Сильва. — Мистер Гэлин, не могли бы вы встать рядом с обвиняемым?

Секретарь суда подошел к Абрахаму Уилсону и встал рядом. Разница в росте была поразительной. Дженнифер знала, что ее опять перехитрили, но ничего не могла поделать. Некоторое время окружной прокурор смотрел на двух стоящих мужчин, а затем, обращаясь к присяжным, сказал почти шепотом:

— О какой самозащите может идти речь?

Судебное разбирательство оказалось гораздо хуже, чем могло привидеться Дженнифер в ее ночных кошмарах. Она чувствовала, что присяжным не терпится вынести смертный приговор.

Кен Бэйли находился в зале среди зрителей, и во время перерыва Дженнифер смогла поговорить с ним.

— Дело не из легких, — сочувственно произнес Кен. — Иметь в качестве клиента такого Кинг-Конга... Господи, да от одного взгляда на него поджилки трясутся.

— Что тут поделаешь...

— Как говорится в одном анекдоте, лучше бы он остался дома. Как складываются ваши отношения с уважаемым окружным прокурором?

Дженнифер слабо улыбнулась:

— Сегодня утром мистер Ди Сильва дал мне ясно понять, что собирается изгнать меня из рядов юристов.

---

* Приблизительно 198 см.

Когда допрос свидетелей обвинения закончился и Ди Сильва вернулся на свое место, Дженнифер поднялась на ноги:

— Я хочу вызвать в качестве свидетеля Ховарда Паттерсона.

Заместитель начальника тюрьмы Синг-Синг нехотя поднялся и направился к свидетельскому месту, провожаемый взглядами зрителей. Роберт Ди Сильва внимательно наблюдал, как он принимает присягу. Мысленно Ди Сильва перебирал все возможности. Он знал, что выиграл дело. Его заключительная речь уже была готова.

Дженнифер обратилась к свидетелю:

— Не могли бы вы рассказать присяжным о характере вашей работы, мистер Паттерсон?

Окружной прокурор встал:

— Не стоит терять время, чтобы говорить о характере работы свидетеля. Мы и так знаем, что он занимает должность заместителя начальника тюрьмы Синг-Синг.

— Спасибо, — сказала Дженнифер. — Я думаю, стоит сообщить присяжным, что мистера Паттерсона пришлось вызывать в суд повесткой. — Она повернулась к свидетелю. — Когда я попросила вас прийти сюда добровольно и выступить в защиту моего клиента, вы отказались. Это так?

— Да.

— Не могли бы вы объяснить присяжным, почему вас пришлось вызывать в суд повесткой?

— Конечно. Я всю жизнь имею дело с такими людьми, как Абрахам Уилсон. Это прирожденный нарушитель порядка.

Роберт Ди Сильва наклонился и, глядя на лица присяжных, прошептал своему помощнику:

— Смотри, как она сама лезет в петлю.

— Мистер Паттерсон, — сказала Дженнифер. — Абрахама Уилсона судят не за нарушение порядка. Речь идет о его жизни. Разве вам не хотелось бы помочь человеку, которого несправедливо обвиняют в преступлении, наказуемом смертной казнью?

— Да, конечно. Но только если его обвиняют несправедливо.

Присяжные понимающе закивали.

— До этого случая совершались ли убийства в вашей тюрьме?

— Видите ли, если поместить несколько сотен преступников в искусственную изоляцию, их потенциал ненависти возрастает и...

— Да или нет, мистер Паттерсон?

— Да.

— Те убийства, что произошли в тюрьме за время вашей службы, имели разные мотивы?

— Думаю, что да. Иногда...

— Да или нет, пожалуйста.

— Да.

— Совершались ли убийства в целях самообороны?

— Ну, иногда... — Он увидел выражение лица Дженнифер. — Да.

— Итак, основываясь на вашем опыте, можно предположить, что Абрахам Уилсон защищал собственную жизнь, когда убил Раймонда Торпа?

— Не думаю, что...

— Я спрашиваю, могло ли быть так, да или нет?

— Маловероятно, — упрямо сказал Паттерсон.

Дженнифер повернулась к судье Уолдману:

— Ваша честь, прикажите, пожалуйста, свидетелю, чтобы он отвечал на вопросы как положено.

Судья Уолдман посмотрел на Ховарда Паттерсона:

— Свидетель, отвечайте на вопрос.

— Да.

Но то, что он всем своим видом выражал несогласие, не ускользнуло от внимания присяжных.

— Я хочу попросить разрешения у суда, — сказала Дженнифер, — представить некоторые вещественные доказательства, полученные у свидетеля.

Окружной прокурор Ди Сильва встал:

— Что за вещественные доказательства?

— Доказательства того, что убийство было совершено в целях самозащиты.

— Протест. Я возражаю, ваша честь.

— Почему вы возражаете? — спросила Дженнифер. — Вы же еще не знаете, о чем идет речь.

— Суд воздерживается от решения, пока не увидит доказательства, — объявил судья Уолдман. — Речь идет о человеческой жизни, и защита имеет право использовать все возможности.

— Спасибо, ваша честь. — Дженнифер повернулась к Паттерсону. — Вы принесли с собой?

Тот кивнул:

— Да, но не по собственному желанию.

— Я понимаю. Вы уже ясно дали это понять, мистер Паттерсон. Где то, что вы принесли?

Ховард Паттерсон посмотрел в зал, где сидел человек в форме охранника. Паттерсон кивнул ему. Тот встал и пошел по проходу, неся в руках деревянный ящик с крышкой.

Дженнифер взяла ящик у него из рук.

— Ваша честь, защита собирается приобщить это к делу в качестве вещественного доказательства номер один.

— Что это такое? — требовательно спросил Ди Сильва.

— Это так называемый ящик с игрушками.

В зале послышался смех.

Посмотрев на Дженнифер, судья Уолдман медленно сказал:

— Вы сказали «ящик с игрушками»? Что там внутри, мисс Паркер?

— Оружие. Оружие, изготовленное заключенными Синг-Синга для того...

— Возражение. — Окружной прокурор вскочил с места. Он быстрым шагом подошел к судейскому месту. — Хочу, чтобы вы приняли во внимание неопытность моей коллеги, ваша честь. Если она собирается заниматься уголовным правом, ей следовало бы изучить правила судопроизводства, касающиеся представления вещественных доказательств. В этом так называемом ящике с игрушками нет никаких доказательств, которые относились бы к делу.

— Этот ящик доказывает...

— Этот ящик ничего не доказывает, — презрительно сказал окружной прокурор. Он повернулся к судье Уолдману. — Я возражаю против приобщения этого вещественного доказательства как несущественного и не относящегося к делу.

— Возражение принимается.

Дженнифер стояла и смотрела, как рушится ее защита. Все было против нее: судья, присяжные, Ди Сильва, доказательства. Ее клиент окажется на электрическом стуле, если...

Дженнифер сделала глубокий вздох:

— Ваша честь. Эти вещественные доказательства могут представлять важное значение для защиты. Я полагаю...

— Мисс Паркер, — перебил ее судья Уолдман, — у суда нет ни времени, ни желания разъяснять вам законы. Окружной прокурор прав. Прежде чем прийти сюда, вам следовало бы ознакомиться с основными правилами представления вещественных доказательств. Первое правило гласит, что запрещается предоставлять вещдоки, которые не были подготовлены надлежащим образом. На суде ничего не было сказано, был ли убитый вооружен или не вооружен. Таким образом, вопрос об оружии не относится к делу. Ваше предложение отклоняется.

Дженнифер почувствовала, как кровь прилила к щекам.

— Простите, но этот вопрос относится к делу, — упрямо сказала она.

— Достаточно! Можете подать иск.

— Я не хочу подавать иск, ваша честь. Вы лишаете моего клиента его прав.

— Мисс Паркер, если вы и дальше будете вести себя подобным образом, вы будете наказаны за оскорбление суда.

— Мне все равно, — сказала Дженнифер, — но основание для приобщения этого вещественного доказательства есть. Окружной прокурор сам обосновал его.

— Что? — удивленно спросил Ди Сильва. — Да я никогда...

Дженнифер повернулась к судебному стенографисту:

— Не могли бы вы зачитать заявление мистера Ди Сильвы, начиная со слов: «Мы, наверное, никогда не узнаем, что заставило Абрахама Уилсона напасть на...»

Окружной прокурор посмотрел на судью Уолдмана:

— Ваша честь, неужели вы позволите?..

Судья Уолдман жестом остановил его. Он повернулся к Дженнифер:

— Суд существует не для того, мисс Паркер, чтобы вы разъясняли здесь законы. Когда слушания по делу закончатся, вы будете наказаны за неуважение к суду. Но так как речь идет о жизни человека, я готов выслушать вас. — Он повернулся к судебному стенографисту. — Читайте.

Перевернув несколько страниц, стенографист стал читать:

— «Мы, наверное, никогда не узнаем, что заставило Абрахама Уилсона напасть на беззащитного, безобидного человека...»

— Достаточно, — перебила его Дженнифер, — спасибо. — Посмотрев на Роберта Ди Сильву, она медленно произнесла: — Это ваши слова: «Мы, наверное, никогда не узнаем, что заставило Абрахама Уилсона напасть на беззащитного, безобидного человека»? — Она повернулась к судье Уолдману. — Ключевое слово — беззащитный. Так как окружной прокурор сам сказал присяжным, что жертва была беззащитна, он дал защите возможность говорить о том, что жертва могла быть и не беззащитной, то есть иметь оружие. Именно поэтому я хочу приобщить к делу данное вещественное доказательство.

Воцарилась мертвая тишина.

Судья Уолдман повернулся к Ди Сильве:

— Мисс Паркер права. Вы сами дали возможность обсуждать этот вопрос.

Ди Сильва недоуменно посмотрел на судью:

— Я ведь только...

— Суд разрешает приобщить к делу вещественное доказательство номер один.

Дженнифер облегченно вздохнула:

— Спасибо, ваша честь.

Взяв ящик в руки, она повернулась к присяжным:

— Дамы и господа, в своем заключительном слове окружной прокурор скажет, что все находящееся в этом ящике не имеет отношения к делу, вернее, не является прямой уликой. И он будет прав. Он скажет, что все эти предметы не имеют отношения к убитому. И он снова будет прав. Я приобщаю к делу это вещественное доказательство совсем по другой причине. Вы уже слышали, как безжалостный, жестокий обвиняемый ростом в шесть футов и четыре дюйма напал без всякой причины на Раймонда Торпа ростом всего в пять футов и девять дюймов. Картина, которая столь тщательно была нарисована обвинением, показывает садиста и бандита, убивающего своего товарища без видимой причины. Но ответьте мне на вопрос: разве во всех поступках не присутствует причина? Алчность, ненависть, похоть, что-либо еще? Я верю — и поэтому защищаю своего клиента, — что существовала причина для убийства. Единственная причина, которая оправдывает убийство, — это, как сказал окружной прокурор, самозащита. Человек борется за спасение своей жизни. Вы слышали, как Ховард Паттерсон засвидетельствовал, что в тюрьме случаются убийства, что заключенные изготавливают себе оружие? Значит, существует возможность, что Раймонд Торп был вооружен подобным оружием, и именно он напал на обвиняемого. А тот, стараясь защитить свою жизнь, убил его. То есть убил в порядке самообороны. Если вы решите, что Абрахам Уилсон жестоко — и без всякого повода — убил Раймонда Торпа, тогда вы можете назвать его виновным. Но если после ознакомления с вещественными доказательствами у вас возникнут в этом сомнения, вы должны оправдать моего клиента. — Было видно, что Дженнифер тяжело держать ящик. — Когда я впервые увидела, что находится внутри, я не поверила своим глазам. Вам тоже будет трудно в это поверить, но я хочу, чтобы вы вспомнили — заместитель начальника тюрьмы Синг-Синг принес этот ящик сюда не по своей воле.

Здесь, дамы и господа, собраны орудия убийства, тайно изготовленные заключенными Синг-Синга.

Направляясь к присяжным, Дженнифер споткнулась и потеряла равновесие. Ящик выпал у нее из рук, крышка открылась, и содержимое рассыпалось по полу. Раздались возгласы удивления. Присяжные стали подниматься с мест, чтобы получше разглядеть лежащие на полу предметы. Их глазам открылась леденящая кровь коллекция смертоносного оружия. Здесь было не менее ста предметов всех размеров и форм. Тесаки, ножи, кинжалы, заостренные ножницы, обрез, нож для разделки туш. Были здесь и приспособления для удушения в виде проволоки с деревянными ручками на концах, заостренный лом, мачете.

Зрители и репортеры стояли, вытянув шеи, чтобы получше рассмотреть этот устрашающий арсенал, валяющийся на полу. Судья Уолдман нетерпеливо постучал молоточком, призывая к порядку. Он посмотрел на Дженнифер и увидел на ее лице довольную улыбку. Когда к ней поспешил секретарь суда, чтобы помочь собрать оружие, Дженнифер отрицательно покачала головой:

— Спасибо. Я сама справлюсь.

Под взглядами присяжных и зрителей Дженнифер опустилась на колени и стала складывать оружие в ящик. Она делала это не спеша, рассматривая каждый образец, прежде чем положить его на место. Присяжные уселись на свои места, но продолжали неотрывно наблюдать за Дженнифер. Ей понадобилось пять минут, чтобы уложить оружие в ящик. Ди Сильва сидел, задыхаясь от гнева.

Убрав все, Дженнифер встала, посмотрела на Паттерсона и, обернувшись к Ди Сильве, сказала:

— Ваша очередь допрашивать свидетеля.

Но теперь окружной прокурор вряд ли мог исправить положение.

— Я отказываюсь от допроса, — сказал он.

— Тогда я хочу вызвать на трибуну Абрахама Уилсона, — заявила Дженнифер.

Глава 8

— Ваше имя?

— Абрахам Уилсон.

— Не могли бы вы говорить погромче?

— Абрахам Уилсон.

— Мистер Уилсон, вы убили Раймонда Торпа?

— Да.

— Вы можете рассказать суду, почему вы это сделали?

— Он хотел меня убить.

— Раймонд Торп гораздо меньше вас. Неужели вы полагали, что ему это удалось бы?

— У него в руке был тесак, который делал его чертовски высоким и сильным.

Дженнифер вытащила из ящика два предмета: тесак и металлические щипцы. Она показала ему тесак.

— Этим тесаком угрожал вам Раймонд Торп?

— Протест! Обвиняемый не может знать...

— Я перефразирую вопрос. Был ли этот тесак похож на то оружие, которым угрожал вам Раймонд Торп?

— Да.

— А эти щипцы?

— Да.

— У вас случались раньше стычки с Раймондом Торпом?

— Да.

— Спасибо.

Дженнифер повернулась к Роберту Ди Сильве:

— Ваша очередь.

Роберт Ди Сильва встал и медленно подошел к свидетельскому месту.

— Мистер Уилсон, вам ведь случалось убивать и раньше, не так ли? Я имею в виду, что это не первое ваше убийство.

— Я совершил ошибку и теперь расплачиваюсь за это. Я...

— Избавьте нас от ваших покаяний. Отвечайте — да или нет.

— Да.

— Стало быть, человеческая жизнь не имеет для вас большой ценности?

— Это не так. Я...

— Вы считаете, что, совершив два убийства, вы цените человеческую жизнь? Сколько же человек вам надо убить, чтобы не ценить ее? Пять? Десять? Двадцать?

Он готовил Абрахаму Уилсону ловушку, а тот шел в нее. Уилсон сжал зубы, в глазах у него вспыхнула ярость.

— Я убил только двух человек.

— Только? Вы убили только двух человек? — Окружной прокурор покачал головой в притворном ужасе. Он подошел ближе и посмотрел на подсудимого в упор. — Готов поспорить, что вам нравится упиваться своей властью и силой. Наверное, вы чувствуете себя Господом Богом. Захотел — лишил жизни одного, захотел — другого...

Абрахам Уилсон вскочил, выпрямившись во весь рост:

— Ах ты сукин сын!

«Нет, — мысленно взмолилась Дженнифер, — только не это!»

— Сядьте, — приказал ему Ди Сильва. — Очевидно, вы точно так же потеряли над собой контроль, когда убили Раймонда Торпа.

— Торп хотел меня убить!

— Вот этим? — Ди Сильва взял тесак и клещи в руки. — Я уверен, что вы легко могли бы отнять у него нож. — Он подкинул на руке щипцы. — Или вы этого боялись? — Он повернулся к присяжным, презрительно держа щипцы двумя пальцами. — Не похоже на смертоносное оружие. Даже если бы он ударил вас ими по голове, кроме шишки ничего бы не было. Для чего, кстати, используются такие щипцы, мистер Уилсон?

— Чтобы вырывать яйца, — тихо произнес Абрахам Уилсон.

Прошло уже восемь часов с тех пор, как присяжные удалились на совещание.

Роберт Ди Сильва и его помощники ушли из зала заседания, чтобы отдохнуть, но Дженнифер не могла сдвинуться с места.

Когда присяжные по одному стали заходить в совещательную комнату, Кен Бэйли подошел к Дженнифер:

— Пойдем выпьем кофе.

— Вряд ли я смогу...

Она осталась в зале, где сидела, боясь пошевелиться, не видя и не слыша, что происходит вокруг. Вот все и кончилось. Она старалась, как могла. Она закрыла глаза и попыталась произнести молитву, но страх мешал ей сосредоточиться. У нее было такое чувство, что вместе с Абрахамом Уилсоном к смерти приговорят и ее.

Когда присяжные с хмурыми лицами возвратились в зал, сердце Дженнифер бешено забилось. Она поняла, что они вынесли смертный приговор. Из-за нее казнят человека. Ей не следовало браться за это дело. Она была просто сумасшедшей, если думала, что может выиграть дело у такого опытнейшего юриста, как Ди Сильва. Ей хотелось подбежать к присяжным прежде, чем они вынесут свой вердикт, и сказать им: «Подождите! Это несправедливо! Пусть Абрахама Уилсона защищает другой адвокат, лучший, чем я».

Слишком поздно. Дженнифер украдкой посмотрела на Абрахама Уилсона. Он был похож на каменную статую. Злоба, исходившая от него раньше, уступила место отчаянию. Ей хотелось успокоить его, но она не могла найти подходящих слов.

Судья Уолдман обратился к присяжным:

— Дамы и господа, вы приняли решение?

— Да, ваша честь.

Судья кивнул секретарю суда. Тот подошел к присяжным, взял у них листок бумаги и передал его судье. Дженнифер чувствовала, как отчаянно забилось ее сердце. У нее перехватило дыхание. Ей хотелось задержать это мгновение, остановить время до того, как будет зачитан приговор. Судья Уолдман поднял глаза и медленно обвел взглядом зал.

Он посмотрел на присяжных, на Роберта Ди Сильву, на Дженнифер и на Абрахама Уилсона.

— Ответчик, встаньте, пожалуйста.

Абрахам Уилсон устало поднялся на ноги. Его движения были медленными, как будто силы оставили его.

Посмотрев на листок бумаги, судья Уолдман произнес:

— Вердикт присяжных гласит, что Абрахама Уилсона следует считать невиновным.

В зале начали вставать с мест, и последние слова судьи потонули в гуле голосов. Дженнифер окаменела, она не могла поверить своим ушам. Не в силах вымолвить ни слова, она повернулась к Абрахаму Уилсону. Некоторое время он смотрел на нее своими маленькими глазками, затем его лицо расплылось в улыбке. Он обхватил ее своими ручищами, и Дженнифер чувствовала, что сейчас расплачется.

Газетчики обступили Дженнифер, засыпая ее вопросами.

— Что вы чувствуете, победив окружного прокурора?

— Вы были заранее уверены в победе?

— Что бы вы предприняли, если бы Уилсона отправили на электрический стул?

Дженнифер лишь молча покачала головой в ответ. Ей не хотелось разговаривать с ними. Они пришли сюда на спектакль, полюбоваться, как человека лишат права на жизнь. Если бы присяжные вынесли другой вердикт... Ей не хотелось даже думать об этом. Дженнифер принялась складывать бумаги в портфель.

К ней подошел секретарь суда:

— Судья Уолдман просит, чтобы вы прошли в его кабинет, мисс Паркер.

Она совсем забыла, что ее должны наказать за неуважение к суду, но теперь это было не важно. Самое главное — она спасла жизнь Абрахаму Уилсону.

Дженнифер посмотрела на стол обвинения. Окружной прокурор Ди Сильва запихивал бумаги в атташе-кейс, рыча на своих помощников. Он поднял голову, и их глаза встретились. Его взгляд был красноречивее всяких слов.

* * *

Судья Лоренс Уолдман сидел за столом, когда Дженнифер вошла в его кабинет.

— Садитесь, мисс Паркер, — коротко сказал он.

Дженнифер села.

— Я никому не позволю превращать суд в цирковое представление.

Дженнифер покраснела:

— Я просто споткнулась. Просто невозможно...

Судья Уолдман остановил ее жестом руки:

— Не надо, ради Бога.

Дженнифер сжала губы.

— Я также не терплю наглости. — Дженнифер устало смотрела на него, не говоря ни слова.

— Сегодня вы перешли все границы дозволенного. Я понимаю, что вы стремились спасти человеческую жизнь. Поэтому я принял решение не наказывать вас за неуважение к суду.

— Спасибо, ваша честь, — с трудом произнесла Дженнифер.

С бесстрастным лицом судья Уолдман продолжал:

— Почти всегда, когда выносится приговор, я знаю, свершилось правосудие или нет. Сейчас у меня такой уверенности нет.

Дженнифер ждала, что он скажет что-нибудь еще.

— Это все, мисс Паркер.

В тот день телевизионные выпуски новостей и первые страницы вечерних выпусков газет снова были посвящены Дженнифер Паркер, только на этот раз она была героиней. Ее называли Давидом, поразившим могучего Голиафа. Во всех газетах были фотографии Дженнифер, Ди Сильвы и Абрахама Уилсона. Дженнифер жадно читала посвященные ей статьи, наслаждаясь каждым словом. Приятно чувствовать вкус победы после стольких лишений.

Кен Бэйли пригласил ее отпраздновать это событие в «Лучо», где ее узнали метрдотель и многие посетители. Незнакомые люди называли ее по имени и поздравляли. Невероятно!

— Как ты себя чувствуешь в роли знаменитости? — ухмыльнулся Кен.

— Нет слов.

Кто-то послал им бутылку вина.

— Мне и пить-то не надо, — призналась Дженнифер, — у меня такое чувство, что я и так пьяная.

Но она выпила три стакана вина, обсуждая с Кеном закончившийся суд.

— Я так боялась. Ты знаешь, что это такое — держать в своих руках чужую жизнь? Ответственность, как у Бога. Разве может что-нибудь быть страшнее, чем это? Я имею в виду, что я приехала из Келсо... Слушай, Кен, может, закажем еще бутылку вина?

— Все, что ты захочешь.

Кен заказал шикарный ужин, но от возбуждения Дженнифер не могла есть.

— Ты знаешь, что мне сказал Абрахам Уилсон во время нашей первой встречи? «Влезь в мою шкуру, а я — в твою. Тогда мы и поговорим о ненависти». Кен, я была сегодня в его шкуре. И знаешь что? Мне казалось, что присяжные судят меня. Я чувствовала, будто меня собираются казнить. Я люблю Абрахама Уилсона. Давай закажем еще вина.

— Ты ведь ничего не съела.

— Я хочу выпить.

Нахмурившись, Кен смотрел, как она наполнила и опустошила свой бокал.

— Эй, полегче!

Она беззаботно помахала рукой.

— Калифорнийское вино — как вода. — Она отпила глоток. — Ты — мой лучший друг. Знаешь, кто мне не лучший друг? Великий Роберт Ди Сильва.

— Ди Сильва?

— Ага. Он меня ненавидит. Ты видел сегодня его лицо? О! Он был в бешенстве. Он сказал, что собирается убрать меня с дороги. Но ведь не убрал?

— Нет...

— Ты знаешь, что я думаю? Ты знаешь, что я действительно думаю?

— Я...

— Ди Сильва полагает, что он по сравнению со мной — пигмей.

— Ты хотела сказать наоборот.

— Спасибо, Кен. Я всегда могу рассчитывать на тебя. Давай закажем еще одну бутылку вина.

— Может, тебе достаточно?

— У пигмеев большая жажда. — Дженнифер хихикнула. — Я тебе говорила, что люблю Абрахама Уилсона? Он самый красивый человек на свете. Я посмотрела ему в глаза, Кен, и увидела, что он прекрасен! Ты когда-нибудь смотрел в глаза Ди Сильвы? О! Они холодные как лед! Как айсберг. Он вообще-то не такой уж и плохой человек. Я говорила тебе про пигмея?

— Да.

— Я люблю пигмеев. Я всех люблю. А знаешь почему, Кен? Потому что Абрахам Уилсон остался в живых. Он жив. Давай закажем бутылку вина и отпразднуем...

Было два часа ночи, когда Кен привел Дженнифер домой. Он выбился из сил, таща ее на третий этаж. Теперь он стоял, тяжело дыша.

— Наверное, это у меня от вина, — сказал он.

Дженнифер с сочувствием посмотрела на него.

— Нечего пить, если не умеешь.

И она отключилась.

Ее разбудил пронзительный телефонный звонок. Она потянулась за трубкой, но это движение отозвалось нестерпимой болью во всем теле.

— Алло...

— Дженнифер? Это Кен.

— Привет, Кен...

— У тебя все в порядке?

Она поразмыслила:

— Не думаю. Сколько времени?

— Полдень. Приходи скорее, тут такое творится!

— Кен... Я умираю.

— Слушай меня внимательно. Встань с постели — медленно — и проглоти две таблетки аспирина. Прими холодный душ, выпей кофе, и ты выживешь.

Когда через час Дженнифер пришла в контору, она чувствовала себя лучше. «Не хорошо, — подумала Дженнифер, — но лучше».

Когда она вошла, оба телефона звонили не переставая.

— Это тебе звонят, — усмехнулся Кен. — Ни на секунду не останавливаются. Тебе нужна секретарша-телефонистка.

Ей звонили из газет и журналов, с радио и телевидения. За один день она стала знаменитостью. Были и другие звонки, о которых раньше она могла только мечтать. Представители крупных фирм, которые раньше и слышать о ней не хотели, спрашивали, когда ей удобно будет с ними встретиться.

В своем кабинете Роберт Ди Сильва кричал на своего первого помощника:

— Я хочу, чтобы ты подготовил мне личное досье на Дженнифер Паркер. Сообщай мне о всех ее клиентах. Ясно?

— Да, сэр.

— За работу!

Глава 9

— Он такой же стрелок, как я девственник. У меня что, глаз нет?

— Этот козел хотел, чтобы я замолвил за него словечко Майклу. А я говорю: «Эй, приятель! Я всего лишь солдат, понял?» А если Майклу понадобится человек, он не будет рыскать по помойкам.

— Он тебя просто наколоть хотел, Сал.

— Я быстро его вычислил. Никто его не знает в округе, а в нашем деле, если тебя не знают — ты пустое место.

Они разговаривали, сидя на кухне старой голландской фермы, построенной триста лет назад в Нью-Джерси.

Их было трое: Ник Вито, Джозеф Колелла и Сальваторе Фьоре по прозвищу Цветочек.

Ник Вито был похож на покойника. Тонкие, почти невидимые губы и глубоко посаженные зеленые глаза лишь усиливали это сходство. На нем были туфли стоимостью в двести долларов.

Джозеф Колелла, по кличке Гигант, был похож на гранитный монолит. Когда он шел по улице, создавалось впечатление, что он появился здесь из сказок о великанах. Однажды кто-то сравнил его с огородом: «У Колеллы нос, как картошка, уши, как капустные листья, мозг с горошину».

У Колеллы был высокий голос и вид добряка, впрочем, это было обманчивое впечатление. У него была скаковая лошадь, и он любил играть на скачках, безошибочно угадывая победителей. У него было шестеро детей, и он обожал свою семью. Его специальностью были пистолеты, кислота и цепи. Его жена, Кармелина, была набожной женщиной, и по воскресеньям, когда Колелла не работал, он всегда ходил с семьей в церковь.

Третий из них, Сальваторе Фьоре, был похож на карлика. Ростом он был пять футов и три дюйма, а весил сто пятнадцать фунтов*. У него было ангельское личико мальчика из церковного хора, что не мешало ему ловко управляться с ножом и пистолетом. Он нравился женщинам, и, кроме жены и любовницы, у него была дюжина подружек. Раньше Фьоре был жокеем и работал на ипподромах от Пилмико до Тихуаны. Когда один из инспекторов на ипподроме оштрафовал Фьоре за то, что он дал лошади допинг, его тело было найдено через неделю плавающим в озере.

Все трое были солдатами в «семье» Антонио Гранелли, но так как они попали сюда благодаря Майклу Моретти, то были преданы ему душой и телом.

_____
* Приблизительно 48 кг.

98

* * *

В столовой проходило совещание «семьи» гангстеров. Во главе стола сидел Антонио Гранелли, саро самой могущественной «семьи» мафии восточного побережья. В свои семьдесят два года он выглядел крепким мужчиной, с широкими плечами крестьянина и пышной седой шевелюрой. Родившись в Палермо, Антонио Гранелли приехал в Америку в возрасте пятнадцати лет и стал работать на пристани в Манхэттене. К двадцати годам он уже стал лейтенантом местного босса, контролирующего доки. Один раз они поспорили, и, когда босс таинственным образом исчез, Антонио Гранелли занял его место. Каждый, кто хотел работать в доках, был обязан платить ему. Эти деньги помогли ему стать влиятельным человеком, и сфера его деятельности стала быстро расширяться — рэкет, «акулий промысел», проституция, азартные игры, наркотики и убийства. Тридцать два раза его привлекали к суду, но он был осужден только один раз за мелкое правонарушение. Гранелли был безжалостным человеком, не признававшим никаких правил.

По левую руку от Гранелли сидел Томас Колфакс, consigliere «семьи». Двадцать пять лет назад Колфакс был блестящим адвокатом, специализировавшимся на корпоративном бизнесе. Однажды он защитил интересы небольшой компании по импорту оливкового масла, стоящей под контролем мафии, и стал все чаще и чаще заниматься ее делами, пока «семья» Гранелли не превратилась в его единственного клиента. Это был выгодный клиент, и Томас Колфакс стал состоятельным человеком. Он обладал обширной недвижимостью и банковскими счетами по всему миру.

Справа от Гранелли сидел его зять Майкл Моретти. Майкл был честолюбивым человеком, и это его качество не нравилось Антонио Гранелли. Майкл недавно появился в «семье». Его отец, Джованни, дальний родственник Антонио Гранелли, был родом не из Сицилии, а из Флоренции. Одно только это бросало на семью Моретти тень подозрения — все знали, что флорентийцам доверять нельзя.

Приехав в Америку, Джованни Моретти открыл обувной магазин и честно делал свое дело. Он не занимался ни азартными играми, ни «акульим промыслом», он даже не сдавал комнаты проституткам, что уже представляло его ненормальным в глазах окружающих.

Майкл совершенно не был похож на своего отца. Он поступил в Йельский университет, а потом окончил Варшавскую школу бизнеса. После выпуска он обратился к отцу с единственной просьбой — он хотел встретиться со своим дальним родственником Антонио Гранелли. Джованни договорился о такой встрече. Гранелли был уверен, что Майкл собирается попросить у него денег в долг, чтобы заняться бизнесом, может, открыть свой обувной магазин, как и его ненормальный отец. Но он ошибся.

— Я знаю, как сделать вас богатым, — начал Майкл Моретти.

Посмотрев на нахального юношу, Антонио Гранелли снисходительно улыбнулся:

— Я и так богатый человек.

— Нет. Вы только думаете, что вы богатый.

Улыбка исчезла с лица Гранелли.

— Я что-то не пойму тебя, парень.

И Майкл Моретти рассказал ему свой план.

Сначала Антонио Гранелли действовал осторожно, тщательно проверяя каждый совет Майкла. Но все шло просто превосходно. Нелегальный бизнес, который процветал и раньше, расширился под руководством Майкла Моретти. Через пять лет «семья» Гранелли владела дюжиной компаний, куда входили фирмы по производству мясных консервов, прачечные, рестораны, аптеки и службы перевозок. Майкл находил перспективные компании, и «семья» входила в их состав в качестве младшего партнера, постепенно скупая все акции. Старые компании с безупречной репутацией внезапно оказывались на грани банкротства. Процветающие компании становились жертвами Моретти и начинали приносить невиданные доходы, так как их рабочие контролировались профсоюзами, подчиняющимися мафии, страховались в страховых компаниях, подчиненных мафии, и покупали машины в магазинах, принадлежащих мафии. Майкл создал гигантскую империю, целую сеть компаний, где потребителя доили, и это молоко текло к мафии.

Несмотря на свой успех, Майкл знал, что его положение ненадежно. Показав Антонио Гранелли заманчивые горизонты законного бизнеса, он перестал быть ему нужен. Он дорого обходился ему, так как в самом начале договорился, что будет получать небольшой процент от каждого дела. Все были уверены, что речь идет о сущей мелочи. Но, увидев, какие фантастические прибыли приносят идеи Майкла, Гранелли задумался. По чистой случайности Майкл узнал, что Гранелли провел совещание, где обсуждался вопрос, что делать с Майклом Моретти.

— Уж слишком много денег оседает в карманах этого парня, — сказал Гранелли. — Надо от него избавиться.

Майкл разрушил эти планы, женившись на единственной дочери Гранелли, девятнадцатилетней Розе. Ее мать умерла при родах, и Роза воспитывалась в монастыре, приезжая домой только на каникулы. Отец боготворил ее и делал все, чтобы его дочь ни в чем не нуждалась. Именно во время пасхальных каникул Роза познакомилась с Майклом Моретти. Вспоминая его мужественный облик, Роза занималась в постели тем, что монахини называли постыдным и грешным делом.

Антонио Гранелли полагал, что дочь считает его преуспевающим бизнесменом, но подруги Розы показывали ей газеты и журналы, в которых рассказывалось об истинной деятельности «семьи» Гранелли. Роза ничего не говорила об этом отцу, и тот был счастлив, полагая, что уберег ее от ужасной правды.

Гранелли был потрясен, если бы узнал, что Роза считала деятельность отца невероятно захватывающей. Она ненавидела дисциплину и нотации монахинь. В мечтаниях она представляла отца Робином Гудом, бросившим вызов правительству. То, что Майкл Моретти занимал важный пост в организации ее отца, делало его еще более привлекательным.

С самого начала Майкл вел себя с Розой крайне осторожно. Оставаясь наедине, они обнимались и обменивались жаркими поцелуями, но Майкл следил, чтобы дальше этого дело не заходило. Роза была девственницей и хотела — желала — отдаться любимому человеку. Майклу приходилось сдерживать ее:

— Я слишком уважаю тебя, Роза, чтобы спать с тобой до свадьбы.

На самом деле он боялся Антонио Гранелли. «За это старик отрежет мне яйца», — думал он.

Как раз в это время Гранелли обсуждал вопрос, каким способом ему лучше избавиться от Моретти. Когда перед ним предстали Роза и Майкл, сообщив, что они любят друг друга и собираются пожениться, старика чуть удар не хватил. От бешенства он кричал, приводя сотни причин, по которым это нельзя сделать. Но в конце концов настоящая любовь победила, и он устроил дочери шикарную свадьбу.

После торжественной церемонии старик отозвал Майкла в сторону:

— Роза — это единственное, что у меня есть. Заботься о ней.

— Обязательно, Тони.

— Я буду присматривать за тобой. Так что сделай ее счастливой. Ты понял, о чем я говорю?

— Я все понял.

— Никаких подружек и шлюх. Ясно? Роза любит готовить, поэтому сделай так, чтобы всегда обедать дома. Ты должен быть зятем, которым я мог бы гордиться.

— Буду стараться изо всех сил, Тони.

— Да, кстати, Майкл, — как бы между прочим сказал Антонио Гранелли, — раз ты теперь член семьи, может, мы пересмотрим те проценты, что я тебе плачу?

Майкл похлопал его по плечу:

— Спасибо, папа, но нам этого хватит. Я могу купить Розе все, что она пожелает.

Он повернулся и пошел к гостям, чувствуя, как старик смотрит ему вслед.

Это произошло семь лет назад, и все эти годы Майкл жил как в раю. С Розой было легко и приятно, но Майкл знал, что, если она уйдет от него или умрет, он не будет сильно печалиться. Он найдет себе другую, которая так же будет заботиться о нем. Майкл не любил Розу. Он полагал, что вообще не способен кого-нибудь любить.

Не испытывая любви к людям, он чувствовал привязанность к животным. Когда ему исполнилось десять лет, ему подарили щенка колли. Он не расставался с собакой ни на час. Через месяц собаку задавила машина, и, когда отец предложил купить ему другую, Майкл отказался. С тех пор он не держал дома животных.

В детстве Майкл видел, как его отец еле-еле сводит концы с концами, пытаясь сэкономить хоть немного денег, и решил для себя, что выберет другой путь. Когда он впервые услышал о своем известном родственнике Антонио Гранелли, он понял, что именно ему надо. В Соединенных Штатах было двадцать шесть «семей» мафии. Пять из них контролировали Нью-Йорк, и «семья» Гранелли считалась самой могущественной. Еще в детстве Майкла будоражили истории о мафии. Отец рассказывал ему о «Сицилийской вечерне» 10 сентября 1931 года, когда началась война гангстеров за власть. За одну ночь новые мафиози уничтожили более сорока гангстерских боссов старой гвардии, прибывших в Америку из Италии и Сицилии.

Майкл принадлежал к новому поколению. Он избавился от старого мышления и был полон свежих идей. Комиссия из девяти человек контролировала теперь все «семьи» мафии, и Майкл знал, что когда-нибудь он возглавит ее. Майкл посмотрел на мужчин, сидящих с ним за столом на старой голландской ферме. Антонио Гранелли еще, конечно, протянет пару лет. К счастью, ему недолго осталось жить.

Томас Колфакс был врагом Майкла. Адвокат с самого начала был настроен против Моретти. По мере того как влияние Майкла на Антонио Гранелли усиливалось, его собственный авторитет падал.

Майкл старался внедрять в организацию как можно больше своих людей, таких, как Ник Вито, Сальваторе Фьоре, Джозеф Колелла, которые были преданы ему до последней капли крови. Томасу Колфаксу это не нравилось.

Когда над Майклом начался суд по обвинению его в убийстве братьев Рамосов и Камилло Стела согласился выступить свидетелем, старый адвокат был уверен, что теперь избавится от Майкла. Окружной прокурор был обречен на победу.

Посреди ночи Майклу пришла мысль о спасении. В четыре часа утра он позвонил Джозефу Колелле из телефонной будки:

— На следующей неделе будут приводить к присяге новых адвокатов для команды окружного прокурора. Ты сможешь узнать их имена?

— Конечно, Майкл. Без проблем.

— И еще. Позвони в Детройт, пусть они пришлют сюда какого-нибудь «чистого» парня, чтобы у него не было приводов. — Майкл повесил трубку.

Через две недели Майкл Моретти сидел в зале суда, изучая новых помощников окружного прокурора. Он переводил взгляд с одного лица на другое, тщательно отмечая каждую мелочь. То, что он замышлял, было опасным делом, но игра стоила свеч. Новички всегда нервничают, стесняются задавать вопросы и стараются во всем. Что ж, кто-нибудь из них должен воплотить в жизнь его план.

Наконец Майкл Моретти остановил свой выбор на Дженнифер Паркер. Он заметил, что она неопытная, сильно волнуется и пытается не показывать этого. Она — женщина и легче поддастся уговорам, чем мужчина. Когда Майкл Моретти принял решение, он посмотрел на человека в сером костюме, сидящего среди зрителей, и взглядом указал ему на Дженнифер. Вот и все.

Майкл смотрел, как окружной прокурор закончил допрос сукина сына Камилло Стелы. Повернувшись к Томасу Колфаксу, он сказал: «Можете приступить к допросу свидетеля». Томас Колфакс встал: «Ваша честь, смею заметить, что почти полдень. Мне бы не хотелось, чтобы мой допрос прерывался. Поэтому я прошу сейчас сделать перерыв на обед. Свидетеля я допрошу во второй половине дня».

Был объявлен перерыв. Наступил долгожданный момент!

Майкл видел, как его человек непринужденно присоединился к группе людей, окружавших Ди Сильву. Казалось, что он один из них. Через пару минут он подошел к Дженнифер и передал ей конверт размером с небольшой пакет. Майкл затаил дыхание, молясь, чтобы Дженнифер взяла конверт и пошла в комнату свидетеля. Так она и сделала. И только когда Майкл увидел, что она вышла оттуда с пустыми руками, он облегченно вздохнул.

Это произошло год назад. Репортеры распяли ее на страницах своих газет, но это была ее проблема. Майкл не вспоминал о ней до тех пор, пока ее имя вновь не замелькало в газетных заголовках в связи с процессом над Абрахамом Уилсоном. Они снова вытащили на свет историю с делом Моретти.

Он посмотрел на ее фотографию. Это была красивая женщина, но Майкла поразило ее чувство независимости. Долго он не сводил глаз с ее фотографии.

Моретти стал следить за делом Абрахама Уилсона с возрастающим интересом.

Когда в день освобождения Майкла ребята праздновали это событие, Сальваторе Фьоре предложил тост: «Выпьем за то, что одним юристом на земле стало меньше».

Однако он ошибся. Дженнифер Паркер возродилась и была готова сражаться дальше. Майклу это понравилось.

Днем раньше он видел, как она выступала по телевидению, рассказывая о своей победе над Робертом Ди Сильвой. Майклу это тоже понравилось.

— Не та ли это девчонка, которую ты подставил, Майкл? — спросил Антонио Гранелли.

— Да. Ума ей не занимать, Тони. Возможно, мы как-нибудь используем ее.

Глава 10

На следующий день после суда над Абрахамом Уилсоном позвонил Адам Уорнер:

— Мне хотелось бы поздравить тебя.

Дженнифер сразу узнала его голос, и ее охватило волнение.

— Это звонит...

— Я знаю. — «Господи, — подумала Дженнифер. — Зачем я это сказала?» Незачем было давать ему понять, что она думала о нем.

— Я хотел тебе сказать, что ты блестяще защищала Абрахама Уилсона. Ты заслужила эту победу.

— Спасибо. — «Он сейчас повесит трубку, — подумала Дженнифер. — Я его больше никогда не увижу. Таких, как я, у него, наверное, целый гарем».

— Может, ты как-нибудь поужинаешь со мной?

«Мужчинам не нравятся девушки, которые быстро соглашаются», — подумала Дженнифер, а вслух сказала:

— Сегодня?

По его голосу Дженнифер поняла, что он улыбается.

— Боюсь, что раньше пятницы у меня не будет времени. Ты занята?

— Нет. — Она чуть не сказала: «Конечно же, нет».

— За тобой заехать?

Дженнифер подумала о своей обшарпанной квартире со старой софой и гладильной доской в углу:

— Давай лучше где-нибудь встретимся.

— Тебе нравится кухня в «Лютес»?

— Можно я отвечу, когда попробую?

Он засмеялся:

— В восемь часов. Подходит?

— Разумеется.

Разумеется. Дженнифер повесила трубку и села, ощущая неописуемое блаженство. «Это просто смешно, — подумала она. — Он, по всей видимости, женат и у него десятка два детей». Когда они ужинали в первый раз, она заметила, что у него нет обручального кольца. «Косвенная улика», — хмуро подумала она. Обязательно следует принять закон, обязывающий носить кольца всех женатых мужчин.

Кен Бэйли вошел в кабинет.

— Как сегодня чувствует себя самый известный адвокат страны? — Он подошел поближе. — У тебя такой вид, будто ты только что проглотила своего клиента.

Поколебавшись, Дженнифер сказала:

— Кен, ты можешь навести справки об одном человеке?

— Конечно. — Он подошел к столу, взял ручку и блокнот. — Кто такой?

Она уже хотела назвать имя Адама Уорнера, но удержалась, чувствуя себя идиоткой. И какое право имела она вторгаться в его личную жизнь? «Господи, — подумала она, — он всего лишь пригласил меня поужинать, а не предложил выйти за него замуж».

— Я передумала.

— Как скажешь. — Кен отложил ручку.

— Кен...

— Да?

— Адам Уорнер. Его зовут Адам Уорнер.

Кен удивленно посмотрел на нее:

— Зачем я тогда нужен? Тебе достаточно почитать газеты.

— Что тебе о нем известно?

Кен откинулся в кресле и сцепил пальцы рук.

— Так. Он один из партнеров в фирме «Нидхэм, Финч, Пирс энд Уорнер». Окончил Гарвардский университет. Выходец из богатой семьи. В тридцать лет...

— Откуда ты столько про него знаешь? — изумилась Дженнифер.

Он подмигнул ей:

— У меня повсюду есть друзья. Ходит слух, что мистер Уорнер выставит свою кандидатуру на выборах в сенат США. Кто знает, может, потом он станет участвовать и в президентских выборах. Он обладает незаурядным обаянием.

«Это точно», — подумала Дженнифер. Следующий вопрос она постаралась задать небрежным тоном.

— А как насчет его личной жизни?

Кен странно посмотрел на нее:

— Он женат на дочери бывшего министра военно-морских сил. Она внучка Стюарта Нидхэма, старшего партнера его фирмы.

У Дженнифер упало сердце: вот оно, значит, как.

Кен с любопытством смотрел на нее:

— Чем вызван этот внезапный интерес к Адаму Уорнеру?

— Так просто.

Кен ушел, а Дженнифер еще долго сидела, думая об Адаме. «Он пригласил меня на ужин из чистой вежливости. Он хочет поздравить меня. Но он уже поздравил меня по телефону. Какая разница. Я снова его увижу. Интересно, скажет ли он, что у него есть жена? Конечно, нет. Ладно, я поужинаю с Адамом в пятницу, и на этом все закончится».

В тот же день Дженнифер позвонили из фирмы «Пибоди энд Пибоди». Звонил сам глава фирмы.

— Я давно уже собирался познакомиться с вами, — сказал он. — Может, мы с вами пообедаем вместе?

Его непринужденный тон не мог ввести Дженнифер в заблуждение. Она была уверена, что мысль пообедать с ней возникла у него только после того, как он прочитал о ее победе в суде. Вряд ли он собирался обсуждать за обедом ее работу в качестве разносчицы повесток.

— Может, завтра? — предложил он. — В моем клубе.

Они встретились на следующий день. Пибоди-старший был бледным худощавым человеком и казался постаревшей копией своего сына. Одного поля ягоды.

— В нашей фирме есть вакансия для молодого способного адвоката, мисс Паркер. Для начала мы можем предложить вам пятнадцать тысяч долларов в год.

Дженнифер слушала его и думала, как кстати оказалось бы это предложение год назад, когда ей так нужна была поддержка.

— Я уверен, — продолжал Пибоди-старший, — что через несколько лет вы сможете стать полноправным партнером в нашей фирме.

«Пятнадцать тысяч долларов в год и партнерство в фирме». Дженнифер вспомнила свою контору, которую она делила с Кеном, скромную квартиру с имитацией камина.

Мистер Пибоди принял ее молчание за согласие:

— Отлично. Думаю, что вы можете приступить к работе уже в понедельник. Я...

— Нет.

— Если вам не подходит понедельник...

— Я имела в виду, что не принимаю ваше предложение, мистер Пибоди, — сказала Дженнифер и сама удивилась своей смелости.

— Понятно. — Воцарилось молчание. — Хорошо, я предлагаю вам двадцать тысяч долларов в год. — Он увидел, как она изменилась в лице. — Или двадцать пять. Подумайте хорошенько.

— Я уже обо всем подумала. У меня будет своя фирма.

Стали появляться первые клиенты. Их было не так уж много, и вряд ли их можно было назвать богатыми, но все же это были клиенты. Теперь кабинет стал тесным для работы.

Однажды утром, когда два клиента ждали очереди в коридоре, а Дженнифер занималась с третьим, Кен сказал:

— Так дело не пойдет. Тебе надо перебираться отсюда в приличное помещение.

Дженнифер кивнула:

— Я уже думала об этом.

Кен принялся перебирать бумаги, чтобы Дженнифер не увидела его глаза.

— Мне будет недоставать тебя.

— О чем ты говоришь? Ты останешься со мной.

Ему понадобилось время, чтобы переварить услышанное, а затем на его веснушчатом лице расплылась улыбка.

— С тобой? — Он обвел взглядом обшарпанную комнату без окон. — И оставить все это?

На следующей неделе Дженнифер и Кен Бэйли перебрались в новое помещение на Пятой авеню. Их новая контора состояла из трех небольших, скромно обставленных комнат: одна для Дженнифер, одна для Кена и одна для секретарши.

Секретаршу, которую они наняли для работы, звали Синтия Эллман. Она только что окончила Нью-Йоркский университет.

— Пока работы немного, — извиняющимся тоном сказала Дженнифер, — но, надеюсь, со временем ее будет больше.

— О, несомненно, мисс Паркер. — Она с обожанием посмотрела на Дженнифер.

«Господи, — подумала Дженнифер, — она хочет быть похожей на меня».

Вошел Кен Бэйли:

— Эй, я чувствую себя одиноко в отдельном кабинете. Может, поужинаем вместе, а потом сходим в кино?

— Боюсь, что... — Она устала, а ей предстояло еще прочитать несколько отчетов. Но Кен был ее лучшим другом, и она не могла ему отказать. — С удовольствием.

Они посмотрели фильм «Аплодисменты». Дженнифер получила огромное удовольствие. Лорен Бэкалл была просто неотразима. Ужинали они с Кеном у Сарди.

Сделав заказ, Кен сказал:

— У меня есть два билета на балет в пятницу вечером. Может, мы...

— Извини, Кен. В пятницу я занята.

— А... — В его голосе слышалось любопытство.

Время от времени Дженнифер замечала, как Кен подолгу смотрит на нее. Ей трудно было определить, какие чувства отражались у него на лице. Она знала, что Кен одинок, хотя он никогда не рассказывал о своих друзьях и личной жизни. Она не могла забыть, что рассказал ей Отто, и ей было непонятно, знает ли сам Кен, чего хочет от жизни. Ей хотелось бы помочь ему.

Дженнифер казалось, что пятница никогда не наступит. По мере того как приближалось свидание с Адамом, ей было все труднее и труднее сконцентрироваться на работе. Она постоянно думала об Адаме. Один раз она видела этого мужчину и теперь никак не может выбросить его из головы. Дженнифер пыталась убедить себя, что это происходит потому, что он спас ее от дисквалификации и посылал ей клиентов. Это было правдой, но она сознавала, что хочет увидеть его не только поэтому. Дженнифер сама не могла разобраться в своих чувствах. Она никогда не испытывала подобного влечения к мужчине. Она пыталась представить жену Адама. Несомненно, та была одной из избранных, которые каждую пятницу ходят в салон красоты «Элизабет Арден». Безусловно, это умная и изысканная женщина с аурой незыблемого превосходства.

Глава 11

Наступила долгожданная пятница. Дженнифер записалась к новой итальянской парикмахерше, к которой, по словам Синтии, ходили все манекенщицы. Она позвонила в парикмахерскую в десять утра. В половине одиннадцатого позвонила снова, чтобы отменить заказ. В одиннадцать она опять позвонила и сказала, что придет.

Кен Бэйли пригласил ее на обед, но она так нервничала, что не могла ничего есть. Потом она пошла в магазин и купила себе короткое платье из зеленого шифона под цвет глаз, туфли и сумочку в тон платью. Она понимала, что это подрывает ее бюджет, но не могла остановиться. Проходя мимо отдела парфюмерии, она, повинуясь внезапно возникшему желанию, купила флакон духов «Джой». Зачем она это сделала, ведь Адам женат?

В пять часов Дженнифер закончила работу и отправилась домой, чтобы переодеться. Два часа она приводила себя в порядок — мылась, причесывалась, одевалась. Затем она критически осмотрела себя в зеркале, после чего еще раз расчесала волосы и перевязала зеленой ленточкой. «Так оно будет лучше, — подумала она. — Я адвокат, который идет на встречу с другим адвокатом». Когда она вышла из квартиры, от нее исходил ненавязчивый запах розы и жасмина.

Ресторан «Лютес» поразил ее. Над входом реял трехцветный французский флаг. Внутри узкий коридор вел в бар, а оттуда — в просторный зал, где стояли столы, накрытые скатертями. У входа Дженнифер встречал владелец ресторана Андре Солтнер.

— Чем могу быть вам полезен?

— У меня здесь встреча с Адамом Уорнером. Боюсь, что я пришла слишком рано.

Он указал ей рукой на бар:

— Может, вы пока что-нибудь выпьете, мисс Паркер?

— Да, пожалуй, — сказала Дженнифер. — Спасибо.

— Я пришлю к вам официанта.

Дженнифер села и принялась наблюдать за женщинами, увешанными драгоценностями и в норковых шубках, приходившими в сопровождении своих кавалеров. Дженнифер много слышала о «Лютес» и часто встречала это название в газетах. Это был любимый ресторан Жаклин Кеннеди.

Благообразный джентльмен с седой шевелюрой подошел к Дженнифер:

— Вы не против, если я присоединюсь к вам?

Дженнифер окаменела.

— Я ожидаю своего спутника, — начала она. — Он должен быть здесь...

Улыбнувшись, он сел.

— Вы меня неправильно поняли, мисс Паркер. — Дженнифер изумленно посмотрела на него, пытаясь вспомнить,

112

откуда он ее знает. — Я — Ли Браунинг из «Холланд энд Браунинг». — Это была одна из самых престижных юридических фирм в Нью-Йорке. — Мне просто хотелось поздравить вас с блестящей победой.

— Спасибо, мистер Браунинг.

— Вы сильно рисковали. Защита была обречена на провал. — Он изучающе посмотрел на нее. — Главное правило, когда у вас безнадежное дело, состоит в том, что надо спрятать его от газетчиков. Пусть вся слава достается победителю, а самому надо уходить в тень. Вы нас всех провели. Вы уже заказали себе выпить?

— Нет...

— Вы мне позволите... — Он сделал знак официанту: — Виктор, принеси мне бутылку шампанского. Французского.

— Слушаюсь, мистер Браунинг.

Дженнифер улыбнулась:

— Вы хотите произвести на меня впечатление?

Он громко засмеялся:

— Я хочу заполучить вас к себе в фирму. Представляю, сколько у вас сейчас предложений.

— Да, кое-что предлагают...

— Наша фирма занимается корпоративным бизнесом, но часто наши самые влиятельные клиенты вступают в противоречие с законом, и мы нуждаемся в услугах адвоката, ведущего уголовные дела. Думаю, мы в состоянии сделать вам весьма заманчивое предложение. Не могли бы вы зайти к нам в удобное для вас время и обсудить условия?

— Спасибо, мистер Браунинг. Мне очень лестно это слышать, но я решила работать сама. Надеюсь, у меня получится.

Он изучающе посмотрел на нее.

— Я уверен, что у вас получится. — Подняв глаза, он встал и протянул руку: — Здравствуй, Адам, как дела?

Дженнифер повернула голову и увидела, как Адам обменивается рукопожатием с Ли Браунингом. Сердце ее забилось, и она почувствовала, что краснеет. «Как глупая школьница!»

113

Переводя взгляд с Браунинга на Дженнифер, Адам спросил:

— Вы знаете друг друга?

— Мы только начали знакомиться, — непринужденно сказал Ли Браунинг. — Ты появился слишком рано.

— Или как раз вовремя. — Он взял Дженнифер за руку. — Надеюсь, тебе повезет в следующий раз, Ли.

К Адаму подошел метрдотель:

— Вы пройдете сразу за столик, мистер Уорнер, или сначала выпьете что-нибудь в баре?

— Мы пройдем за столик, Генри.

Когда они сели, Дженнифер посмотрела по сторонам и увидела не менее дюжины знаменитостей.

— Это место напоминает мне справочник «Кто есть кто».

Адам посмотрел на нее:

— Теперь да.

Она снова почувствовала, как краска заливает ей лицо. «Перестань сейчас же!» — приказала она себе. Интересно, часто ли Адам приглашает сюда своих подружек, пока жена его дома? Интересно, говорит ли он им, что женат, или предпочитает держать это в секрете? Что ж, она в более выгодном положении, чем они. «Для вас это будет неожиданностью, мистер Уорнер», — подумала Дженнифер.

Заказав ужин, они принялись разговаривать о пустяках. Дженнифер выбрала себе роль слушательницы. Он блистал остроумием, но у нее была защита против его чар. Хотя ей приходилось нелегко. Она поймала себя на том, что улыбается и смеется, слушая его истории.

«Ему это не поможет», — сказала себе Дженнифер. Ей не нужна была любовная интрижка. Образ матери постоянно стоял у нее перед глазами. Внутри Дженнифер бушевала страсть, которую она боялась показать, боялась высвободить.

Принесли десерт, а Адам не сказал еще ни одного двусмысленного слова. Дженнифер зря готовила свою защиту, пытаясь отразить нападение, которого не последовало. Она чувствовала себя дурой. Интересно, что бы сказал Адам, узнай он, о чем она думала целый вечер. Дженнифер посмеялась над своими страхами.

— У меня до сих пор не было возможности поблагодарить тебя за клиентов, которых ты мне присылал, — сказала Дженнифер. — Я звонила несколько раз, но...

— Я знаю, — смущенно сказал Адам и добавил: — Я не хотел отвечать на эти звонки. — Дженнифер удивленно посмотрела на него. — Я боялся, — просто сказал он.

Вот так. Он застал ее врасплох, когда она этого не ожидала, и ее защита не сработала. Дженнифер знала, что последует дальше. Она не хотела, чтобы он произносил это. Она не хотела, чтобы он был похож на всех остальных, на женатого мужчину, выдающего себя за холостяка. Она презирала их, а презирать Адама ей не хотелось.

— Дженнифер, — спокойно произнес Адам, — я хочу тебе сказать, что я женат.

Дженнифер смотрела на него с открытым ртом.

— Извини, что не сказал этого раньше. — Он грустно улыбнулся. — Ведь до этого у меня не было возможности.

Дженнифер была в смятении.

— Почему... почему ты пригласил меня поужинать, Адам?

— Мне хотелось снова увидеть тебя.

Дженнифер казалось, что все это нереально. Казалось, какая-то гигантская волна подхватила ее и несет куда-то вдаль. Она сидела и слушала, как Адам рассказывает ей о своих чувствах, и знала, что все это правда. Она хотела, чтобы он остановился и больше ничего не говорил. Она хотела, чтобы он продолжал и рассказал ей все.

— Надеюсь, я не оскорбил тебя? — спросил Адам.

Внезапно Дженнифер стало стыдно.

— Адам, я...

Он посмотрел на Дженнифер, и, хотя не дотронулся до нее, она почувствовала себя в его объятиях.

— Расскажи мне о своей жене, — попросила она дрожащим голосом.

— Мы с Мэри Бет женаты пятнадцать лет. У нас нет детей.

— Понятно.

— Она... Мы решили не иметь детей. Мы поженились молодыми. Я знал ее с детства. Наши семьи жили по соседству в Мэйне. Когда ей было восемнадцать лет, ее родители погибли в авиакатастрофе. Она чуть не умерла с горя. Мэри была так одинока. Я... Мы поженились.

«Он женился на ней из жалости, но он слишком хорошо воспитан, чтобы признаться в этом», — подумала Дженнифер.

— Она — прекрасная женщина. У нас всегда были хорошие отношения.

Он рассказывал Дженнифер больше, чем она хотела услышать, больше, чем она могла вынести. Инстинкт подсказывал ей, что надо уйти, убежать от него. Раньше она легко справлялась с женатыми мужчинами, которые хотели встречаться с ней. Но здесь был совершенно другой случай. Если она позволит себе влюбиться в него, потом у нее не будет никакого выхода. Она будет круглой идиоткой, если пойдет на это.

— Адам, ты мне очень нравишься, — осторожно сказала она. — Но я не встречаюсь с женатыми мужчинами.

Он улыбнулся. В его глазах за стеклами очков светилась честность и теплота.

— Я не ищу любовных приключений. Я наслаждаюсь твоим обществом и горжусь тобой. Мне бы хотелось иногда встречаться с тобой.

«И что в этом хорошего?» — хотела спросить Дженнифер, а вслух сказала:

— Хорошо.

«Ну что ж, будем обедать вместе раз в месяц, — подумала она. — Ничего страшного в этом нет».

В числе первых посетителей Дженнифер был отец Райен. Обойдя все три комнаты, он сказал:

— Здесь очень мило. Мы пробиваемся наверх, Дженнифер.

Дженнифер засмеялась:

— Ну, не совсем. Мне еще предстоит долгий путь.

Прищурившись, он посмотрел на нее:

— Вы пройдете его. Кстати, на прошлой неделе я навещал Абрахама Уилсона.

— Как у него идут дела?

— Отлично. Ему дали работу в тюремной котельной. Он попросил передать вам привет.

— Я постараюсь сама навестить его.

Отец Райен сидел в кресле, глядя на нее, пока Дженнифер не спросила:

— Я вам могу чем-нибудь помочь, святой отец?

Он оживился:

— Ах да. Я понимаю, что вы очень заняты, но раз вы сами предложили... дело в том, что у одной моей прихожанки небольшие проблемы. Она попала в аварию. Я думаю, вы сможете ей помочь.

— Пусть приходит ко мне, святой отец, — ответила Дженнифер.

— Думаю, что вам придется самой зайти к ней. Дело в том, что у нее ампутированы руки и ноги.

Конни Гэррет жила в небольшом аккуратном доме на Хьюстон-стрит. Дверь открыла убеленная сединой женщина.

— Меня зовут Марта Стил. Я — тетя Конни и живу вместе с ней. Заходите, пожалуйста. Она ждет вас.

Дженнифер вошла в бедно обставленную гостиную. Конни Гэррет располагалась среди подушек на большом кресле. Дженнифер была поражена ее молодостью. Ей почему-то казалось, что Конни должна быть старой. А ей на вид было года двадцать четыре, как и самой Дженнифер. Лицо Конни сияло свежестью и красотой, и Дженнифер стало не по себе при виде ее изуродованного тела. Она с трудом подавила дрожь.

Тепло улыбнувшись, Конни сказала:

— Садитесь, Дженнифер. Можно, я буду звать вас Дженнифер? Отец Райен столько рассказывал про вас. И конечно, я видела вас по телевизору. Мне очень приятно, что вы зашли.

Дженнифер собиралась ответить, что ей тоже приятно, но вовремя сдержалась, представляя, как прозвучит ее ответ. Она села в кресло напротив Конни.

— Отец Райен сказал, что несколько лет назад с вами произошел несчастный случай? Расскажите мне, что произошло.

— Это произошло по моей вине, мне так кажется. Я переходила улицу и, когда ступила на мостовую, поскользнулась и упала перед грузовиком.

— Когда это случилось?

— Три года назад. В декабре. Я как раз спешила в универмаг за рождественскими подарками.

— Что случилось, когда вас сбил грузовик?

— Я ничего не помню. Я очнулась уже в больнице. Мне сказали, что меня привезла «скорая помощь». У меня был поврежден позвоночник. Затем они обнаружили у меня какие-то проблемы с костным мозгом, болезнь прогрессировала, пока... — Она замолчала и попыталась пожать плечами. Это было жалкое зрелище. — Мне хотели сделать искусственные конечности, но ничего не вышло.

— Вы подавали в суд?

Она удивленно посмотрела на Дженнифер:

— Разве отец Райен ничего вам не рассказывал?

— О чем?

— Мой адвокат подал в суд на компанию, которой принадлежал грузовик, и проиграл. Мы подали апелляцию и снова проиграли.

— Он должен был сказать мне об этом. Если апелляционный суд не помог вам, то, я боюсь, вряд ли что можно сделать.

Конни Гэррет кивнула:

— Я так и думала. Просто мне казалось... Ну, отец Райен сказал, что вы можете творить чудеса.

— Это по его части — творить чудеса. Я всего лишь адвокат.

Она была зла на отца Райена за то, что он дал Конни несбыточную надежду. «Ничего, — хмуро подумала она. — Я поговорю с ним как следует».

В комнату зашла Марта Стил:

— Могу я вам что-нибудь предложить, мисс Паркер? Может, чай с пирогом?

Дженнифер внезапно почувствовала, что голодна. У нее не было времени пообедать. Но, представив, как она будет есть, в то время как Конни придется кормить с ложечки, она решила отказаться.

— Нет, спасибо. Я уже пообедала, — солгала она.

Дженнифер хотелось только одного — как можно скорее уйти отсюда. Она старалась успокоить себя, думая, что может уйти, но это ведь ничего не изменит. Проклятый отец Райен!

— Мне очень жаль. Мне бы хотелось...

Улыбнувшись, Конни Гэррет сказала:

— Не беспокойтесь.

Эта улыбка заставила Дженнифер принять решение. Дженнифер знала, что, будь она на месте Конни, она не смогла бы заставить себя улыбаться.

— Как зовут вашего адвоката? — услышала она свой голос.

— Мэлвин Хатчерсон. Вы его знаете?

— Нет. Но я его разыщу. Мне надо будет поговорить с ним.

— Это будет очень любезно с вашей стороны, — с теплотой в голосе сказала Конни.

Дженнифер представила, какой должна быть жизнь этой молодой женщины день за днем, месяц за месяцем, год за годом.

— Боюсь, что не могу вам ничего пообещать.

— Ничего страшного. Знаете, Дженнифер, от того, что вы пришли, мне стало гораздо лучше.

Дженнифер встала. Наступил момент, чтобы пожать руку, только пожать было нечего.

— Рада была с вами познакомиться, — запинаясь, сказала она. — Я вам позвоню.

Возвращаясь в свою контору, Дженнифер подумала об отце Райене и решила, что больше никогда не поддастся на его льстивые речи. Никто уже не мог помочь этой калеке, и давать ей призрачные надежды было просто непорядочно. Но она выполнит свое обещание — она встретится с Мэлвином Хатчерсоном.

Когда Дженнифер зашла в свой кабинет, на столе ее ждал список звонивших. Она быстро просмотрела его, ища Адама Уорнера. Но напрасно.

Глава 12

Мэлвин Хатчерсон был лысоватым коротышкой с носомпуговкой и выцветшими глазами. Его обшарпанный кабинет на Вест-Сайде наводил на мысль, что дела у него идут неважно. Секретарши у него не было.

— Она ушла на обед, — объяснил Мэлвин Хатчерсон.

«Вряд ли она у него вообще есть», — подумала Дженнифер.

— Вы сказали мне по телефону, что хотели поговорить о Конни Гэррет.

— Именно.

Он пожал плечами:

— Говорить, впрочем, и не о чем. Мы подали иск и проиграли. Поверьте, я тщательно подготовил все данные.

— Апелляцию подавали тоже вы?

— Да. И тоже проиграли. Боюсь, вы зря теряете свое время. — Несколько мгновений он рассматривал ее. — Зачем вам это надо? С вашей репутацией вы могли бы заняться более выгодными делами.

— Меня попросили оказать услугу. Можно мне ознакомиться с протоколами суда?

— Пожалуйста. — Хатчерсон пожал плечами. — Это общественная собственность.

Весь вечер Дженнифер просматривала стенограммы суда. К ее удивлению, Мэлвин Хатчерсон сказал ей правду: он

120

тщательно подготовил дело. Он обвинял городские власти и «Национальную транспортную корпорацию», требуя суда присяжных. Присяжные вынесли оправдательный приговор.

Муниципальные власти держали улицы в порядке в декабре, и их снегоочистительные машины работали каждый день. То, что в тот день шел снег, зависело только от Бога, и если здесь присутствовала чья-то небрежность, то это могло относиться лишь к Конни Гэррет.

Дженнифер просмотрела обвинения в адрес транспортной корпорации. Трое свидетелей утверждали, что водитель пытался остановить грузовик, но затормозить удалось слишком поздно, и машина сбила Конни Гэррет. Приговор был в пользу обвиняемых, и апелляционный суд оставил это решение в силе.

Дженнифер закончила читать материалы суда в три часа утра. Она выключила свет, но никак не могла заснуть. Перед ее глазами стояла Конни Гэррет. Двадцатилетняя женщина без рук и без ног. Она представила, как тяжелый грузовик сбил ее, ее страдания, серию операций, когда ей ампутировали конечности. Включив свет, Дженнифер села в кровати. Она набрала номер телефона Мэлвина Хатчерсона.

— В материалах суда ничего не сказано о врачах, — сказала Дженнифер в трубку. — Вы рассматривали возможность небрежности врачей во время лечения?

— Черт возьми! Кто это? — раздался сонный голос.

— Дженнифер Паркер. Вы...

— Господи! Сейчас... четыре часа утра! У вас что, часов нет?

— Это очень важно. В материалах суда нет названия больницы. Вы не интересовались, как прошли операции?

Воцарилось молчание, пока Хатчерсон собирался с мыслями.

— Я разговаривал с заведующими неврологическим и ортопедическим отделениями. Эти операции были нужны, чтобы спасти ей жизнь. Их провели ведущие специалисты и на высоком уровне. Вот почему в материалах суда не сказано про больницу.

Дженнифер почувствовала горькое разочарование.

— Понятно.

— Послушайте, я вас уже предупреждал, что вы зря теряете время. А теперь давайте лучше спать.

В трубке раздались гудки отбоя. Она выключила свет и снова легла. Но сон никак не приходил к ней. Дженнифер устала бороться с бессонницей, встала и сварила кофе. Она сидела на диване, пила кофе и смотрела, как восходящее солнце окрашивает в розовый цвет небо Манхэттена. Наступил новый день.

Дженнифер была озабочена. Предполагалось, что против каждой несправедливости существует законное средство. Справедливо ли поступил суд в деле Конни Гэррет? Она посмотрела на настенные часы. Полседьмого. Дженнифер подняла трубку и снова набрала номер Мэлвина Хатчерсона.

— Вы смотрели личное дело водителя грузовика? — спросила Дженнифер.

— Боже мой! — раздался сонный голос. — Вы что, сумасшедшая? Когда вы спите?

— Водитель грузовика, вы ознакомились с его личным делом?

— Вы оскорбляете меня.

— Извините, — настойчиво продолжала Дженнифер, — но мне надо знать.

— Да. У него прекрасный послужной список. Это была его первая авария.

И здесь тупик.

— Понятно. — Дженнифер усиленно соображала.

— Мисс Паркер, — сказал Мэлвин Хатчерсон, — у меня к вам большая просьба. Если у вас появятся еще вопросы, звоните мне в рабочее время.

— Извините, — отсутствующим голосом сказала Дженнифер, — спокойной ночи.

— Очень вам благодарен!

Дженнифер повесила трубку. Пора было одеваться и идти на работу.

Глава 13

Прошло три недели с тех пор, как Дженнифер ужинала с Адамом в «Лютес». Она пыталась выбросить его из головы, но все вокруг напоминало об Адаме: случайная фраза, похожая фигура, галстук, как у него. Многие мужчины предлагали ей встречаться. Среди них были клиенты, адвокаты, против которых она выступала в суде, некоторые судьи, но никто из них не был нужен Дженнифер. Знакомые юристы приглашали ее на так называемый ужин с постелью, но ее это не интересовало. Ее независимость притягивала мужчин.

Кен Бэйли был всегда рядом, но это не избавляло ее от одиночества. Только один человек мог это сделать, черт его побери!

Он позвонил в понедельник утром.

— Я хотел узнать, может, ты свободна и сможешь пообедать со мной?

Она была занята.

— Разумеется, свободна, — ответила она.

Дженнифер поклялась себе, что, когда Адам позвонит в следующий раз, она будет разговаривать с ним дружески, но держать дистанцию, вежливо, но настойчиво скажет ему, что занята.

Но стоило ей только услышать голос Адама, как все вылетело у нее из головы и она сказала: «Разумеется, свободна».

Зачем она только это сказала.

Они встретились с Адамом в маленьком ресторанчике в китайском квартале и проговорили два часа, которые пролетели, как две минуты. Они обсуждали законы, политику, театральную жизнь, решали мировые проблемы. Адам был прекрасным собеседником. Его интересовало все, чем она занималась, и он гордился ее успехами. «У него есть полное право на это, — подумала Дженнифер. — Если бы не он, сидела бы я в своем Келсо».

Когда Дженнифер вернулась в контору, ее ждал Кен Бэйли.

— Хорошо пообедала?

— Да, спасибо.

— Адам Уорнер стал нашим клиентом? — как бы невзначай спросил он.

— Нет, Кен. Мы просто друзья.

И это было правдой.

На следующей неделе Адам пригласил Дженнифер на обед в столовую его фирмы. Дженнифер была поражена, увидев солидные кабинеты и дорогое убранство. Он представил ее некоторым сотрудникам, и Дженнифер чувствовала себя знаменитостью, так как все узнавали ее. Она встретилась со старшим партнером — Стюартом Нидхэмом. Он разговаривал с ней вежливо, но сдержанно. Она вспомнила, что Адам женат на его внучке.

Они обедали в столовой, где стены были обиты дубовыми панелями. Им прислуживали метрдотель и два официанта.

— Сюда партнеры приходят со своими проблемами.

«Имел ли он в виду меня», — подумала Дженнифер.

Ей трудно было сосредоточиться на еде.

Весь день Дженнифер думала об Адаме. Она знала, что должна забыть его, перестать встречаться. Он принадлежал другой женщине.

В тот вечер Дженнифер вместе с Кеном Бэйли пошли смотреть «Дважды два», новый спектакль Ричарда Роджерса. Когда они вошли в вестибюль, толпа вдруг восторженно загудела. Дженнифер повернулась, пытаясь рассмотреть, что привлекло внимание людей. Длинный черный лимузин остановился у тротуара, и оттуда вышел мужчина в сопровождении женщины.

— Это он! — воскликнула какая-то женщина, и любопытные окружили машину. Коренастый шофер отошел в сторону, и Дженнифер увидела Майкла Моретти с женой. Все смотрели только на Моретти. Он был народным героем, красивым, как киноактер, и отважным, как настоящий мужчина. Дженнифер смотрела, как Моретти вместе с женой шли через толпу. Он прошел совсем рядом с ней, и на секунду их глаза встретились. Дженнифер заметила, что его глаза были настолько черными, что даже не было видно зрачков. В следующую секунду он уже вошел в зал.

Дженнифер не могла смотреть спектакль. Вид Майкла Моретти вызвал в ней поток воспоминаний о том горьком времени. После первого акта она попросила Кена отвезти ее домой.

Адам позвонил на следующий день, и Дженнифер уже отрепетировала свой ответ: «Спасибо, Адам, но я очень занята».

Но Адам сказал:

— Я уезжаю за границу на некоторое время.

Это было для нее ударом.

— Надолго?

— Всего на пару недель. Я позвоню тебе, когда вернусь.

— Отлично, — радостно сказала Дженнифер. — Приятного путешествия.

У нее было такое чувство, что кто-то умер. Она представляла Адама на пляже в Рио в окружении полуголых девиц, или в пентхаусе, или в швейцарском загородном доме занимающимся любовью с... «Хватит!» — приказала она себе. Ей надо было спросить, куда он едет. Скорее всего, это просто деловая поездка в какую-нибудь Богом забытую дыру, где у него не будет времени на женщин. Может, в пустыню, где он будет работать по двадцать четыре часа...

Конечно, ей надо было ненароком поинтересоваться, куда он едет. «Ты полетишь на самолете? Ты говоришь на иностранных языках? Если поедешь в Париж, привези мне, пожалуйста, жасминовый чай. Тебе делали прививки? Твоя жена едет с тобой? Может, я схожу с ума?»

Кен вошел в кабинет и с удивлением посмотрел на нее.

— Ты разговариваешь сама с собой. С тобой все в порядке?

«Нет! — хотела закричать Дженнифер. — Мне нужен врач. Мне нужен холодный душ. Мне нужен Адам Уорнер».

— Все в порядке, — сказала она. — Я просто немного устала.

— Почему бы тебе сегодня не лечь спать пораньше?

Она подумала, ложится ли Адам спать рано.

Ей позвонил отец Райен.

— Я заходил к Конни Гэррет. Она рассказала, что вы несколько раз навещали ее.

— Да. — Она заходила к ней, чтобы заглушить свое чувство вины и беспомощности. Это было ужасно.

Дженнифер с головой ушла в работу, но время как будто остановилось. Каждый день она бывала в суде, а вечерами работала с бумагами.

— Сбавь темп. Ты угробишь себя, — сказал ей Кен.

Но ей была необходима физическая и моральная нагрузка. Это не давало времени на грустные размышления. «Я дура, — подумала Дженнифер. — Круглая дура».

Прошло четыре недели, прежде чем Адам снова позвонил ей.

— Я только что вернулся. — От звука его голоса у нее все замерло в груди. — Может, мы встретимся и пообедаем вместе?

— Да, с большим удовольствием, Адам. — Она подумала, что на этот раз ответила, как надо. Всего лишь: «Да, с большим удовольствием».

— «Дубовый зал» в «Плазе» подходит?

— Конечно.

Это был самый деловой и неромантичный ресторан в мире. Среди постоянных посетителей были преуспевающие финансисты, банкиры, брокеры и маклеры. Еще недавно он являлся последним бастионом мужчин, и лишь в последнее время его двери открылись для женщин.

Дженнифер пришла рано, и ее усадили за столик. Через несколько минут появился Адам. Высокий, стройный, он направлялся к ней, и у Дженнифер внезапно пересохло во рту. Он загорел, и Дженнифер подумала, что ее фантазии о пляжах с полуголыми красотками были правдой. Улыбнувшись, он коснулся ее руки. В этот момент Дженнифер поняла, что все ее логические рассуждения об Адаме и о женатых мужчинах летят к черту. Она потеряла контроль над собой. Такое впечатление, что кто-то управлял ее действиями, говорил, что ей надо делать. Она не могла объяснить это чувство, так как никогда раньше не испытывала его. «Не все ли равно, что это такое — химические реакции, карма или небесное предначертание», — подумала Дженнифер. Больше всего на свете ей хотелось оказаться в объятиях Адама. Глядя на него, она представляла, как он занимается с ней любовью, рядом с ней, на ней, внутри нее, и почувствовала, как ее лицо заливает краска.

— Извини, что не предупредил тебя заранее, — смущенно сказал Адам. — Один клиент в последний момент отменил встречу.

Дженнифер мысленно благословила этого клиента.

— Я кое-что тебе привез, — сказал Адам. Это был прекрасный шелковый шарф зеленого цвета, расшитый золотом. — Это из Милана.

«Вот, значит, где он был, — подумала Дженнифер. — С итальянскими девушками».

— Ты когда-нибудь была в Милане?

— Нет. Но я видела открытки с изображением кафедрального собора. Великолепное сооружение.

— Я не любитель достопримечательностей. Моя теория гласит, что если ты видел одну церковь, то ты видел все церкви.

Потом, когда Дженнифер вспоминала этот обед, она пыталась припомнить, о чем они говорили, что ели, кто останавливался возле их столика, чтобы поприветствовать Адама. Но единственное, о чем она могла вспомнить, — это близость Адама, его прикосновения, его взгляд. Такое впечатление, что кто-то напустил на нее чары, которые она не могла разрушить.

Дженнифер пришла в голову одна мысль: «Я знаю, что надо сделать. Я займусь с ним любовью. Но только один раз.

Пусть это будет так же приятно, как в моих фантазиях. Затем я смогу забыть его».

Когда их руки случайно соприкоснулись, по их телам пробежал электрический ток. Они говорили обо всем, так как слова потеряли всякий смысл. Держа друг друга в невидимых объятиях, они ласкали друг друга и занимались любовью, сгорая от страсти. Ни один из них не обращал внимания на то, что они ели, о чем говорили. Непреодолимое желание продолжало стремительно расти, они уже не могли больше сдерживаться.

Посреди обеда Адам положил ладонь на руку Дженнифер.

— Дженнифер, — хрипло произнес он.

— Да, пойдем отсюда, — прошептала она.

Дженнифер ждала в шумном, людном вестибюле, пока Адам рассчитывался у стойки. Им дали номер в старом крыле отеля «Плаза», окна которого выходили на 58-ю улицу.

Если Дженнифер ничего не могла вспомнить об обеде, то этот гостиничный номер она запомнила навсегда. Через много лет она могла представить вид комнаты, цвет ковра и штор, каждую картину и каждую деталь мебели. Она могла вспомнить звуки, доносившиеся с улицы. Тот день остался в ее памяти на всю оставшуюся жизнь. Это было похоже на мелькание узоров калейдоскопа в замедленной съемке. Она помнила, как Адам раздевал ее, его стройное мускулистое тело, его нетерпение и нежность, его страсть и его смех. Охвативший их голод требовал удовлетворения. Когда он вошел в нее, в голове у Дженнифер вспыхнули слова: «Я пропала».

Они снова и снова занимались любовью, и было почти невыносимо ощущать подобное наслаждение.

После, когда они спокойно лежали рядом, Адам сказал:

— Такое впечатление, что я наконец почувствовал себя живым.

Дженнифер ласково погладила его по груди и засмеялась.

Он удивленно посмотрел на нее:

— Я сказал что-то смешное?

— Знаешь, в чем я себя убеждала? Что стоит мне один раз переспать с тобой, как я смогу забыть тебя.

Повернувшись, он посмотрел на нее:

— И?..

— Я ошибалась. Я чувствую, что ты являешься как бы частью меня. По крайней мере, — она замолчала в нерешительности, — одна твоя часть является частью меня.

Он знал, о чем она думала.

— Мы что-нибудь придумаем, — сказал Адам. — В понедельник Мэри Бет со своей тетей уезжает в Европу на целый месяц.

Глава 14

Почти каждую ночь Дженнифер и Адам были вместе.

Первую ночь он провел в ее маленькой квартирке, а наутро заявил:

— Сегодня мы займемся поисками подходящего жилья.

Весь день они посвятили поискам, и вечером Дженнифер подписала договор на квартиру в многоэтажном доме, называвшемся «Белмонт Тауэрс». На дверях висела табличка: «Продано».

— Зачем нам сюда заходить? — спросила Дженнифер.

— Увидишь.

Пятикомнатная квартира на двух уровнях была просто изумительной. Таких шикарных квартир Дженнифер никогда не видела. Наверху были огромная спальня и ванная, внизу спальни для гостей с собственными ванными комнатами и гостиная с окнами, выходящими на Ист-Ривер. Вид был просто потрясающий. В квартире были также кухня, столовая и огромная терраса.

— Тебе нравится? — спросил Адам.

— Нравится? Да я просто в восторге, — воскликнула Дженнифер, — но есть две проблемы, дорогой. Во-первых, я вряд ли смогу позволить себе такую роскошь. А во-вторых, даже если бы и смогла, квартира принадлежит кому-то другому.

— Она принадлежит нашей фирме. Мы предоставляем ее особо важным клиентам. Но я подыщу для них другое место.

— А плата за аренду?

— Я обо всем позабочусь. Я...

— Нет.

— Что ты, дорогая. Я легко могу себе позволить...

Она покачала головой:

— Ты не понимаешь, Адам. Мне нечего предложить тебе, кроме меня самой. И я хочу, чтобы это было тебе подарком.

Он обнял ее, но она освободилась от его объятий:

— Как-нибудь смогу. Буду работать по ночам.

В субботу они отправились по магазинам. Адам купил Дженнифер великолепную шелковую рубашку и халат в «Бонвит Теллер». Она купила ему шахматы в «Гимбел». В «Даблдэй» они приобрели книги. Они зашли в «Гэммон шоп» и «Кэсвелл-Мэсси», где он накупил ей духов лет на десять. Поужинали они недалеко от ее новой квартиры.

Каждый вечер после работы они будут приходить сюда и обсуждать события дня. Пока Адам будет накрывать на стол, Дженнифер будет готовить ужин. Потом они будут читать, смотреть телевизор, играть в шахматы или в карты.

— Я бесстыдница, — сказала она ему. — Я никак не могу насытиться тобой.

Он нежно прижал ее к себе:

— И не надо.

«Как странно», — подумала Дженнифер. До того как они стали любовниками, они открыто встречались на людях. Но теперь они старались ходить туда, где их не могли увидеть знакомые: в маленькие ресторанчики, консерваторию. Они ходили на новую пьесу в театре «Омни» на 18-й улице и ужинали в итальянском ресторане. В «Гротто Аззурра» они съели так много, что поклялись не притрагиваться к итальянской пище целый месяц. «Только у нас нет целого месяца», — подумала Дженнифер. Мэри Бет должна была вернуться через две недели.

Они сходили в «Хаф Ноут», где слушали авангардистский джаз, рассматривали картины в небольших галереях.

Адам обожал спорт. Он повел ее на футбольный матч, и Дженнифер так понравилась игра, что она подбадривала игроков, пока не охрипла.

В воскресенье они отдыхали дома, завтракали в халатах, обмениваясь страницами «Таймс», слушали колокольный перезвон, молча моляясь, каждый о своем.

Дженнифер посмотрела на Адама, решавшего кроссворд, и подумала: «Господи, помоги мне». Она знала, что поступала неправильно. Она знала, что это не может продолжаться вечно. И все же она была счастлива, ведь любовники живут в особом мире, где все чувства обострены. За эту радость Дженнифер была готова заплатить любую цену. И она знала, что ей придется платить. Время перешло в другое измерение. Раньше жизнь Дженнифер измерялась часами, которые она проводила с клиентами, а теперь — минутами, которые она могла провести с Адамом. Она думала о нем, когда была рядом с ним, и думала о нем, когда была без него.

Дженнифер прочитала, что у мужчин иногда случаются инфаркты, когда они находятся в объятиях своих любовниц, и поэтому записала номер телефона врача Адама, чтобы в случае чего об этом никто не узнал.

Она испытывала чувства, о которых раньше и не подозревала. Она не знала, что ей нравится хлопотать по дому и делать все для Адама. Ей хотелось готовить ему еду, стирать для него, заботиться о его костюме по утрам.

Адам перенес некоторые свои вещи в ее квартиру, чтобы проводить с ней как можно больше времени. Дженнифер лежала рядом, наблюдая, как он засыпает, и сама боролась со сном, чтобы как можно дольше видеть его. Когда чувствовала, что больше не может, она обнимала его и засыпала в его объятиях. Бессонница, которая столько времени мучила ее, куда-то пропала. Ночные страхи — тоже. Обнимая Адама, она чувствовала себя в безопасности.

Ей нравилось ходить по квартире в рубашках Адама, надевать на ночь верхнюю часть его пижамы. Если он уходил, когда она еще была в постели, она ложилась на его место. Ей нравился запах его тела.

Казалось, что все популярные песенки о любви были написаны про нее и Адама. Вначале Дженнифер думала, что их физическая тяга друг к другу со временем уменьшится, но она становилась все сильнее и сильнее.

Дженнифер рассказывала Адаму то, что никогда никому не рассказывала. Она доверяла ему свои самые сокровенные мысли. Она полностью раскрылась перед ним, но он любил ее еще больше. Это было чудом. И они открыли для себя еще одно чудо — смеяться вдвоем.

С каждым днем ее чувство к Адаму становилось все сильнее и сильнее. Как ей хотелось, чтобы все это продолжалось вечно. Но она знала, что скоро наступит конец. Она даже стала верить в приметы. Адам любил особый сорт кенийского кофе, и Дженнифер всегда покупала его. Но понемногу, по маленькой баночке каждый раз.

Дженнифер боялась, что, когда Адам далеко от нее, с ним может что-нибудь случиться и она узнает об этом из газет или теленовостей. Она никогда не рассказывала Адаму об этих страхах.

Когда Адам должен был задержаться, он оставлял ей записки, которые она находила в самых необычных местах. Дженнифер обнаруживала их в хлебнице, холодильнике, своей туфле. Она радовалась им и бережно хранила.

Последние дни пролетели как одно мгновение. Наконец настала последняя ночь перед возвращением Мэри Бет. Дженнифер и Адам поужинали дома, послушали музыку, занимались любовью. Дженнифер не спала до утра, крепко обнимая Адама. Она думала о счастье, которое выпало им.

Потом придет боль.

За завтраком Адам сказал:

— Что бы ни случилось, я хочу, чтобы ты знала — ты единственная женщина, которую я люблю.

Потом пришла боль.

Глава 15

Единственным средством избавиться от навязчивых мыслей была работа, и Дженнифер с головой ушла в нее.

Дженнифер стала любимицей прессы, и все ее успехи в суде широко освещались в газетах и по телевидению. К ней обращалось больше клиентов, чем она могла принять, и, хотя ее специальностью было уголовное право, Кен посоветовал ей браться и за другие дела.

Без Кена Бэйли Дженнифер уже не могла справляться. Он блестяще выполнял все порученные ему расследования. Она часто обсуждала с ним различные вопросы и ценила его мнение.

Дженнифер и Кен снова переехали в более просторную контору. Дженнифер взяла к себе на работу двух расторопных молодых адвокатов, работавших раньше в штате Ди Сильвы. Она также наняла еще двух секретарш.

Первый адвокат, Дэн Мартин, бывший игрок в футбол из Северо-Восточного университета, обладал фигурой спортсмена и блестящим умом.

Второй — Тед Харрис — был застенчивым молодым человеком, носившим очки с толстыми стеклами. Это был настоящий гений.

Мартин и Харрис занимались всей черновой работой, а Дженнифер взяла на себя судебные разбирательства.

На дверях ее конторы было написано: «ДЖЕННИФЕР ПАРКЕР И КОМПАНЬОНЫ».

Дела, которыми они занимались, были самыми разнообразными: от защиты крупной промышленной корпорации, обвиняемой в загрязнении окружающей среды, до рассмотрения жалобы пьяницы, которого избили и вышвырнули из бара. Пьяница, конечно, был подарком отца Райена.

133

— У него небольшие проблемы, — сказал Дженнифер отец Райен. — Он вообще-то приличный человек и хороший семьянин, но бедняга иногда, бывает, выпьет лишку.

Дженнифер не могла сдержать улыбки. Судя по всему, отец Райен был уверен в невиновности своих прихожан и только искренне хотел помочь им выбраться из затруднительных положений, в которые они попадали по неосторожности. Но Дженнифер понимала, что отец Райен защищает людей, которым никто не хочет помочь и у которых нет ни денег, ни возможностей бороться с истеблишментом.

Слово «справедливость» почиталось только в учебниках по юриспруденции. В зале суда ни обвинитель, ни защитник не стремились к восстановлению справедливости. Выиграть дело во что бы то ни стало, вот что их беспокоило.

Время от времени отец Райен рассказывал ей о Конни Гэррет, и эти разговоры угнетали Дженнифер. Допущенная по отношению к Конни несправедливость не давала ей покоя.

В своем кабинете, расположенном в задних комнатах «Тони Плэйс», Майкл Моретти наблюдал, как Ник Вито тщательно проверял при помощи электронного устройства, нет ли «жучков». Хотя благодаря своим связям с полицией Майкл знал, что власти не разрешают использовать подслушивающие устройства, но, кто знает, может, какой-нибудь ретивый детектив и поставит «жучок» в надежде добыть информацию. Майкл был осторожным человеком. Его дом и кабинет проверялись каждое утро и каждый вечер. Он знал, что был объектом номер один для дюжины юридических агентств, но это не волновало его. Он знал, что они делали, а они не знали, что делал он. А даже если бы и знали, то не смогли бы доказать.

Иногда ночью Майкл смотрел в «глазок» задней двери ресторана «Тони Плэйс» и видел, как агенты ФБР забирают мусор из баков, заменяя его другим.

Однажды Вито сказал:

— Босс, а если эти парни что-нибудь там откопают?

Майкл засмеялся:

— Ну и пусть. Они не знают, что перед их приходом мы меняемся мусором с соседним рестораном.

Нет, федеральные агенты до него не доберутся. Деятельность «семьи» расширялась, и у Майкла были грандиозные планы. Единственным препятствием на его пути был Томас Колфакс. Майкл знал, что ему надо избавиться от старого адвоката. Ему был необходим человек со свежими мозгами. Все чаще и чаще в голову ему приходили мысли о Дженнифер Паркер.

Адам и Дженнифер обедали вместе раз в неделю, и это было пыткой для них обоих, потому что у них не было возможности побыть наедине. Они разговаривали по телефону каждый день, называя друг друга вымышленными именами. Он был мистер Адамс, а она — миссис Джей.

— Как мне надоело притворяться, — сказал Адам.

— Мне тоже. — Но от мысли, что она может потерять Адама, ей становилось страшно.

Только в зале заседаний Дженнифер спасалась от своих страданий. Зал заседаний был ареной, где она могла сразиться с лучшими юристами-обвинителями. Зал заседаний был ее школой, и она была прилежной ученицей. Суд — это игра по определенным правилам, где побеждает сильнейший игрок, и она знала, что должна быть сильнее других.

Допросы свидетелей Дженнифер проводила как опытный театральный режиссер, учитывая продолжительность и ритм. Она научилась определять самого авторитетного присяжного и обращалась к нему, зная, что он может убедить остальных членов жюри.

По обуви она определяла характер человека. Дженнифер выбирала в жюри людей, носивших удобную обувь, потому что они отличались покладистым характером.

Она научилась стратегии — как строить весь процесс и тактике — как маневрировать в течение дня. Она стала экспертом в выборе судей, симпатизирующих ей.

Долгими вечерами Дженнифер тщательно готовилась к каждому делу, следуя изречению: «Большинство дел выигрываются или проигрываются еще до начала суда».

Судебное заседание обычно заканчивалось в четыре часа, и если Дженнифер в это время допрашивала свидетеля, то за несколько минут до конца она буквально засыпала свидетеля каверзными вопросами, чтобы весь остаток дня присяжные были под впечатлением.

Дженнифер постигла язык жестов. Если свидетель врал, он трогал себя за подбородок, плотно сжимал губы, закрывал рукой рот, дергал себя за мочку уха или теребил волосы. Ни одно из этих движений не ускользало от Дженнифер, и она выводила лжеца на чистую воду.

Дженнифер обнаружила, что в мире уголовного права к женщинам относятся с предубеждением. Здесь властвовали мужчины. Среди адвокатов по уголовным делам было очень мало женщин, и некоторые адвокаты-мужчины недолюбливали Дженнифер.

Многие судьи тоже сначала относились к ней с пренебрежением. Большинство дел, которые она вела, были грязными, и некоторые ставили знак равенства между ней и ее клиентами. Всем хотелось, чтобы Дженнифер одевалась скромно, как Джен Эйр, но она не шла ни у кого на поводу. Однако она была крайне осторожна в выборе одежды — Дженнифер надевала такие платья, чтобы они не вызывали зависть у присяжных-женщин, но так подчеркивали ее женственность, чтобы присяжные-мужчины не приняли ее за лесбиянку. Если бы она раньше услышала о таких хитростях, то просто рассмеялась бы. Но она обнаружила, что без этого не выжить в суровом мире, принадлежащем мужчинам. Ей приходилось работать в два раза больше и в два раза лучше, чем ее конкурентам. Дженнифер не только тщательно готовила свои дела, но и внимательно изучала дела своих противников. Лежа ночью в постели или сидя за столом в своем кабинете, она прорабатывала стратегию оппонентов.

Что бы она сделала, будь она на другой стороне? К какой хитрости прибегла? Она была генералом, готовящим обе армии для смертельной битвы.

Зажужжал селектор, и раздался голос Синтии:

— Тут звонит один человек, который хочет поговорить с вами, но он отказывается сообщать свое имя и сказать, о чем идет речь.

Полгода назад Синтия просто повесила бы трубку. Дженнифер научила ее быть терпимее с людьми.

— Соедини меня с ним.

Через секунду она услышала мужской голос, который осторожно поинтересовался:

— Это Дженнифер Паркер?

— Да.

Немного поколебавшись, он спросил:

— Ваш телефон не прослушивается?

— Нет. Чем я могу вам помочь?

— Мне ничем. Я звоню по поводу одной женщины.

— Понятно. И какая у нее проблема?

— Вы понимаете, что это конфиденциальный вопрос.

— Я понимаю.

Вошла Синтия и протянула ей почту. Дженнифер остановила ее движением руки.

— Семья этой женщины поместила ее в больницу для душевнобольных. Но она здорова. Это заговор, и власти приняли в нем участие.

Дженнифер слушала вполуха, прижав трубку плечом и просматривая почту.

— Она богата, — продолжал человек. — Ее семья хочет завладеть ее деньгами.

— Продолжайте, — сказала Дженнифер, перебирая почту.

— Они и меня туда упекут, если узнают, что я хотел ей помочь. Я могу оказаться в опасном положении, мисс Паркер.

«Псих», — решила Дженнифер, а вслух сказала:

— Боюсь, что ничем не могу вам помочь. Почему бы вам не обратиться к психиатру, чтобы он занялся этой женщиной?

— Вы не понимаете. Они же все заодно.

— Я все понимаю, — примирительно сказала Дженнифер. — Может...

— Вы поможете ей?

— Вряд ли я смогу. Впрочем, скажите, как ее зовут и где она находится. Если у меня появится возможность, я загляну к ней.

Воцарилась долгая тишина, затем мужчина сказал:

— Все это конфиденциально, хорошо?

Дженнифер пожалела, что связалась с ним. В приемной ее ожидал клиент.

— Хорошо.

— Купер. Элен Купер. У нее большое поместье на Лонг-Айленд, но они забрали его у нее.

Дженнифер записала имя в блокноте.

— Итак. В какой больнице она находится?

В трубке раздался щелчок, и пошли гудки отбоя. Дженнифер вырвала лист из блокнота и бросила его в корзину.

Они с Синтией обменялись взглядом.

— Настоящий сумасшедший дом, — сказала Синтия. — Вас ожидает мисс Маршалл.

В первый раз Лоретта Маршалл позвонила Дженнифер неделю назад. Мисс Маршалл просила, чтобы Дженнифер представляла ее в суде по иску об установлении отцовства против Кэртиса Рандела III, человека из высшего общества.

Дженнифер позвала Кена Бэйли.

— Нам нужны сведения о Кэртисе Ранделе III. Он живет в Нью-Йорке, но, насколько мне известно, проводит много времени в Палм-Бич. Я хочу знать, чем он там занимается и спал ли он с Лореттой Маршалл.

Дженнифер дала Кену список отелей, который передала ей Лоретта. Кен вернулся через два дня.

— Я все разузнал. Они провели две недели в отелях Палм-Бич, Майами и Атлантик-Сити. Восемь месяцев назад у Лоретты Маршалл родилась девочка.

Дженнифер откинулась в кресле и задумчиво посмотрела на него.

— Такое впечатление, что у нас выигрышное дело.

— Я бы не сказал.

— Есть какие-то проблемы?

— Да. Наша клиентка. Она спит со всеми подряд, включая футболистов команды «Янки».

— Ты хочешь сказать, что отцом ребенка может быть один из них?

— Им может быть почти каждый мужчина Палм-Бич.

— Кто-нибудь из них достаточно богат, чтобы позаботиться о содержании ребенка?

— Ну, ребята из «Янки», конечно, богаты, но до Кэртиса Рандела III им далеко.

Он протянул ей длинный список имен.

Лоретта Маршалл вошла в кабинет. Дженнифер ожидала, что увидит смазливую, ветреную девицу. Но Лоретта Маршалл оказалась совершенно иной. У нее была обычная фигура, красотой она не отличалась, и вид у нее был как у простой домохозяйки. Судя по количеству поклонников, она должна была выглядеть как настоящая секс-бомба. Но Лоретта Маршалл была похожа на школьную учительницу. На ней были прямая шерстяная юбка, блузка, застегнутая на все пуговицы, темно-синий кардиган и простые туфли. Сначала Дженнифер думала, что Лоретта Маршалл хочет вынудить Кэртиса Рандела обеспечить ребенка, отцом которого был совершенно другой человек. Но, поговорив час с Лореттой, Дженнифер изменила свое мнение. Лоретта Маршалл была кристально честным человеком.

— Конечно, у меня нет доказательств, что Кэртис — отец Мелани, — смущенно сказала она. — Я ведь не только с ним спала.

— Почему вы считаете, что он отец вашего ребенка, мисс Маршалл?

— Я уверена в этом. Это трудно объяснить, но я даже знаю, в какую ночь была зачата Мелани. Иногда женщины чувствуют такие вещи.

Дженнифер внимательно посмотрела на нее, пытаясь найти признаки неискренности. Таких признаков не было. Лоретта не пыталась обмануть ее. «Может, этим она и воздействовала на мужчин», — подумала Дженнифер.

— Вы любите Кэртиса Рандела?

— О да. Кэртис говорил, что тоже любит меня. Конечно, теперь, после всего этого, может, и не любит.

«Если ты его любила, — подумала Дженнифер, — как же ты могла спать с другими мужчинами?» Ей трудно было найти ответ на этот вопрос.

— Вы поможете мне, мисс Паркер?

— Установление отцовства — дело весьма сложное, — осторожно сказала Дженнифер. — У меня есть список дюжины мужчин, с которыми вы спали в прошлом году. Хотя он наверняка неполный. И уж если у меня есть такой список, то он есть и у адвоката Кэртиса Рандела.

Лоретта Маршалл нахмурила лоб:

— А как насчет анализа крови и прочих доказательств?

— Анализ крови считается доказательством лишь в случае, когда надо подтвердить, что обвиняемый не является отцом.

— Я ведь не о себе забочусь. Я хочу защитить Мелани. Она имеет право на получение алиментов от Кэртиса.

Дженнифер колебалась, взвешивая свое решение. Она сказала Лоретте правду — отцовство доказать чрезвычайно трудно, не говоря уже о том, что это будет для нее самой нелегким испытанием. Когда она займет место свидетеля, адвокаты защиты смешают ее с грязью. Они вызовут в суд всех ее бывших любовников, и в глазах присяжных она будет выглядеть самой настоящей проституткой. Дженнифер не хотелось быть втянутой в такое дело. С другой стороны, она верила Лоретте Маршалл. Та не была похожа на любительницу поживиться за чужой счет. Лоретта уверена, что Кэртис Рандел — отец ее ребенка. Дженнифер приняла решение.

— Ладно, — сказала она, — попытаемся что-нибудь сделать.

Дженнифер договорилась о встрече с Роджером Дэвисом, адвокатом, представлявшим интересы Кэртиса Рандела. Дэвис был одним из партнеров солидной юридической фирмы с Уолл-стрит. Он занимал просторный кабинет в угловой части здания. У него был напыщенный и высокомерный вид, и Дженнифер почувствовала к нему антипатию.

— Чем могу быть вам полезен? — спросил Роджер Дэвис.

— Как я уже объяснила вам по телефону, я представляю интересы Лоретты Маршалл.

— Ну и что? — нетерпеливо спросил он.

— Она попросила меня выступить в суде с иском против Кэртиса Рандела III по вопросу об установлении отцовства. Мне бы не хотелось этого делать.

— Вы будете идиоткой, если пойдете на это.

Дженнифер сдержала свои эмоции.

— Нам бы не хотелось трепать имя вашего клиента в суде. Я уверена, что вы знаете, как подобное дело может повлиять на репутацию. Таким образом, лучше урегулировать этот вопрос вне стен суда.

Роджер Дэвис холодно улыбнулся:

— У вас ничего не выйдет. Абсолютно ничего.

— Я придерживаюсь другого мнения.

— Мисс Паркер я не буду выбирать выражения. Ваша клиентка — шлюха. Она трахается со всем, что шевелится. У меня есть список мужчин, с которыми она спала. Весьма внушительный список. Вы думаете, что мой клиент пострадает? Это ваша клиентка будет уничтожена. Насколько мне известно, она учительница. Так вот, когда я с ней разделаюсь, ее и близко не подпустят к детям. И вот что я вам еще скажу. Рандел полагает, что он отец этого ребенка. Но вам ни за что этого не доказать.

Дженнифер слушала его с каменным лицом.

— Мы считаем, что ваша клиентка могла забеременеть от кого угодно. Вы хотите прийти к соглашению? Прекрасно. Вот что я вам посоветую. Купите ей противозачаточные таблетки, чтобы с ней больше такого не случалось.

Дженнифер почувствовала, как ее щеки запылали.

— Мистер Дэвис, — сказала она, — эта ваша маленькая речь обойдется вашему клиенту в полмиллиона долларов.

И она вышла из кабинета.

Кен Бэйли и три его помощника не могли найти ни малейшего компромата на Кэртиса Рандела III. Он был вдовцом, столпом общества и не увлекался амурными похождениями.

— Этот сукин сын — прирожденный пуританин, — пожаловался Кен Бэйли.

Завтра предстоял суд, и они советовались, как им быть.

— Я разговаривала с одним парнем из команды Роджера Дэвиса. Они собираются смешать ее с грязью, и это не пустая угроза.

— Зачем рисковать ради этой девчонки? — спросил Дэн Мартин.

— Я не собираюсь вмешиваться в ее сексуальную жизнь, Дэн. Она верит, что Кэртис Рандел — отец ее ребенка. Она действительно верит. Ей деньги не нужны, она старается ради своего ребенка. Я полагаю, что ей надо помочь.

— Речь идет не о ней, — ответил Кен. — Мы беспокоимся о тебе. Ты — известный адвокат. Все взгляды будут устремлены на тебя. Это проигрышное дело. Оно станет пятном на твоей репутации.

— Давай лучше отправимся спать, — сказала Дженнифер. — Увидимся завтра в суде.

События в суде развивались гораздо хуже, чем это предсказывал Кен Бэйли. Дженнифер сказала Лоретте, чтобы та взяла с собой ребенка. Но теперь она сомневалась в правильности такого решения. Она сидела совсем беззащитная, в то время как Роджер Дэвис вызывал одного свидетеля за другим, заставляя их сознаваться, что они спали с Лореттой Маршалл. Дженнифер не осмеливалась подвергать их перекрестному допросу. Они сами были жертвами и признавались в этом лишь под принуждением. Дженнифер сидела и слушала, как склоняют имя ее клиентки. Взглянув на лица присяжных, она увидела растущую враждебность. Роджер Дэвис был слишком умен, чтобы называть Лоретту Маршалл проституткой. Ему и не надо было этого делать. За него это делали свидетели.

Свидетели, которых вызвала в суд Дженнифер, рассказывали, какая хорошая учительница Лоретта Маршалл, как она регулярно ходит в церковь и какая она прекрасная мать. Однако после внушительной вереницы любовников Лоретты Маршалл все это не произвело на присяжных никакого впечатления. Дженнифер пыталась сыграть на сострадании к молодой женщине, которую бросил богатый мужчина, узнав, что у нее будет ребенок. Но у нее ничего не получилось.

Кэртис Рандел III сидел за столом защиты. Это был элегантный мужчина лет пятидесяти, с небольшой сединой в волосах. Он принадлежал к высшему обществу, состоял членом всех престижных клубов и владел огромным состоянием. Дженнифер чувствовала, как женщины-присяжные раздевали его глазами.

«Конечно, — думала Дженнифер, — они полагают, что достойны лечь в постель с этим мистером Очарование. Но что он нашел в этой никчемности, сидящей в зале со своим восьмимесячным ребенком?»

К несчастью для Лоретты Маршалл, ребенок совершенно не был похож на своего отца. Или свою мать. Он мог принадлежать кому угодно.

Как будто прочитав мысли Дженнифер, Роджер Дэвис обратился к присяжным:

— Вот они сидят, мать и ребенок. Но чей ребенок? Вы видели обвиняемого. Я уверен, что никто из присутствующих не найдет ни малейшего сходства между обвиняемым и этим ребенком. Если бы мой клиент был отцом этого ребенка, это можно было бы заметить. Глаза, нос, уши. Ничего похожего. И это очень легко объяснить. Обвиняемый не является отцом этого ребенка. Боюсь, что у нас тут классический пример ветреной женщины, которая, забеременев, ищет любовника побогаче, чтобы запустить руку в его карман.

— Однако, — его голос стал мягче, — никто из нас не собирается осуждать ее. Это личное дело Лоретты Маршалл. Я не стану говорить, что, будучи учительницей, она может дурно повлиять на детей. Я не собираюсь читать ей мораль. Я лишь защищаю интересы моего клиента, ни в чем не повинного человека.

Посмотрев на присяжных, Дженнифер увидела, что все они на стороне Кэртиса Рандела. Но Дженнифер верила Лоретте Маршалл. Если бы только ребенок был похож на своего отца! Роджер Дэвис был прав — никакого сходства. И он указал на это присяжным.

Дженнифер вызвала Кэртиса Рандела на свидетельское место. Она знала, что это ее единственная возможность. Надо было переубедить присяжных. Некоторое время она молча смотрела на него.

— Вы были женаты, мистер Рандел?

— Да. Моя жена погибла во время пожара. — Присяжные с сочувствием посмотрели на него.

Черт возьми! Дженнифер быстро попыталась исправить свою оплошность:

— Вы больше не вступали в брак?

— Нет. Я так любил свою жену, что...

— У вас были дети?

— Нет. К сожалению, она была бесплодной...

Дженнифер указала рукой на ребенка:

— Тогда Мелани — ваша единственная...

— Возражение!

— Возражение принимается, мисс Паркер сама это понимает.

— Извините, ваша честь. У меня это случайно вырвалось. — Дженнифер снова повернулась к Кэртису Ранделу: — Вы любите детей?

— Очень люблю.

— Вы являетесь президентом своей корпорации, не так ли, мистер Рандел?

— Да.

— Вам никогда не хотелось иметь наследника?

— Я думаю, каждый мужчина желает иметь сына.

— Значит, если бы Мелани была мальчиком...

— Возражение!

— Возражение принимается. — Судья повернулся к Дженнифер: — Мисс Паркер, я в последний раз вас предупреждаю.

— Извините, ваша честь. — Дженнифер снова обратилась к Кэртису Ранделу: — Мистер Рандел, у вас есть привычка водить к себе в отель незнакомых женщин?

Кэртис Рандел нервно облизал губы.

— Нет.

— Правда ли, что вы познакомились с Лореттой Маршалл в баре и пригласили ее к себе в номер?

Он опять провел языком по губам.

— Да, но меня интересовал только... секс.

Дженнифер изучающе посмотрела на него:

— Вы таким тоном сказали «только секс», как будто считаете секс чем-то грязным.

— Нет, конечно. — Он снова облизал губы.

Глядя на его язык, Дженнифер вдруг поняла, что ей надо сделать. У нее появилась надежда. Надо продолжать задавать ему неприятные вопросы. Но не слишком усердствовать, чтобы присяжные не ополчились против нее.

— Как часто вы ищете себе партнерш в барах?

Роджер Дэвис встал:

— Это несущественно. Я против таких вопросов. Единственная женщина, о которой может идти речь, — это Лоретта Маршалл. Мы знаем, что мой клиент вступал с ней в половые отношения. Что касается остальной личной жизни моего клиента, то она не имеет к суду никакого отношения.

— Я не согласна, ваша честь. Если ответчик...

— Защита права. Мисс Паркер, прекратите подобные вопросы.

Дженнифер пожала плечами.

— Хорошо, ваша честь... — Она повернулась к Кэртису Ранделу: — Давайте вернемся к той ночи, когда вы познакомились в баре с Лореттой Маршалл. Что это был за бар?

— Не знаю. Раньше я никогда там не был.

— Это был бар для знакомств, не так ли?

— Понятия не имею.

— Хорошо, тогда я вам скажу, что бар «Плэй Пэн» — это бар, куда мужчины и женщины приходят, чтобы найти себе на ночь партнера. Поэтому вы туда пришли, мистер Рандел?

Кэртис Рандел снова облизал губы.

— Может быть. Я не помню.

— Разрешите освежить вашу память.

Дженнифер подошла к столу обвинения и принялась перебирать бумаги. Делая вид, что выписывает какие-то сведения, она нацарапала записку и передала ее Кену Бэйли. Когда он прочитал ее, на его лице появилось удивление.

Дженнифер вернулась к свидетельскому месту:

— Итак, вы пришли туда восемнадцатого января.

Краем глаза она увидела, как Кен Бэйли вышел из зала.

— Может быть. Как я сказал, я не помню, когда и зачем туда пришел.

В течение последующих пятнадцати минут Дженнифер продолжала допрашивать Кэртиса Рандела. Она больше не задавала ему сложных вопросов, и Роджер Дэвис не вмешивался, видя, что на лицах присяжных появилось выражение скуки.

Дженнифер ждала, когда вернется Кен Бэйли. Наконец она увидела, как он поспешно вошел в зал, держа в руке небольшой пакет.

Дженнифер повернулась к судье:

— Ваша честь, можно сделать перерыв на пятнадцать минут?

Судья посмотрел на часы:

— Скоро обеденный перерыв, так что суд возобновит работу в час тридцать.

Когда суд начал работу после перерыва, Дженнифер посадила Лоретту Маршалл с ребенком поближе к присяжным.

— Мистер Рандел, — сказал судья, — вам не надо принимать присягу снова. Займите свидетельское место.

Дженнифер наблюдала, как Кэртис Рандел шел к трибуне. Подойдя к нему, она спросила:

— Мистер Рандел, у вас много внебрачных детей?

Роджер Дэвис вскочил на ноги:

— Протестую, ваша честь! Это просто неслыханно! Я не позволю, чтобы унижали моего клиента.

— Протест принимается. — Судья повернулся к Дженнифер: — Мисс Паркер, я уже неоднократно предупреждал вас...

— Извините, ваша честь, — покорно произнесла Дженнифер.

Посмотрев на Кэртиса Рандела, она поняла, что добилась желаемого результата. Он нервно облизывал губы. Дженнифер посмотрела на Лоретту Маршалл. Сидевший на ее коленях ребенок облизывал губы. Дженнифер подошла поближе к ребенку и долго смотрела на него, привлекая внимание присяжных.

— Посмотрите на этого ребенка, — тихо сказала Дженнифер.

Все смотрели, как маленькая Мелани проводит по губам розовым язычком.

Повернувшись, Дженнифер подошла к Кэртису Ранделу:

— А теперь посмотрите на этого человека.

Присяжные повернули головы, и двенадцать пар глаз уставились на Кэртиса Рандела. Он продолжал облизывать губы, и его сходство с ребенком было поразительным. Никто уже не вспоминал, что у Лоретты Маршалл было множество любовников, что Кэртис Рандел был одним из столпов общества.

— Этот человек, — скорбно произнесла Дженнифер, — обладает большим состоянием и занимает высокое положение. Человек, являющийся примером для многих. А теперь я задам всего один вопрос: что это за мужчина, который отказывается от собственного ребенка?

Посовещавшись около часа, присяжные вынесли приговор в пользу Лоретты Маршалл. Ей присудили двести тысяч долларов наличными и установили алименты на ребенка в две тысячи долларов в месяц.

После зачтения приговора Роджер Дэвис подошел к Дженнифер. Лицо его пылало от ярости.

— Вы что-нибудь сделали с ребенком?

— Что вы имеете в виду?

Роджер Дэвис в нерешительности замолчал.

— Облизывание губ. То, что ребенок облизывал губы, убедило присяжных. Вы можете чем-то объяснить это?

— Разумеется, — надменно сказала Дженнифер. — Это называется наследственность.

Когда они возвращались к себе в контору, Кен Бэйли выбросил в урну бутылочку с кукурузным сиропом.

Глава 16

Почти с самого начала Адам Уорнер знал, что его брак с Мэри Бет был ошибкой. Поддавшись эмоциям, он хотел защитить молодую девушку, на которую обрушилось несчастье.

Он не мог себе позволить причинить боль Мэри Бет, но тем не менее был без ума от Дженнифер. Ему надо было с кем-то посоветоваться, и он решил обратиться к Стюарту Нидхэму. Он всегда относился к Адаму с пониманием. Он сможет его понять.

Однако их встреча прошла совсем не так, как предполагал Адам. Как только Адам вошел в кабинет Стюарта Нидхэма, тот сказал:

— Ты как раз вовремя. Мне только что позвонили из избирательного комитета. Они официально предложили тебе выставить свою кандидатуру для выборов в сенат США. Тебе обеспечена полная поддержка со стороны партии.

— Я... Это отлично.

— Теперь нам много предстоит сделать, мой мальчик. Надо организовать все как следует. Нужно создать комитет по сбору средств, я займусь этим сам. В первую очередь...

Два часа они обсуждали предвыборную кампанию Адама. Когда они закончили, Адам сказал:

— Стюарт, я бы хотел поговорить с тобой по одному личному вопросу.

— Боюсь, что у меня сейчас нет времени, Адам. Меня ждет один клиент.

У Адама возникло внезапное чувство, что Стюарт Нидхэм знает, о чем он хотел с ним поговорить.

Адам договорился с Дженнифер встретиться в одном из ресторанов Вест-Сайда. Она ждала его в отдельной кабинке.

Когда он вошел, от него прямо-таки исходила энергия, и Дженнифер поняла, что что-то произошло.

— У меня есть новости, — сказал Адам. — Мне предложили выставить свою кандидатуру на выборах в сенат.

— О Адам! — радостно воскликнула Дженнифер. — Как чудесно! Ты станешь известным сенатором!

— Борьба будет нелегкой. В Нью-Йорке у меня будут опасные соперники.

— Это не имеет значения. Ты победишь. — Дженнифер была уверена в этом. Умный и смелый, Адам всегда сражался за правое дело. Как он однажды сражался за нее.

Взяв его руку в свою, она нежно сказала:

— Я так горжусь тобой.

— Ну, меня еще не избрали. Ты ведь знаешь, всякое может случиться.

— Это не мешает мне гордиться тобой. Я так люблю тебя, Адам.

— Я тебя тоже люблю.

Адам хотел рассказать ей о несостоявшемся разговоре со Стюартом Нидхэмом, но потом передумал. Сначала он должен все уладить.

— Когда начнется твоя предвыборная кампания?

149

— Они хотят, чтобы я немедленно заявил о своем согласии. Мне пообещали полную поддержку партии.

— Это прекрасно!

Но Дженнифер понимала, что не все было прекрасно. Она не хотела думать об этом, хотя и понимала, что рано или поздно ей придется посмотреть правде в глаза. Она хотела, чтобы Адам победил, но в этом случае над ней повиснет дамоклов меч. Если Адам победит, она потеряет его. Она должна будет покинуть его. Он женатый мужчина, и, если станет известно, что у него есть любовница, это будет для него политическим самоубийством.

Ночью, впервые за долгое время, у Дженнифер была бессонница. Она лежала, борясь с нахлынувшими на нее страхами.

— Вам звонят, — сказала Синтия. — Опять этот марсианин.

Дженнифер непонимающе посмотрела на нее.

— Ну тот, который рассказывал вам о психбольнице.

Дженнифер и думать о нем забыла. Явно какой-то ненормальный.

— Скажи ему... — Она вздохнула. — Ладно, я сама ему скажу.

Она взяла трубку:

— Дженнифер Паркер слушает.

Знакомый голос произнес:

— Вы проверили информацию, которую я вам сообщил?

— У меня не было возможности. — Она вспомнила, что выбросила листок с именем в корзину. — Мне бы хотелось помочь вам. Как вас зовут?

— Я не могу назвать свое имя, — прошептал мужчина. — Иначе они и меня схватят. Проверьте то, что я вам сказал. Элен Купер. Лонг-Айленд.

— Я могу порекомендовать вам врача, который... — В трубке раздались гудки.

Поразмышляв, Дженнифер вызвала к себе Кена Бэйли.

— Что надо, босс?

150

— Два раза мне звонил какой-то ненормальный и не сообщил своего имени. Ты не мог бы поискать информацию о женщине по имени Элен Купер? Она якобы владеет поместьем на Лонг-Айленд.

— А где она сейчас?

— Или в психбольнице или на Марсе.

Кен Бэйли вернулся через два часа и с порога заявил:

— Твоя марсианка приземлилась. Элен Купер значится в списке пациентов клиники для умалишенных «Хитерз» в Вестчестере.

— Ты уверен?

Кен обиженно поджал губы.

— Извини, — сказала Дженнифер. Кен всегда блестяще выполнял все поручения. Вся его информация была точной и проверенной. Он никогда еще не ошибался.

— А зачем нам нужна эта леди? — спросил Кен.

— Кто-то считает, что ее насильно упрятали в психбольницу. Я бы хотела, чтобы ты проверил это. И еще я хочу знать все о ее семье.

На следующее утро отчет Кена Бэйли лежал у нее на столе. Элен Купер была вдовой, муж оставил ей наследство в четыре миллиона долларов. Ее дочь вышла замуж за управляющего домом, в котором они жили, и через полгода молодожены обратились в суд с просьбой признать Элен Купер недееспособной и дать им право распоряжаться ее деньгами. Они нашли трех психиатров, которые подтвердили недееспособность Элен Купер, и решением суда она была помещена в клинику для умалишенных.

Закончив читать отчет, Дженнифер посмотрела на Кена Бэйли:

— Тут попахивает жареным, тебе не кажется?

— Не то слово, просто разит со всех сторон. И что ты собираешься предпринять?

Это был сложный вопрос, ведь у Дженнифер не было клиента. Если семья миссис Купер упекла ее в сумасшедший дом, вряд ли они чем-то помогут Дженнифер, а с другой стороны, если эта женщина признана судом недееспособной, она не может нанять Дженнифер. Как же быть? Но Дженнифер знала: есть у нее клиент или нет, она не будет безучастно наблюдать, как здорового человека запирают в психбольнице.

— Придется мне навестить миссис Купер, — решила Дженнифер.

Клиника для умалишенных в Вестчестере занимала огромный зеленый парк. Вокруг он был обнесен решеткой, и войти в клинику можно было только через охраняемые ворота. Дженнифер не хотела, чтобы родственники Элен Купер знали о ее визите, поэтому она договорилась о встрече с Элен Купер через знакомых.

Заведующая клиникой миссис Франклин была строгой женщиной с суровым лицом. Она напомнила Дженнифер миссис Денверс из «Ребекки».

— По правде говоря, — назидательно сказала она, — мне не следовало бы разрешать вам встречаться с миссис Купер. Однако мы можем считать это неофициальным визитом и не отмечать ваше имя в книге посетителей.

— Спасибо.

— Сейчас я ее приведу.

Элен Купер была худенькой привлекательной старушкой лет шестидесяти. В ее голубых глазах светился ум, и она встретила Дженнифер с грациозностью хозяйки, как будто находилась в своем собственном доме.

— Рада, что вы навестили меня, — сказала миссис Купер, — хотя я и не знаю о цели вашего визита.

— Я — адвокат, миссис Купер. Два раза мне звонил неизвестный мужчина и сказал, что вас насильно упрятали сюда.

Миссис Купер улыбнулась:

— Это, должно быть, Альберт.

— Альберт?

— Двадцать пять лет он был у меня дворецким. После свадьбы моя дочь Дороти уволила его. — Она вздохнула. —

Бедный Альберт. Он принадлежит прошлому и живет в другом мире. Впрочем, это касается и меня. Вы слишком молоды, моя дорогая, чтобы заметить, как много всего изменилось вокруг. Знаете, чего сегодня не хватает людям? Добропорядочности. Боюсь, что теперь ее место заняла алчность.

— Вы имеете в виду свою дочь? — тихо спросила Дженнифер.

В глазах миссис Купер появилась грусть.

— Я не виню Дороти. Дело в ее муже. Это малопривлекательный человек, по крайней мере в моральном плане. Боюсь, что моя дочь не отличается красотой. Герберт женился на ней из-за денег и обнаружил, что всем состоянием распоряжаюсь я. Ему это не понравилось.

— Он вам говорил об этом?

— Да, конечно. Он не делал из этого тайны. Он полагал, что я передам все мое состояние дочери, чтобы она не ждала моей смерти. Я бы так и сделала, только я не доверяла ему. Я знала, что может случиться, когда он завладеет деньгами.

— У вас раньше были отклонения в психике, миссис Купер?

— Согласно заключению врачей, я страдаю шизофренией и паранойей.

На Дженнифер она произвела впечатление вполне нормального человека.

— Вы знаете, что трое врачей подписали документ, свидетельствующий о вашей недееспособности?

— Мое состояние оценивается в четыре миллиона долларов, мисс Паркер. Есть много врачей, на которых такие деньги могут произвести впечатление и повлиять на принятие решения. Боюсь, что вы зря тратите время. Теперь всем моим состоянием владеет зять. Он никогда не позволит, чтобы меня выпустили отсюда.

— Я бы хотела поговорить с вашим зятем.

«Плаза Тауэрс» располагался на 72-й улице, в одном из самых фешенебельных районов Нью-Йорка. У Элен Купер

153

там был единственный пентхаус. На двери красовалась табличка «Мистер и миссис Герберт Хавторн».

Дженнифер заранее договорилась о встрече с дочерью миссис Купер, и, когда она вошла в квартиру, Дороти и ее муж уже ждали ее. Элен Купер была права — ее дочь не отличалась красотой. У нее совсем не было подбородка, отчего лицо походило на крысиную мордочку. На правом глазу было бельмо. Муж Дороти, Герберт, был моложе ее по крайней мере лет на двадцать.

— Заходите, — буркнул он.

Он провел Дженнифер из вестибюля в огромную гостиную, стены которой были увешаны полотнами французских и голландских художников.

— Ну, — грубо сказал Герберт Хавторн, — может, вы скажете, какого черта вам нужно?

Дженнифер повернулась к Дороти:

— Я хочу поговорить о вашей матери.

— Что вы хотите узнать?

— Когда у нее впервые появились признаки душевной болезни?

— Она...

Герберт Хавторн вмешался в разговор:

— Сразу же после нашей свадьбы с Дороти. Старуха просто не выносила меня.

«Это лишний раз доказывает, что она в здравом уме», — подумала Дженнифер.

— Я читала заключение врачей, — сказала Дженнифер. — По-моему, оно не совсем объективное.

— Что значит «не совсем объективное»? — рявкнул Герберт.

— Я имею в виду, что в заключении указано, что четких критериев для определения социальной опасности Элен Купер у врачей не было. Их решение основывается прежде всего на том, что рассказывали вы о поведении миссис Купер.

— Что вы хотите этим сказать?

154

— Я хочу сказать, что их заключение не убедительно. Другие врачи могут прийти к абсолютно противоположному выводу.

— Эй, я не знаю, на что вы хотите намекнуть, но старуха чокнутая. Так заявили врачи, и такое решение принял суд.

— Я читала стенограммы суда, — ответила Дженнифер. — Там также сказано, что миссис Купер должна подвергаться периодическому обследованию.

— Вы хотите сказать, что ее могут выпустить? — с тревогой спросил Герберт Хавторн.

— Ее выпустят, — пообещала Дженнифер. — Я лично займусь этим.

— Подождите! Что здесь происходит, черт возьми!

— Именно это я хочу выяснить. — Дженнифер повернулась к Дороти: — Я внимательно изучила историю болезни вашей матери. До этого она не страдала никакими душевными или эмоциональными расстройствами. Она...

Герберт Хавторн перебил ее:

— Это ничего не значит! Такие вещи происходят внезапно. Она...

— К тому же, — продолжала Дженнифер, обращаясь к Дороти, — вся общественная деятельность, которую она вела, доказывает, что она вполне нормальный человек.

— Мне плевать, что там о ней говорят! Она ненормальная! — заорал Герберт Хавторн.

Повернувшись, Дженнифер изучающе посмотрела на него:

— Вы просили, чтобы миссис Купер дала вам право распоряжаться ее состоянием?

— Вас это не касается!

— А я придерживаюсь другого мнения. У меня все. Дженнифер направилась к двери.

Герберт Хавторн загородил ей путь:

— Минутку. Вы суете свой нос куда не следует. Хотите поживиться на этом? Ладно, все это понятно. Давайте сделаем так. Я вам выписываю чек на тысячу долларов за ваши услуги, а вы оставляете это дело. Ну как?

— Извините, — ответила Дженнифер. — Не пойдет.

— Думаете, старуха вам больше заплатит?

— Нет, — ответила Дженнифер. Она посмотрела ему в глаза: — Деньги интересуют только одного из нас.

Понадобилось шесть недель слушаний и медицинских консультаций врачей из четырех государственных больниц. Дженнифер пригласила своих психиатров, и, после того как они провели обследование, а Дженнифер сообщила о всех имеющихся у нее фактах, судья пересмотрел ранее принятое решение. Элен Купер выпустили из больницы и вернули права на владение состоянием.

Вернувшись из больницы, она в тот же день позвонила Дженнифер:

— Я хочу пригласить вас на обед в ресторан «Твенти Уан».

Дженнифер посмотрела в еженедельник. Утром у нее была запланирована деловая встреча, затем обед с одним из клиентов и днем — важные дела в суде. Но она понимала, как много это значит для пожилой женщины.

— Хорошо, я приду, — пообещала она.

— Мы отпразднуем это событие, — довольным голосом сказала Элен Купер.

Обед прошел превосходно. Миссис Купер продумала все до мелочей, и, очевидно, ее хорошо здесь знали.

Владелец лично проводил их наверх, где усадил за столик среди античных скульптур. Блюда и обслуживание были на высоте.

Когда они уже пили кофе, Элен Купер сказала:

— Я вам так благодарна, моя дорогая. Не знаю, сколько вы возьмете за свои услуги, но мне хотелось бы дать вам коечто еще.

— Мне вполне хватит гонорара за услуги. Он и так высокий.

Миссис Купер покачала головой.

— Это не имеет значения. — Наклонившись вперед, она взяла руки Дженнифер в свои и понизила голос до шепота. — Я хочу подарить вам штат Вайоминг.

Глава 17

На первой странице «Нью-Йорк таймс» рядом были напечатаны две заметки. В одной из них сообщалось, что Дженнифер Паркер добилась оправдания женщины, обвиняемой в убийстве своего мужа, а в другой — о том, что Адам Уорнер выставил свою кандидатуру на выборах в сенат США.

Дженнифер несколько раз перечитала эту заметку. В ней рассказывалось о его социальном положении, о том, что во Вьетнаме он был военным летчиком и получил медаль «За летные боевые заслуги». Статья была выдержана в хвалебном тоне, и приводились высказывания известных людей о том, что Адам Уорнер оправдает доверие избирателей и станет выдающимся сенатором. В конце статьи указывалось, что, если Адам победит на выборах в сенат, это может открыть ему дорогу в Белый дом.

В Нью-Джерси, на старой голландской ферме, Майкл Моретти и Антонио Гранелли заканчивали завтрак. Майкл читал заметку о Дженнифер Паркер.

Посмотрев на своего тестя, он сказал:

— Опять она победила, Тони.

Антонио Гранелли подцепил ложечкой кусочек яйца всмятку.

— Кто опять победил?

— Дженнифер Паркер. Адвокат. Это то, что нам надо.

Антонио Гранелли проворчал:

— Мне не нравится сама мысль, что на нас будет работать женщина-юрист. Женщины — слабые существа. Никогда не знаешь, чего от них ожидать.

— Ты прав, Тони, — осторожно сказал Майкл, — таких сколько угодно.

Он не хотел настраивать против себя Антонио Гранелли. Пока он еще жив, он опасен для Майкла, но теперь ему уже недолго осталось. Старик перенес несколько инфарктов, и его руки дрожали. Он с трудом разговаривал и ходил, опираясь на трость. Главный государственный преступник превратился в беззубого тигра. Его кожа была похожа на сухой желтый пергамент. Его имя вселяло раньше страх в сердца других мафиози и ненависть в сердца вдов. Теперь его редко кто видел. Он держался за спинами Майкла Моретти, Томаса Колфакса и немногих других, кому он доверял. Майкла еще не выбрали новым главой «семьи», но это был вопрос времени. «Трехпалый» Лючезе возглавлял самую могущественную «семью» мафии на востоке, потом его место занял Антонио Гранелли, и скоро... Майкл знал, что ему надо набраться терпения. Сколько времени прошло с тех пор, когда он, безусый мальчишка, стоял перед доном и, держа ладонь над горящим пламенем, клялся: «Пусть я сгорю, если выдам секреты "Коза Ностры"».

Теперь, сидя напротив постаревшего дона, Майкл сказал:

— Может, мы используем эту Паркер для мелких дел? Посмотрим, что у нее получится.

Гранелли пожал плечами:

— Будь осторожен, Майкл. Чужие люди не должны знать семейные секреты.

— Я лично займусь ею.

Днем он позвонил Дженнифер Паркер.

Когда Синтия сказала, что ей звонит Майкл Моретти, на Дженнифер нахлынули воспоминания. Все неприятные. Она понятия не имела, зачем он может звонить ей. Из любопытства она подняла трубку.

— Что вам надо?

Тон ее голоса поразил Майкла.

— Я хотел бы увидеть вас. Нам надо поговорить.

— О чем, мистер Моретти?

— Мне не хотелось бы говорить об этом по телефону, мисс Паркер. Я полагаю, вы проявите к этому интерес.

— Вот что я вам скажу, мистер Моретти, — произнесла Дженнифер ровным голосом. — Ни вы, ни ваши предложения меня абсолютно не интересуют. — И она с силой повесила трубку.

* * *

Майкл Моретти сидел за столом, держа в руке умолкнувшую трубку. Ему было неприятно, но злости он не чувствовал. Странное ощущение. Всю свою жизнь он использовал женщин. Благодаря его привлекательности и врожденной наглости у него было столько любовниц, что он не помнил их имен.

А по большому счету Майкл Моретти презирал женщин. Все они были слишком податливые, у них не было никакой решительности. «Роза, например. Она как собачонка, которая делает то, что ей прикажут, — подумал Майкл. — Она следит за моим домом, готовит для меня, спит со мной, когда я этого хочу, молчит, когда я приказываю ей замолчать».

Майклу никогда не встречались сильные духом женщины, способные бросить ему вызов. У Дженнифер Паркер хватило смелости повесить трубку. Как она сказала? «Ни вы, ни ваши предложения меня абсолютно не интересуют». Вспомнив это, Майкл Моретти усмехнулся. Она ошибалась. Он покажет ей, как она ошибалась.

Откинувшись в кресле, он стал вспоминать, как она выглядела на суде, ее лицо, ее тело. Внезапно ему стало интересно, как она ведет себя в постели. Наверное, как дикая кошка. Он стал представлять, как обнаженная Дженнифер пытается вырваться из его объятий. Он снял трубку и набрал номер. Когда ему ответил женский голос, он сказал:

— Раздевайся, я уже еду.

Возвращаясь в контору после обеда, Дженнифер чуть не попала под грузовик, когда переходила Третью авеню. Водитель нажал на тормоза, заднюю часть кузова занесло, и лишь чудом Дженнифер не пострадала.

— Черт тебя побери! — закричал водитель. — Ослепла, что ли?

Но Дженнифер не слышала его ругательств. Она посмотрела на надпись, сделанную на кузове, — «Национальная транспортная корпорация». Грузовик уже скрылся из виду, но она еще долго смотрела ему вслед. Затем, повернувшись, поспешила в свою контору.

— Кен на месте? — спросила она Синтию.

— Да. В своем кабинете.

Она зашла к нему.

— Кен, ты можешь собрать мне информацию про «Национальную транспортную корпорацию»? Мне нужен список всех аварий, которые произошли у них за последние пять лет.

— Это займет немало времени.

— Используй LEXIS. — Так называлась компьютерная юридическая служба.

— А для чего это нужно?

— Я и сама не знаю толком. У меня появилось предчувствие. Если что-нибудь из этого получится, я тебе все расскажу.

Она упустила важную деталь в деле Конни Гэррет, симпатичной молодой женщины, лишенной рук и ног. Возможно, у водителя был хороший послужной список, но как насчет грузовиков? Может, все-таки ей удастся привлечь кого-нибудь к ответственности?

На следующее утро Кен Бэйли положил ей на стол листок бумаги.

— Что бы ты ни искала, похоже, ты натолкнулась на золотую жилу. За последние пять лет грузовики «Национальной транспортной корпорации» пятнадцать раз попадали в аварию.

Дженнифер почувствовала легкое возбуждение.

— Причина?

— Из-за несовершенства тормозной системы кузов грузовика заносит всякий раз, когда производится резкое торможение.

Именно так была сбита Конни Гэррет.

Дженнифер провела совещание с Дэном Мартином, Тедом Харрисом и Кеном Бэйли.

— Мы будем заниматься делом Конни Гэррет и передадим его в суд.

Тед Харрис посмотрел на нее через толстые стекла своих очков:

— Подожди, Дженнифер. Я ведь проверял это дело. Апелляционный суд утвердил принятое решение. Теперь на это дело распространяется res judicata*.

— А что такое res judicata? — спросил Кен Бэйли.

— Это означает, что мы не можем оспаривать принятое судом решение.

— После вынесения приговора, — добавил Тед Харрис, — дело может быть пересмотрено лишь при особых обстоятельствах. У нас нет повода для пересмотра.

— Нет, есть. На основании новых фактов.

Принцип этого основания гласит: «Для правильного ведения судебного процесса необходимо знание обеими сторонами всех относящихся к делу фактов».

— Ответчиком на суде была «Национальная транспортная корпорация», фирма с карманами, полными денег. Они утаили информацию от адвоката Конни Гэррет. Тормозная система их грузовиков имеет серьезные недостатки, а они скрыли этот факт.

Дженнифер посмотрела на своих компаньонов:

— Я думаю, надо сделать так...

Два часа спустя Дженнифер сидела в гостиной Конни Гэррет.

— Я хочу снова передать дело в суд. У нас есть шансы победить.

— Нет. Я не вынесу еще один суд.

— Конни...

— Посмотрите на меня, Дженнифер. Я — подобие человека. Каждый раз, когда я смотрю на себя в зеркало, мне хочется покончить жизнь самоубийством. Знаете, почему я этого не делаю? — Ее голос задрожал. — Потому что я не могу! Просто не могу!

Дженнифер была поражена словами Конни.

---

* «Решенное дело» (лат.). Начало одного из положений римского гражданского права: «Res judicata pro veritate habetur» — «Судебное решение должно приниматься за истину».

— А что, если мне удастся договориться с ними, не передавая дело в суд?

Офис «Мэгир и Гатри», адвокатов, представлявших интересы «Национальной транспортной корпорации», располагался на Пятой авеню в современном здании из бетона и стекла с огромным фонтаном у входа. Дженнифер сообщила свою фамилию секретарше, и через пятнадцать минут ее провели в кабинет Патрика Мэгира. Это был главный партнер юридической фирмы, умудренный опытом ирландец, от проницательных глаз которого не ускользала ни одна деталь.

Он указал Дженнифер на кресло:

— Рад знакомству с вами, мисс Паркер. У вас такая репутация в городе.

— Надеюсь, не совсем плохая.

— Говорят, у вас крепкая хватка. По виду не скажешь.

— Вот и хорошо.

— Кофе? А может, глоток хорошего ирландского виски?

— Кофе, пожалуйста.

Патрик Мэгир нажал на кнопку звонка, и секретарша принесла две чашки кофе на серебряном подносе.

— Итак, чем могу вам быть полезен? — спросил Патрик Мэгир.

— Речь идет о деле Конни Гэррет.

— Ах да, припоминаю, она проиграла в суде, и апелляционный суд оставил приговор в силе.

Припоминаю. Дженнифер была готова поспорить на что угодно, что Патрик Мэгир знал это дело наизусть.

— Я собираюсь снова подать на вас в суд.

— Правда? А на каком основании? — вежливо поинтересовался Мэгир.

Дженнифер открыла портфель и протянула ему подготовленные документы.

— На основании получения новых фактов.

Мэгир спокойно проглядел бумаги.

— Ах да, — сказал он. — Тормозная система.

— Вы знали об этом?

— Конечно. — Он забарабанил пальцами по столу. — Мисс Паркер, это вам ничего не даст. Вам придется доказать, что именно у того грузовика была неисправная тормозная система. Со времени аварии его ремонтировали уже раз десять, так что нельзя будет определить, в каком состоянии были тогда тормоза. — Он протянул ей бумаги. — У вас нет оснований для возбуждения дела.

Дженнифер отпила кофе.

— Мне понадобится лишь огласить статистику аварий, которые происходили с вашими грузовиками по вине несовершенной тормозной системы. Порядочность обязывала вас рассказать об этом на суде.

— И что вы предлагаете? — осторожно спросил Мэгир.

— Мой клиент — женщина чуть старше двадцати лет, которая никогда не сможет выйти из дому, потому что у нее нет ни рук, ни ног. Я хочу прийти к соглашению, которое хоть немного облегчило бы ей жизнь.

Мэгир поднес чашку с кофе к губам.

— И о какой сумме может идти речь?

— Два миллиона долларов.

Он улыбнулся:

— Это слишком большие деньги, учитывая, что у вас нет никакого повода для возбуждения дела.

— Если дело дойдет до суда, мистер Мэгир, то я обещаю вам, что дело будет возбуждено. И вам придется заплатить гораздо больше. Если вы вынудите нас решать этот вопрос в судебных инстанциях, то мы будем требовать пять миллионов долларов.

Он снова улыбнулся:

— Вы прямо-таки напугали меня. Еще кофе?

— Нет, спасибо. — Дженнифер встала.

— Подождите! Садитесь, пожалуйста. Я ведь не сказал «нет».

— Но вы не сказали и «да».

— Выпейте еще кофе. Это особый сорт.

Дженнифер вспомнила Адама и кенийский кофе, который он любил.

— Два миллиона долларов — это большие деньги, мисс Паркер.

Дженнифер молчала.

— Если бы речь шла о меньшей сумме... — Он сделал неопределенный жест рукой.

Дженнифер продолжала молчать.

Наконец Патрик Мэгир сказал:

— Значит, два миллиона, не меньше.

— Вообще-то я хочу пять миллионов, мистер Мэгир.

— Хорошо. Я думаю, что нам удастся уладить этот вопрос.

Все было так просто!

— Завтра я улетаю в Лондон, но через неделю вернусь.

— Желательно решить этот вопрос как можно быстрее. Так что поговорите со своим клиентом. Я хочу отдать чек Конни Гэррет на следующей неделе.

Патрик Мэгир кивнул:

— Я думаю, что все будет в порядке.

Когда Дженнифер возвращалась в свою контору, ее преследовало чувство тревоги. Уж слишком легко у нее все получилось.

Вечером, когда Дженнифер направлялась домой, она зашла в аптеку. А когда вышла и собиралась перейти улицу, то увидела на той стороне Кена Бэйли, идущего с молодым блондином.

Поколебавшись, Дженнифер свернула на боковую улицу, чтобы он не заметил ее. Ее не касалась личная жизнь Кена.

В тот день, когда она должна была встретиться с Патриком Мэгиром, ей позвонила секретарша адвоката.

— Мистер Мэгир просил передать свои извинения, мисс Паркер, но сегодня он будет занят целый день. Завтра он будет рад вас видеть в любое время.

— Хорошо, — сказала Дженнифер. — Спасибо.

Но звонок насторожил ее. Инстинкт подсказывал, что Патрик Мэгир вел с ней игру.

— Ни с кем меня не соединяй, — сказала она Синтии.

Закрывшись в кабинете, она принялась ходить взад-вперед, пытаясь найти ответ. Сначала Патрик Мэгир сказал ей, что оснований для возбуждения судебного дела нет. И практически сразу же согласился заплатить Конни Гэррет два миллиона долларов. Дженнифер вспомнила, что еще тогда почувствовала что-то неладное. А затем он стал избегать встреч с ней. Сначала летал в Лондон — если это действительно так, — а потом целую неделю не отвечал на ее телефонные звонки, так как якобы находился на различных совещаниях. Теперь он опять не может с ней встретиться.

Но почему? Единственной причиной может быть только... Дженнифер остановилась и позвонила по внутреннему телефону Дэну Мартину.

— Проверь досье Конни Гэррет, Дэн. Я хочу знать, когда истекает срок давности иска.

Через двадцать минут Дэн Мартин вошел к ней в кабинет. Его лицо было бледным.

— Мы пропали, — сказал он. — У тебя было верное предчувствие. Срок давности иска истекает сегодня.

Дженнифер почувствовала внезапную слабость.

— Ошибки быть не может?

— Нет. Извини, Дженнифер. Надо было раньше об этом подумать. Мне даже в голову не приходило...

— Мне тоже. — Дженнифер сняла трубку и набрала номер. — Патрика Мэгира, пожалуйста.

Целую вечность она ждала ответа, а затем бодрым голосом сказала в трубку:

— Добрый день, мистер Мэгир. Как там Лондон? — Она слушала, как он рассказывает о своей поездке. — Нет, никогда там не была. Да, когда-нибудь... Да, кстати, — небрежно сказала она, — я только что разговаривала с Конни Гэррет. Как я вам уже раньше говорила, она согласна не подавать в суд... Так что, если мы с вами уладим дело сегодня...

Патрик Мэгир громко расхохотался:

— Попытайтесь, мисс Паркер. Сегодня истекает срок давности иска. Так что никто ни на кого в суд подать не сможет.

Как насчет того, чтобы пообедать вместе и поговорить о превратностях судьбы?

Дженнифер постаралась держать себя в руках.

— Это довольно грязная уловка, приятель.

— Мы живем в грязном мире, подружка, — рассмеялся Патрик Мэгир.

— Вас не интересуют правила игры, а только результаты?

— У вас хорошая хватка, солнышко, но я гораздо дольше занимаюсь этим, чем вы. Надеюсь, что в следующий раз вашему клиенту повезет больше.

Он повесил трубку.

Дженнифер сидела, глядя на телефон. Она знала, что Конни ждет от нее новостей. У нее забилось сердце, а на лбу выступила испарина. Она открыла ящик стола, чтобы достать оттуда аспирин, и тут ее взгляд упал на часы — четыре часа дня. Вручить заявку на суд они могут только до пяти часов.

— Сколько времени вам понадобится, чтобы подготовить заявку? — спросила она Дэна Мартина, который с потерянным видом стоял рядом.

— По крайней мере три часа. А может, и четыре. Ничего не выйдет.

«Должен же быть какой-то выход», — подумала Дженнифер.

— У «Национальной транспортной корпорации» есть филиалы по всей стране, не так ли?

— Да.

— В Сан-Франциско сейчас час дня. Мы там подадим на них в суд, а потом переведем дело в другой судебный округ.

Дэн Мартин покачал головой:

— Дженнифер, все бумаги здесь. Если мы свяжемся с другой фирмой и они заново начнут готовить все документы, то к пяти они все равно не успеют.

Но Дженнифер не собиралась сдаваться.

— Сколько времени сейчас на Гавайях?

— Одиннадцать утра.

166

У нее тут же пропала головная боль, и она от радости подпрыгнула в кресле.

— Прекрасно! Узнай, есть ли у них там какой-нибудь филиал. Может, завод, магазин запчастей, гараж — все что угодно. Если есть, то мы подадим на них в суд там.

Некоторое время Дэн Мартин смотрел на нее, а затем на его лице расплылась улыбка.

— Все понял! — И он бегом направился к двери.

Дженнифер все еще слышала голос Патрика Мэгира: «Надеюсь, что в следующий раз вашему клиенту повезет больше». Следующего раза для Конни Гэррет не будет. Он должен быть сейчас.

Через тридцать минут зажужжал селектор, и восторженный голос Дэна Картина сообщил:

— «Национальная транспортная корпорация» производит коленвалы для своих грузовиков на острове Оаху.

— Они у нас в руках! Свяжитесь с местной юридической фирмой, пусть они подготовят необходимые бумаги.

— С какой именно фирмой?

— Все равно. Главное, чтобы они вручили извещение о возбуждении судебного дела представителю «Национальной транспортной корпорации». Как только они это сделают, пусть немедленно позвонят сюда. Я буду ждать звонка у себя в кабинете.

— Что мне еще сделать?

— Молись.

Звонок с Гавайев раздался в десять часов вечера. Дженнифер схватила трубку и услышала женский голос:

— Это мисс Паркер?

— Я слушаю.

— Вам звонит мисс Санг из юридической фирмы «Грегг энд Хой» на острове Оаху. Мы хотим сообщить вам, что пятнадцать минут назад необходимые бумаги были вручены представителю «Национальной транспортной корпорации».

Дженнифер облегченно вздохнула:

— Спасибо. Большое спасибо.

Синтия сообщила Дженнифер, что к ней пришел Джой Ла Гуардиа. Дженнифер раньше никогда не встречалась с ним. Он позвонил ей и попросил быть его защитником в деле об оскорблении личности. Это был невысокий человек плотного телосложения. На нем был дорогой костюм, который, похоже, шили на кого-то другого. На мизинце сверкал огромный бриллиант.

Обнажив в улыбке желтые зубы, Ла Гуардиа сказал:

— Я пришел к вам за помощью. Ведь каждый может совершить ошибку. Правда, мисс Паркер? Полиция сцапала меня за то, что я врезал как следует двум парням, но ведь я думал, что они собираются напасть на меня. Понимаете? Я шел по темной улице и увидел, как они идут мне навстречу, а район у нас бандитский. Так вот, я набросился на них прежде, чем они успели наброситься на меня.

Его манеры были какими-то неестественными и противными. Он изо всех сил старался войти к ней в доверие.

Он вытащил из кармана толстую пачку денег:

— Вот. Кусок сейчас и кусок потом. Идет?

— В ближайшие два месяца мое расписание заполнено до отказа. Я могу порекомендовать вам другого адвоката.

Его поведение стало еще более настойчивым.

— Нет. Другой адвокат мне не нужен. Вы — лучше всех.

— Для такого простого дела, как ваше, вам не обязательно выбирать самого лучшего адвоката.

— Послушайте, — сказал он, — я дам вам еще больше. — В его голосе звучало отчаяние. — Две тысячи сейчас и...

Дженнифер нажала на кнопку, и в кабинет вошла Синтия.

— Проводи мистера Ла Гуардиа.

Мрачно посмотрев на Дженнифер, Джой Ла Гуардиа собрал деньги и засунул их в карман. Ни слова не говоря, он вышел из кабинета. Дженнифер нажала на кнопку селектора:

— Кен, зайди ко мне на минутку.

Кену понадобилось менее тридцати минут, чтобы собрать нужную информацию на Джоя Ла Гуардиа.

— Это матерый рецидивист, — сказал Кен. — С шестнадцати лет он практически не вылезает из тюрьмы. — Кен взглянул в свои записи. — Сейчас его отпустили под залог. На прошлой неделе его арестовали за оскорбление действием. Он избил двух человек, которые пытались присвоить деньги мафии.

Все стало на свои места.

— Значит, Джой Ла Гуардиа работает на мафию?

— Он один из людей Майкла Моретти.

Дженнифер захлестнула холодная ярость.

— Ты можешь узнать номер телефона Майкла Моретти?

Через пять минут Дженнифер уже разговаривала с ним.

— Какой приятный сюрприз, мисс Паркер. Я...

— Мистер Моретти, мне не нравится, когда меня пытаются использовать.

— О чем это вы говорите?

— Послушайте меня хорошенько. Я не продаюсь и не собираюсь продаваться. Я не собираюсь защищать вас или людей, которые на вас работают. Я хочу только одного — оставьте меня в покое. Это ясно?

— Можно задать вам один вопрос?

— Задавайте.

— Вы пообедаете со мной?

Дженнифер повесила трубку.

По селектору раздался голос Синтии:

— К вам пришел мистер Патрик Мэгир. Он не записывался заранее, но он говорит...

Дженнифер улыбнулась.

— Пусть мистер Мэгир подождет.

Она вспомнила, как он разговаривал с ней по телефону. «Вас не интересуют правила игры, а только результаты? У вас хорошая хватка, солнышко, но я гораздо дольше занимаюсь этим, чем вы. Надеюсь, что в следующий раз вашему клиенту повезет больше».

Выждав сорок пять минут, Дженнифер позвонила Синтии:

— Пригласите мистера Мэгира.

Все хорошие манеры Патрика Мэгира куда-то исчезли. Он был зол, что его перехитрили, и не пытался скрыть свои эмоции.

Подойдя к столу Дженнифер, он рявкнул:

— Вы причиняете мне массу хлопот, подружка.

— Я ваша подружка?

Он уселся без приглашения:

— Прекратим эту игру. Мне только что позвонил генеральный директор «Национальной транспортной корпорации». Я недооценил вас. Мой клиент готов уладить этот вопрос. — Он вытащил из кармана конверт и передал его Дженнифер.

Она открыла его. Внутри лежал чек на имя Конни Гэррет. Чек на сто тысяч долларов.

Положив чек обратно в конверт, она вернула его Патрику Мэгиру.

Мэгир усмехнулся:

— Ничего у вас не выйдет. Потому что ваш клиент не появится в зале суда. Я только что был у нее. Вы не заставите ее прийти в суд. Она в ужасе лишь от одной мысли появиться на людях. А без нее у вас ничего не получится.

— Вы не имели права разговаривать с Конни Гэррет без моего разрешения, — разозлилась Дженнифер.

— Я лишь хочу оказать вам услугу. Берите деньги и до свидания.

Дженнифер встала:

— Убирайтесь отсюда. Меня тошнит от вас.

Патрик Мэгир поднялся с кресла:

— Вот уж не думал, что вас от чего-то может тошнить.

Он ушел, забрав с собой чек.

Глядя ему вслед, Дженнифер размышляла, не совершила ли она ошибку. Она подумала, как помогли бы Конни Гэррет эти сто тысяч долларов. Но этого было недостаточно. Недостаточно для женщины, вынужденной страдать до конца своих дней.

Дженнифер понимала, что в одном Патрик Мэгир был прав. Без присутствия Конни Гэррет в суде у нее не было шансов убедить присяжных, что «Национальная транспортная корпорация» должна выплатить ей компенсацию в пять миллионов долларов. Разве можно передать словами ее кошмарное существование? Дженнифер надо было сделать так, чтобы присяжные видели ее каждый день, но уговорить молодую женщину присутствовать на суде было невозможно. Нужно искать какое-то другое решение.

Ей позвонил Адам.

— Извини, что так долго не звонил, — сказал он. — Столько дел с предвыборной кампанией...

— Все в порядке, дорогой. Я понимаю. — «Я стараюсь понимать», — подумала Дженнифер.

— Я так скучаю по тебе.

— Я тоже, Адам. — «Если бы ты только знал, как я скучаю по тебе».

— Я хочу тебя увидеть.

Дженнифер хотела спросить когда, но промолчала.

— Сегодня я должен поехать в Олбани, — продолжал Адам. — Я позвоню тебе, когда вернусь.

— Хорошо. — Что она еще могла сказать? Что она еще могла сделать?

В четыре часа утра Дженнифер проснулась от кошмарного сна. Теперь она знала, как выиграть дело Конни Гэррет.

Глава 18

— Мы организуем серию обедов, чтобы пополнить предвыборный фонд. Тебе надо будет выступить во всех крупных городах штата. Потом тебе надо появиться в таких передачах, как «Лицом к нации», «Сегодня» и «Встреча с прессой». Мы полагаем, что... Адам, ты слушаешь?

Адам посмотрел на Стюарта Нидхэма и трех других мужчин, сидящих за столом в конференц-зале. Это были ведущие эксперты по средствам массовой информации.

171

— Конечно, Стюарт, — сказал он.

Хотя его мысли были далеко. Он думал о Дженнифер. Он хотел, чтобы она была рядом. Он хотел наслаждаться ее присутствием, ее близостью.

Несколько раз Адам пытался обсудить эту ситуацию со Стюартом Нидхэмом, но тот каждый раз уходил от разговора.

Адам думал о Дженнифер и Мэри Бет. Он знал, что нехорошо сравнивать их, но ничего не мог с собой поделать.

«Мне приятно быть с Дженнифер. Она интересуется всем, и я чувствую себя с ней другим человеком. Мэри Бет живет в своем замкнутом мирке...

У нас с Дженнифер столько общего. С Мэри Бет меня связывает только брак...

Я люблю Дженнифер за ее чувство юмора. Она умеет посмеяться над собой. Бет воспринимает все серьезно...

Дженнифер заставляет меня чувствовать себя совсем молодым. Мэри Бет выглядит старше своих лет...

Дженнифер самостоятельная. Мэри Бет делает только то, что ей скажут.

Пять важных различий между женщиной, которую я люблю, и моей женой.

Пять причин, по которым я не оставлю Мэри Бет».

Глава 19

В один из августовских дней началось слушание дела Конни Гэррет против «Национальной транспортной корпорации». Обычно подобные дела удостаивались одной-двух строчек в газетах, но так как интересы истца представляла Дженнифер Паркер, зал ломился от представителей прессы.

Патрик Мэгир сидел за столом защиты в окружении своих помощников. Все они были одеты в серые костюмы строгого покроя.

Началась процедура отбора присяжных. Мэгир безразлично отнесся к этому мероприятию, так как знал, что Конни Гэррет не будет присутствовать на суде. Вид молодой женщины с ампутированными конечностями мог бы служить мощным эмоциональным фактором и заставить присяжных вынести приговор в ее пользу. Но раз Конни Гэррет не было, не было и такого фактора.

«В этот раз, — подумал Мэгир, — Дженнифер Паркер сама себя перехитрила».

Жюри было выбрано, и суд приступил к работе. Первым выступил с речью Патрик Мэгир, и Дженнифер вынуждена была признать, что он хорошо подготовился к делу. Он говорил о незавидном положении Конни Гэррет и о многом другом, что планировала сказать Дженнифер. Он старался выбить у нее почву из-под ног. Он рассказал о несчастном случае, упирая на тот факт, что Конни Гэррет сама поскользнулась и водитель был не виноват.

— Истец просит назначить ей компенсацию в пять миллионов долларов. — Мэгир покачал головой. — Пять миллионов долларов! Вы когда-нибудь видели столько денег? Я не видел. У моей фирмы немало состоятельных клиентов, но за всю свою жизнь я никогда не видел и одного миллиона долларов, даже полмиллиона долларов.

По лицам присяжных можно было судить о том, что они тоже не видели таких денег.

— Мы пригласим свидетелей, которые расскажут вам, как произошел этот несчастный случай. Именно несчастный случай. Вы увидите, что «Национальная транспортная корпорация» ни в чем не виновата. Как вы уже заметили, человек, возбудивший против нас это дело, не присутствует в зале. Ее адвокат сообщила судье Силверману, что она не собирается приходить сюда. Но я скажу вам, где сейчас Конни Гэррет. Пока я стою здесь, она сидит дома, подсчитывая деньги, которые, по ее мнению, вы ей присудите. Она ждет, когда зазвонит телефон и ее адвокат сообщит ей, сколько миллионов ей удалось выкачать из «Национальной транспортной корпорации». Мы с вами знаем, что, когда происходит несчастный случай, где замешана крупная компания — пусть даже косвенно, — находятся люди, которые тут же говорят: «Ну что ж, эта компания богатая. Она же в состоянии заплатить большие деньги. Посмотрим, чем тут можно поживиться».

Патрик Мэгир выдержал паузу.

— Конни Гэррет не пришла в зал суда, потому что ей стыдно смотреть вам в глаза. Ведь она знает, что она поступает аморально. Что ж, мы оставим ее с пустыми руками, чтобы другим неповадно было делать подобные вещи. Человек сам должен отвечать за свои поступки. Если вы поскользнулись на льду, зачем винить кого-то другого. Вы ведь не будете требовать у него пять миллионов долларов. Спасибо.

Поклонившись Дженнифер, он вернулся за стол защиты.

Дженнифер встала и подошла к присяжным. Вглядываясь в их лица, она пыталась определить, какое впечатление оказала на них речь Патрика Мэгира.

— Мой уважаемый коллега сказал, что Конни Гэррет не будет присутствовать на суде. Это действительно так. — Дженнифер указала на пустующий стул за столом обвинения: — Здесь должна была сидеть Конни Гэррет... Но не на стуле, а в специальном кресле для инвалидов. Она прикована к нему до конца своих дней. Конни Гэррет не появится здесь, но у вас будет возможность встретиться с ней и узнать ее, как узнала ее я.

На лице Патрика Мэгира появилось удивление. Наклонившись, он что-то прошептал на ухо одному из своих помощников.

— Слушая, как красноречиво говорил мистер Мэгир, — продолжала Дженнифер, — я была тронута до глубины души. У меня сердце кровью обливалось от сочувствия компании с миллиардными доходами, на которую подло напала двадцатичетырехлетняя женщина без рук и без ног. Та самая, которая сидит сейчас дома, алчно ожидая, когда ей сообщат по телефону, что она стала богатой. — Дженнифер понизила голос. — Для чего ей нужно это богатство? Чтобы украшать бриллиантовыми кольцами руки, которых у нее нет? Чтобы покупать танцевальные туфли для ног, которых у нее нет? Купить шикарное платье, которое она не сможет надеть? «Роллс-ройс», чтобы ездить на вечеринки, куда ее не приглашают? Вы только подумайте, сколько удовольствий ей принесут эти деньги.

Дженнифер говорила тихо и спокойно, внимательно глядя в лица присяжных.

— Мистер Мэгир никогда не видел пять миллионов наличными. Я тоже. Но вот что я хочу вам сказать. Если бы я вам сейчас предложила пять миллионов наличными, потребовав взамен отрезать у вас руки и ноги, сумма показалась бы вам не такой уж большой. Суть дела крайне проста, — объяснила Дженнифер. — В прошлый раз истец проиграла процесс, потому что защита компании, зная о неполадках в тормозной системе их грузовиков, скрыла этот факт. Они действовали вразрез с законом. Это дало возможность снова возбудить против них дело. Согласно последнему правительственному расследованию, основными причинами аварий у грузовиков являются неполадки в рулевом управлении, тормозной системе и шасси. Я хочу привести некоторые цифры...

Патрик Мэгир посмотрел на лица присяжных. Как только Дженнифер стала приводить статистические выкладки, они потеряли всякий интерес. Теперь речь шла уже не об искалеченной женщине, а о грузовиках, тормозном пути, дефектах тормозной системы. Присяжным стало скучно.

Посмотрев на Дженнифер, Мэгир подумал: «Она не такая уж и умная». Если бы Мэгир защищал интересы Конни Гэррет, он бы не стал вдаваться в технические детали, а попытался бы сыграть на жалости. Дженнифер делала все наоборот.

Патрик Мэгир откинулся в кресле и расслабился.

Дженнифер подошла к судье:

— Ваша честь, с разрешения суда я хотела бы представить некоторые вещественные доказательства.

— Какие доказательства? — спросил судья Силверман.

— Когда начался суд, я пообещала присяжным, что они увидят Конни Гэррет. Раз она сама не может сюда прийти, я бы хотела, чтобы они увидели ее изображение на пленке.

Мэгир быстро встал, лихорадочно соображая.

— О каком изображении идет речь?

— Мы сделали несколько снимков у нее дома, — сказала Дженнифер.

Патрику Мэгиру не хотелось, чтобы в деле фигурировали снимки, но, с другой стороны, фотографии не будут таким сильным эмоциональным фактором, как само присутствие Конни Гэррет. И еще одна немаловажная деталь: если он будет возражать, присяжным это может не понравиться.

— Конечно, покажите эти снимки, — великодушно согласился он.

— Спасибо.

Дженнифер кивнула Дэну Мартину. Два человека, сидевшие в заднем ряду, прошли вперед, неся в руках небольшой экран и кинопроектор.

— Подождите! Что это такое? — изумленно спросил Мэгир.

— Пленка, которую вы позволили мне показать, — невинным голосом ответила Дженнифер.

Патрик Мэгир стоял, задыхаясь от ярости. Дженнифер ничего не говорила о кинопленке. Но протестовать было уже слишком поздно. Коротко кивнув, он сел на место.

Дженнифер установила экран таким образом, чтобы хорошо было видно судье и присяжным.

— Можно затемнить помещение, ваша честь?

Судья сделал знак секретарю, и тот закрыл шторы. Дженнифер включила кинопроектор, и экран ожил.

В течение следующих тридцати минут в зале была мертвая тишина. Дженнифер наняла профессионального оператора и режиссера, специализировавшегося на рекламных роликах, чтобы они сняли этот фильм. Они засняли один день из жизни Конни Гэррет, и фильм поражал своей ужасающей реальностью. Было показано, как молодую симпатичную женщину без рук и без ног поднимали утром с постели, несли в туалет, мыли, как маленького ребенка, одевали, кормили... Дженнифер не раз видела эту пленку, но и теперь у нее встал комок в горле, а глаза наполнились слезами. Она знала, что такое же впечатление фильм должен произвести на судью, присяжных и зрителей в зале.

Когда пленка закончилась, Дженнифер повернулась к судье Силверману.

— У меня все.

Присяжные совещались уже более десяти часов, и с каждым часом уверенность Дженнифер становилась все меньше и меньше. Она полагала, что присяжные сразу же огласят свое решение. Если бы фильм подействовал на них, на это им понадобилось бы не более часа.

Когда присяжные ушли в свою комнату на совещание, Мэгир был уверен, что проиграл, что он снова недооценил Дженнифер Паркер. Но время шло, присяжные все не выходили, и у него затеплилась надежда. «Все будет в порядке, — подумал он. — Чем больше они будут совещаться, тем вероятнее, что остынут их эмоции».

За несколько минут до полуночи присяжные передали судье Силверману записку. Прочитав ее, судья поднял голову.

— Пусть обе стороны подойдут к судейскому месту.

Когда Дженнифер Паркер и Патрик Мэгир подошли к нему, судья Силверман сказал:

— Я хочу довести до вас содержание записки, которую мне передали присяжные. Они интересуются, могут ли они назначить Конни Гэррет большую компенсацию, чем требует ее адвокат.

У Дженнифер внезапно закружилась голова, сердце бешено застучало в груди. Она посмотрела на Патрика Мэгира. Его лицо было бледным как полотно.

— Я сообщил им, — сказал судья Силверман, — что они вправе назначить любую компенсацию, которую посчитают нужной.

Через тридцать минут присяжные вернулись в зал заседания. Старшина жюри объявил, что принято решение в пользу истца. Компенсация за причиненный ущерб устанавливается в сумме шести миллионов долларов.

Это была самая большая компенсация, которую когда-либо выплачивали частному лицу в штате Нью-Йорк.

Глава 20

Когда на следующее утро Дженнифер вошла в свой кабинет, на ее столе лежала кипа газет. И везде на первой странице ее фотография. В вазе стояло четыре дюжины алых роз. Дженнифер улыбнулась. Адам нашел время, чтобы послать ей цветы. Она взяла лежащую рядом открытку. Там было написано: «Поздравляю. Майкл Моретти».

Зажужжал селектор, и Синтия объявила:

— Звонит мистер Адам.

Дженнифер подняла трубку. Она старалась, чтобы ее голос звучал спокойно.

— Здравствуй, дорогой.

— Ты опять победила.

— Мне повезло.

— Повезло твоему клиенту. Ей повезло, что у нее был такой адвокат. Ты, наверное, чувствуешь себя превосходно.

Она чувствовала себя хорошо, когда выигрывала дело. И чувствовала себя превосходно, когда была рядом с Адамом.

— Да.

— Мне надо сказать тебе одну важную вещь, — сказал Адам. — Может, мы встретимся днем?

У Дженнифер внутри все перевернулось. Он мог ей сказать только одно: что он больше никогда не будет видеться с ней.

— Да, конечно...

— В шесть часов в ресторане «Марио»?

— Хорошо.

Розы она отдала Синтии.

Адам ждал ее в ресторане, сидя за угловым столиком. «Он специально выбрал такое место. Ему будет неловко, если у меня начнется истерика», — подумала Дженнифер. Она дала себе слово, что не будет плакать. Не перед Адамом.

Глядя на его уставшее, осунувшееся лицо, она решила, что не будет усложнять его положение. Дженнифер села, и Адам взял ее руки в свои.

— Мэри Бет дает мне развод, — сказал Адам.

Дженнифер посмотрела на него не в силах вымолвить ни слова.

Мэри Бет сама начала этот разговор. Они возвращались с ужина, организованного для сбора средств, где Адам был главным оратором. Вечер прошел просто великолепно. По дороге домой Мэри Бет молчала, чувствовалось, что она в напряжении.

— Хороший был вечер, не так ли? — сказал Адам.

— Да, Адам.

До самого дома они больше не произнесли ни слова.

— Может, выпьем перед сном? — предложил Адам.

— Нет, спасибо. Я думаю, нам следует с тобой поговорить.

— О чем?

Посмотрев на него, она сказала:

— О тебе и о Дженнифер Паркер.

Адама как током ударило. Он колебался, не зная, то ли сделать удивленный вид, то ли...

— Я давно знаю об этом. До сих пор я ничего не говорила, потому что думала, как мне быть.

— Мэри Бет, я...

— Дай мне договорить. Жаль, что наш брак не стал... Не стал тем, чем хотелось бы. Наверное, я не всегда была тебе хорошей женой.

— В том, что случилось, твоей вины нет. Я...

— Пожалуйста, Адам. Для меня это очень трудно. Я приняла решение. Я не хочу становиться на твоем пути.

Он недоверчиво посмотрел на нее:

— Я не...

— Я слишком люблю тебя, чтобы причинять тебе боль. У тебя впереди блестящее будущее. Я не хочу тебе его испортить. Со мной ты не чувствуешь себя счастливым. Если Дженнифер Паркер может принести тебе счастье, будь с ней.

У него было такое чувство, что все это происходит где-то далеко отсюда.

179

— А что будет с тобой?

Мэри Бет улыбнулась:

— У меня все будет хорошо. Не беспокойся.

— Я... я не знаю, что и сказать.

— Не надо ничего говорить. Я сказала все за нас обоих. Если мое присутствие угнетает тебя и делает несчастливым, зачем же нам быть вдвоем? Я уверена, что Дженнифер — очень милая женщина, иначе бы ты так к ней не относился. — Мэри Бет подошла к Адаму и обняла его. — Не расстраивайся, Адам. Так будет лучше для всех.

— Ты потрясающая женщина.

— Спасибо. — Нежно проведя по его лицу кончиками пальцев, она улыбнулась. — Мой дорогой Адам. Я всегда буду твоим лучшим другом. Всегда. — Она положила голову ему на плечо. Он почти не слышал ее голоса. — Мы так давно не были вместе, Адам. Тебе не обязательно говорить, что ты любишь меня, но... мне бы так хотелось заняться с тобой любовью. Пусть это будет наша последняя ночь.

Разговаривая с Дженнифер, Адам вспомнил об этом.

— Мэри Бет сама предложила мне развестись.

Адам говорил что-то еще, но Дженнифер не слышала его слов, в ушах у нее звучала музыка. Ей казалось, что она парит в небесах. Она готовила себя к тому, что Адам покинет ее, а все вышло совсем наоборот! Она все еще не могла поверить этому. Она представила, как тяжело Адаму было вынести разговор с Мэри Бет, и любовь к нему захлестнула ее. Казалось, огромный камень упал у нее с сердца, и она снова могла свободно дышать.

— Мэри Бет — невероятная женщина, — продолжал Адам. — Она так рада за нас.

— Трудно поверить.

— Ты просто не понимаешь. Мы теперь с ней как брат и сестра. Я тебе никогда об этом не говорил. — Адам помедлил. — Но ее трудно назвать страстной женщиной.

— Понятно.

— Она бы хотела встретиться с тобой.

Дженнифер вздрогнула:

— Вряд ли я смогу, Адам. Я чувствую себя так неловко…

— Поверь мне, все будет хорошо.

— Если ты этого хочешь, то я согласна.

— Прекрасно. Мы как раз успеем к чаю. Я отвезу тебя.

Дженнифер задумалась.

— По-моему, будет лучше, если я поеду одна.

На следующее утро Дженнифер выехала на Со-Милл Паркуэй, направляясь на юг. Было ясное, погожее утро. Дженнифер включила радио и постаралась не думать, что ждет ее впереди.

Дом Уорнеров, прекрасно сохранившееся здание голландской постройки, находился на берегу реки посреди великолепного парка.

Дженнифер подъехала к воротам. Она нажала на кнопку звонка, и через минуту ей открыла дверь привлекательная женщина лет тридцати. Она выглядела совсем не так, как представляла себе Дженнифер. Улыбнувшись, женщина протянула ей руку:

— Я — Мэри Бет. Заходите, пожалуйста.

Жена Адама была одета в шерстяную бежевую юбку и шелковую блузку, расстегнутую ровно настолько, чтобы можно было слегка видеть ее довольно соблазнительную грудь. Ее светлые волосы ниспадали до плеч, обрамляя лицо. На ней были жемчужные бусы, явно не искусственные. Держалась Мэри Бет с большим достоинством.

Дом был обставлен с хорошим вкусом. Большие, просторные комнаты были заполнены антикварными произведениями искусства, на стенах висели великолепные картины.

Они сели в кабинете, и дворецкий принес им чай на серебряном подносе.

Когда он вышел из комнаты, Мэри Бет сказала:

— Я уверена, что вы очень любите Адама.

— Я хочу вам сказать, миссис Уорнер, — запинаясь произнесла Дженнифер, — что мы совсем не думали о…

Мэри Бет Уорнер положила ладонь на ее руку:

— Не надо об этом говорить. Не знаю, рассказывал ли вам Адам, что наш брак превратился в вежливое сосуществование. Мы с Адамом знаем друг друга с детских лет. Мы росли вместе, у нас были одни и те же друзья, и то, что мы когда-нибудь поженимся, являлось практически неизбежным. Поймите меня правильно. Я просто обожаю Адама и уверена, что он еще любит меня. Но люди меняются, не правда ли?

— Да.

Дженнифер с благодарностью посмотрела на Мэри Бет. Она могла устроить ей ужасную сцену, а вместо этого говорила с ней как с подругой. Адам был прав, она замечательная женщина.

— Я так вам благодарна, — сказала Дженнифер.

— Я вам тоже очень благодарна, — сказала Мэри Бет и, смущенно улыбнувшись, добавила: — Видите ли, я тоже сильно влюблена в одного человека и хотела развестись немедленно, но потом подумала, что ради Адама мне стоит подождать до выборов.

Дженнифер была так занята своими чувствами, что совсем забыла о выборах.

— Все уверены, что Адам станет сенатором, — продолжала Мэри Бет, — но, если он сейчас разведется, его шансы станут близки к нулю. До выборов осталось всего полгода, поэтому я решила подождать. — Она посмотрела на Дженнифер. — Извините... Вы согласны со мной?

— Конечно, — ответила Дженнифер.

Теперь ей предстоят большие перемены. Теперь ее судьба будет неразрывно связана с Адамом. Если он станет сенатором, ей придется переехать с ним в Вашингтон. Значит, ей придется оставить свою адвокатскую практику в Нью-Йорке, но это не имеет значения. Самое главное, что они будут вместе.

— Я уверена, что Адам станет известным сенатором, — сказала Дженнифер.

Мэри Бет улыбнулась:

— Моя дорогая, когда-нибудь Адам Уорнер станет известным президентом.

182

* * *

Когда Дженнифер вернулась в свою квартиру, зазвонил телефон. Она сняла трубку и услышала голос Адама.

— Ну, как тебе Мэри Бет?

— Адам, она замечательная женщина!

— То же самое она сказала про тебя.

— Я много слышала о том, каким шармом обладают женщины из южных штатов, но лишь теперь убедилась в этом воочию. Мэри Бет — настоящая светская дама.

— Ты тоже, моя дорогая. В какой церкви ты хотела бы обвенчаться?

— Мне все равно. Но я думаю, что нам следует немного подождать, Адам.

— Чего подождать?

— Подождать, пока не закончатся выборы. Ты не можешь рисковать своей карьерой. Развод может навредить тебе.

— Моя личная жизнь...

— ...станет теперь твоей общественной жизнью. Зачем искушать судьбу? Мы можем подождать шесть месяцев.

— Я не хочу ждать.

— Я тоже не хочу, дорогой. — Дженнифер улыбнулась. — Но ведь это не значит, что мы не будем видеться?

Глава 21

Теперь Дженнифер и Адам обедали вместе почти каждый день, и раз или два в неделю Адам проводил ночь в их квартире. Им надо было соблюдать большую осторожность, ведь предвыборная кампания шла полным ходом и Адам стал известной личностью в стране. Он выступал на политических митингах и обедах по сбору средств, его высказывания часто цитировались в газетах.

Адам и Стюарт Нидхэм пили утренний чай.

— Утром видел тебя в передаче «Сегодня», — сказал Нидхэм. — Ты был великолепен. Они не зря пригласили тебя выступить еще раз.

— Стюарт, я ненавижу эти представления. Я чувствую себя актером, повторяющим свою роль.

Стюарт невозмутимо кивнул:

— Так оно и есть, Адам. Все политики — актеры. Они играют ту роль, которую требует от них публика. Если бы политики говорили то, что думают, тогда страна — как это говорят дети? — перевернулась бы вверх тормашками.

— Мне не нравится, что борьба за сенаторское кресло превращается в личную схватку соперников.

Стюарт Нидхэм улыбнулся:

— Ты должен радоваться, что побеждаешь. Твой рейтинг растет с каждой неделей. — Он отпил чай. — Поверь мне, это только начало. Сначала сенат, а потом — цель номер один, Белый дом. Тебя никто не сможет остановить. — Он отпил еще чаю. — Если, конечно, ты не совершишь какую-нибудь глупость.

Адам посмотрел на него:

— Что ты имеешь в виду?

— Твой соперник не брезгует ничем. Ручаюсь, что сейчас он исследует под микроскопом всю твою жизнь. Надеюсь, что он не найдет там ничего компрометирующего?

— Нет, — автоматически ответил Адам.

— Вот и хорошо, — сказал Стюарт Нидхэм. — Как дела у Мэри Бет?

Дженнифер и Адам провели выходные в Вермонте, в загородном доме, который предоставил им приятель Адама. Воздух здесь был чистый и прохладный, предвещавший скорый приход зимы. Это был великолепный уик-энд, размеренный и спокойный. Днем они подолгу ходили пешком, а вечером разговаривали, сидя у камина.

Они внимательно просмотрели все воскресные газеты. По оценкам всех опросов, Адам уверенно лидировал в предвыборной борьбе. За небольшим исключением, пресса благоприятно относилась к Адаму. Журналистам нравился его стиль, его честность, его ум и откровенность. Его часто сравнивали с Джоном Кеннеди.

Адам посмотрел, как языки пламени отсвечивались на лице Дженнифер.

— Тебе бы хотелось стать женой президента?

— Извини, я уже влюблена в одного сенатора.

— Ты расстроишься, если я проиграю на выборах, Дженнифер?

— Нет. Я хочу, чтобы ты выиграл только потому, что этого хочешь ты.

— В случае победы нам придется переехать в Вашингтон.

— Для меня главное — это быть с тобой.

— А твоя адвокатская практика?

Дженнифер улыбнулась:

— Насколько я слышала, в Вашингтоне тоже есть адвокаты.

— А если я попрошу тебя бросить работу?

— Я ее брошу.

— Но мне бы этого не хотелось. Уж слишком ты хороша в суде.

— Меня интересует только одно — быть всегда вместе с тобой. Я тебя так люблю, Адам.

Погладив ее по волосам, он сказал:

— Я тоже тебя люблю. Очень люблю.

Они пошли спать.

В воскресенье вечером они вернулись в Нью-Йорк. Они остановились возле стоянки, где Дженнифер оставила свою машину. Адам вернулся к себе домой, а Дженнифер — в их нью-йоркскую квартиру.

Дни Дженнифер были насыщены до отказа. Если и раньше ей казалось, что у нее много работы, то теперь у нее совсем не оставалось свободного времени. Она представляла интересы международных корпораций, которые пытались обойти (и попались на этом) сенаторов, запустивших руку в государственную казну, попавших в неприятные истории кинозвезд. Она защищала президентов банков и грабителей банков, политиков и профсоюзных деятелей.

Деньги текли к ней рекой, но они мало интересовали Дженнифер. Она выплачивала большие премии своим сотрудникам и делала им дорогие подарки.

Корпорации, против которых выступала в суде Дженнифер, уже не поручали дела второстепенным юристам, поэтому Дженнифер часто приходилось скрещивать шпагу с самыми талантливыми адвокатами в мире.

Когда ее приняли в члены Американского колледжа уголовного права, даже Кен Бэйли не мог скрыть своего удивления.

— Вот это да! — сказал он. — Ты знаешь, что только один процент всех юристов удостаивается такой чести?

— Я их любимица, — засмеялась Дженнифер.

Когда Дженнифер приходилось представлять интересы своих клиентов в Манхэттене, она могла быть уверена, что против нее будет выступать лично Роберт Ди Сильва. Его ненависть к Дженнифер росла с каждой ее новой победой.

Во время одного процесса, когда Дженнифер выступала против окружного прокурора, Ди Сильва пригласил в качестве свидетелей обвинения ведущих экспертов страны.

Дженнифер выбрала другой способ. Она сказала присяжным:

— Если нам надо построить космический корабль или измерить расстояние до звезды, мы приглашаем экспертов. Но если нам предстоит действительно что-нибудь важное, мы собираем двенадцать простых людей, чтобы они это сделали. Насколько я помню, основатель христианства поступил именно так.

Дженнифер выиграла дело.

Дженнифер знала, как вернее расположить к себе присяжных.

— Я знаю, — говорила она, — что слова «суд» и «зал заседаний» немного пугают вас. Вы редко сталкиваетесь с ними в своей жизни. Но если вы перестанете о них думать, то все, что мы делаем здесь, — это рассматриваем плохие и хорошие поступки таких же людей, как и мы сами. Забудьте, друзья, что вы находитесь в зале заседаний. Давайте представим, что вы сидите в моей гостиной и мы беседуем о том, что произошло с этим беднягой. С моим клиентом.

И присяжные действительно представляли, что они сидят в ее гостиной.

Эта хитрость действовала безотказно, пока однажды она не столкнулась в суде с Ди Сильвой, когда защищала своего клиента. Встав, Ди Сильва обратился к присяжным с речью.

— Дамы и господа, — сказал Ди Сильва, — я хочу, чтобы вы забыли, что находитесь в зале суда. Представьте, что вы сидите в моей гостиной, и мы с вами говорим о тех ужасных преступлениях, которые совершил обвиняемый.

Кен Бэйли наклонился и прошептал на ухо Дженнифер:

— Ты видишь, что делает этот ублюдок? Он своровал твою тактику!

— Не беспокойся, — невозмутимо ответила Дженнифер.

Когда подошла ее очередь выступать с речью, она сказала:

— Дамы и господа. Такого я еще никогда не слышала, — в ее голосе звучало негодование. — Я ушам своим не верю. Как может окружной прокурор советовать вам забыть, где вы находитесь. Суд — это одно из величайших завоеваний нашей нации! Это основа нашей свободы. Вашей, моей, обвиняемого. А окружной прокурор хочет, чтобы вы забыли, кто вы такие, забыли клятву, которую принесли. Я считаю его слова возмутительными. Прошу вас, дамы и господа, помнить, что вы находитесь здесь, чтобы восстановить справедливость!

Присяжные согласно кивали головами.

Дженнифер посмотрела на Роберта Ди Сильву. Он сидел выпрямившись, в глазах у него горела ненависть.

Клиент Дженнифер был оправдан.

После каждой победы Дженнифер обнаруживала у себя в кабинете четыре дюжины алых роз и записку от Майкла

Моретти. Записки она рвала, а цветы отдавала Синтии. Ей было неприятно любое напоминание о нем. Наконец она отправила ему письмо с просьбой больше не присылать цветов.

Но когда она снова выиграла дело, ее опять ждали четыре дюжины роз.

Глава 22

После дела о «Грабителе в дождевике» имя Дженнифер вновь замелькало на первых полосах газет. С обвиняемым ее познакомил преподобный отец Райен.

— У одного из моих друзей небольшие неприятности, — как всегда начал он, и они оба рассмеялись.

На этот раз его другом оказался некий Пол Ричардс, приезжий, обвиняемый в ограблении банка на сто пятьдесят тысяч долларов. Грабитель вошел в банк в длинном черном дождевике, под которым прятал обрез. Поднятый воротник дождевика частично скрывал лицо. Наставив на кассира обрез, нападавший забрал все наличные деньги, выбежал из банка, сел в автомобиль и скрылся. Несколько свидетелей видели удаляющийся седан зеленого цвета с номером, заляпанным грязью.

Ограбление банка считается федеральным преступлением, и делом занялось ФБР. Компьютер по «modus operandi»* выдал имя Пола Ричардса.

Дженнифер встретилась с ним в тюрьме Рикерс-Айленд.

— Клянусь Богом, это не я, — сказал Пол Ричардс. Ему было за пятьдесят, на его красном лице светились голубые, как у ангела, глаза. Он явно был староват, чтобы грабить банки.

— Мне безразлично, виноваты вы или нет, — объяснила ему Дженнифер. — Но у меня есть одно правило — я никогда не защищаю клиента, который мне врет.

---

* «Способ действий» (лат.). В юридической практике — почерк преступника, способ совершения преступления.

— Клянусь жизнью моей матери, это не моих рук дело.

Клятвы уже давно не производили на Дженнифер никакого впечатления. Утверждая, что они невиновны, клиенты клялись жизнями матерей, жен, невест, детей. Если бы Бог принимал эти клятвы всерьез, население Земли заметно бы поубавилось.

— Почему же ФБР арестовало именно вас? — спросила Дженнифер.

Пол Ричардс ответил, ни секунды не колеблясь:

— Потому что лет десять назад я грабанул банк и сдуру попался.

— Там вы тоже использовали обрез, спрятанный под плащом?

— Ага. Я подождал, пока пройдет дождь, а потом обчистил банк.

— Но на этот раз банк ограбили не вы?

— Нет. Просто какой-то умник воспользовался моим методом.

Предварительное слушание дела проходило под председательством Фреда Стивенса, известного своей строгостью. Ходили слухи, что он ратует за то, чтобы всех преступников высадить на каком-нибудь неприступном острове, где бы они и провели остаток жизни. Судья Стивенс считал, что тому, кто впервые попался на воровстве, следует отрубить правую руку, попавшемуся вторично — и левую тоже, согласно древней исламской традиции. Худшего судьи Дженнифер не представляла. Она обратилась к Кену Бэйли.

— Кен, ты не мог бы что-нибудь откопать о судье Стивенсе?

— Судья Стивенс? Да он прямой, как стрела. Он...

— Я знаю. Но ты постарайся.

Федеральным обвинителем выступал старый профессионал по имени Картер Гиффорд.

— Как вы собираетесь представить его суду — виновным или невиновным?

Дженнифер посмотрела на него с искренним удивлением:

— Конечно же невиновным!

Гиффорд сардонически засмеялся:

— Стивенс выбьет из него всю дурь в два счета! Вы ведь хотите, чтобы дело слушалось в суде присяжных?

— Нет.

Гиффорд подозрительно посмотрел на Дженнифер:

— Вы желаете отдать вашего клиента на растерзание этому судье-душегубу?

— Именно так.

Гиффорд ухмыльнулся:

— Я знал, что наступит день, когда ваша звезда закатится, и мне просто не терпится это увидеть!

«Соединенные Штаты Америки против Пола Ричардса».

— Обвиняемый присутствует?

— Да, ваша честь, — ответил секретарь суда.

— Представители сторон, подойдите к судье и представьтесь.

Дженнифер Паркер и Картер Гиффорд приблизились к судейскому месту.

— Дженнифер Паркер, представляет ответчика.

— Картер Гиффорд, представляет правительство Соединенных Штатов.

Повернувшись к Дженнифер, судья Стивенс резко произнес:

— Я наслышан о вашей репутации, мисс Паркер, и поэтому хочу сразу предупредить, что не намерен зря тратить время. Никаких откладываний дела. Закончим все на предварительном слушании и назначим дату суда как можно раньше. Полагаю, что вы предпочитаете суд присяжных и...

— Нет, ваша честь.

Судья Стивенс удивленно посмотрел на нее:

— Вы не собираетесь настаивать на суде присяжных?

— Нет. Потому что здесь нет повода для привлечения моего клиента к суду.

Картер Гиффорд уставился на нее:

— Что?

190

— Я считаю, что у вас недостаточно доказательств для привлечения Пола Ричардса к суду.

— Вам придется изменить свое мнение, — резко сказал Гиффорд и повернулся к судье. — Ваша честь, правительство располагает серьезными доказательствами. Обвиняемый был уже однажды осужден за совершение подобного преступления. Наш компьютер выбрал его из двух тысяч подозреваемых. Виновный находится здесь, в зале судебного заседания, и обвинение не намерено отказываться от передачи дела в суд.

Судья Стивенс повернулся к Дженнифер:

— Суд считает, что имеется достаточно веских доказательств для вынесения дела на суд присяжных. Вам есть что сказать?

— Да, ваша честь. Нет ни одного свидетеля, который мог бы безоговорочно опознать Пола Ричардса. На самом деле единственное, что связывает ответчика с преступлением, так это воображение обвинителя.

Посмотрев на Дженнифер, судья сказал с угрожающей мягкостью:

— А как же быть с компьютером, который выдал его имя?

Дженнифер вздохнула:

— В этом-то вся проблема, ваша честь.

— Я придерживаюсь того же мнения, — хмуро сказал судья. — Можно сбить с толку живого свидетеля, но обвести вокруг пальца компьютер гораздо сложнее.

Картер Гиффорд самодовольно кивнул:

— Именно так, ваша честь.

Дженнифер повернулась к Картеру Гиффорду:

— ФБР использовало компьютер IBM 370/168, не так ли?

— Совершенно верно. Это самый современный компьютер в мире.

Судья Стивенс спросил Дженнифер:

— Намерена ли защита оспаривать способности компьютера?

— Наоборот, ваша честь. Здесь присутствует эксперт по компьютерам, который работает в компании, производящей

IBM 370/168. Именно он вводил информацию, на основе которой машина выдала имя моего клиента.

— Где он?

Дженнифер обернулась и сделала знак рукой высокому худощавому мужчине, сидевшему на скамье. Он нервно направился к судейскому месту.

— Это мистер Эдвард Монро, — представила его Дженнифер.

— Если вы попытаетесь склонить моего свидетеля к даче ложных показаний, — взорвался обвинитель, — то я...

— Я всего лишь хочу спросить мистера Монро, были ли еще вероятные подозреваемые. Я выбрала десять человек с некоторыми общими характеристиками, сходными с моим клиентом. В целях опознания мистер Монро ввел в компьютер данные о возрасте, весе, росте, цвете глаз, месте рождения, одним словом, данные, после которых всплыло имя моего клиента.

— Не понимаю, к чему это? — нетерпеливо перебил судья Стивенс.

— К тому, чтобы компьютер определил из десяти человек наиболее вероятного подозреваемого в ограблении банка.

Судья повернулся к Эдварду Монро:

— Это правда?

— Да, ваша честь. — Открыв кейс, эксперт вытащил оттуда распечатку с компьютера.

Секретарь суда взял из рук Монро и передал судье. Тот взглянул на бумагу, и его лицо побагровело. Он бросил взгляд на Эдварда Монро:

— Это что, шутка?

— Нет, сэр.

— Компьютер выбрал меня в качестве возможного обвиняемого? — спросил судья.

— Да, сэр.

Дженнифер пояснила:

— Компьютер не обладает возможностью рассуждать, ваша честь. Он обосновывает свои выводы лишь на полученной информации. Так уж случилось, что вы и мой клиент одного возраста, роста и веса. У вас обоих машины зеленого цвета, вы оба родились в одном и том же штате. Доказательства, идентичные представленным обвиняющей стороной. Единственный фактор отличия — способ совершения преступления. Когда Пол Ричардс десять лет назад ограбил банк, об этом прочитали миллионы людей, и любой из них мог скопировать метод, которым совершено преступление. Кто-то так и сделал. — Дженнифер указала на бумагу в руках судьи. — Видите, насколько шаткие доказательства у обвинения?

— Ваша честь... — вскрикнул Картер Гиффорд и замолк. Он не знал, что сказать.

Судья Стивенс еще раз взглянул на листок бумаги и перевел взгляд на Дженнифер.

— Интересно, а что бы вы предприняли, если бы судья был помоложе, постройнее меня и ездил бы не на зеленой, а на голубой машине?

— Компьютер выдал мне еще десять вероятных подозреваемых, — ответила Дженнифер. — Наиболее подходящим стал бы окружной прокурор Нью-Йорка Роберт Ди Сильва.

Дженнифер сидела в кабинете, просматривая газеты, когда Синтия объявила:

— К вам мистер Пол Ричардс.

— Пусть войдет.

Он вошел в кабинет в длинном черном плаще, держа в руках коробку конфет, перевязанную красной лентой.

— Я зашел поблагодарить вас.

— Вот видите — справедливость иногда торжествует.

— Я уезжаю из города. Хочу устроить себе что-то вроде маленького отпуска. — Он протянул ей коробку конфет: — Это вам в знак признательности.

— Спасибо, Пол.

Он посмотрел на нее с восхищением:

— Вы замечательная женщина.

И он ушел.

Дженнифер посмотрела на коробку конфет, лежащую на столе, и улыбнулась. Ей случалось получать и меньшее от друзей преподобного отца Райена. Если она растолстеет, это будет на его совести.

Дженнифер развязала ленту и открыла коробку. Внутри лежали десять тысяч долларов старыми бумажками.

Однажды днем, выйдя из зала суда, Дженнифер заметила на обочине шикарный «кадиллак». Когда она поравнялась с машиной, оттуда вышел Майкл Моретти.

— А я жду вас.

Вблизи его мужская красота была просто неотразимой.

— Прочь с дороги, — сказала Дженнифер, покраснев от негодования. Моретти она показалась еще прекраснее, чем при первой их встрече.

— Эй! — засмеялся он. — Поостыньте немного. Я только хотел поговорить с вами. Выслушайте меня. Я оплачу ваше время.

— У вас не хватит денег.

Она сделала шаг в сторону. Майкл Моретти примирительно взял ее за руку. От этого прикосновения его захлестнула волна возбуждения.

Он пустил в ход свое обаяние.

— Будьте благоразумны. Вы не знаете, от чего отказываетесь. Десять минут. Единственное, о чем я вас прошу сейчас. Я подвезу вас до конторы, и по пути мы сможем поговорить.

Дженнифер изучающе посмотрела на него и сказала:

— Ладно. Но при одном условии — вы ответите мне на один вопрос.

Майкл Моретти согласно кивнул.

— Кому пришла мысль подсунуть мне дохлую канарейку?

— Это была моя идея, — не колеблясь ответил он.

Теперь ее догадки подтвердились, и она была готова убить его. Она села в машину с хмурым лицом. Майкл Моретти сел рядом с ней.

Дженнифер отметила, что он назвал водителю ее адрес, не осведомившись у нее. Когда лимузин тронулся с места, Моретти обратился к Дженнифер:

— Меня очень радуют ваши успехи.

Дженнифер промолчала.

— Это действительно так.

— Вы до сих пор не сказали, что вам от меня надо.

— Я хочу сделать вас богатой.

— Спасибо, я достаточно богата. — В ее голосе звучало презрение.

Моретти вспыхнул.

— Я хочу оказать вам услугу, а вы всячески этому противитесь, — сказал он примирительно. — Может, я просто хочу загладить перед вами свою вину. Видите ли, я могу обеспечить вам клиентуру. Очень состоятельную клиентуру. Вы даже не представляете...

Дженнифер перебила его:

— Мистер Моретти, окажите услугу нам обоим — не говорите больше ни слова.

— Но я могу...

— Я не собираюсь защищать ваших клиентов.

— Но почему?

— Если я пойду на это хотя бы один раз, то попаду к вам в зависимость.

— Вы неправильно меня поняли, — запротестовал Моретти. — Мои друзья занимаются легальным бизнесом. Я имею в виду банки, страховые компании...

— Не тратьте понапрасну слов. Я не оказываю услуги мафии.

— Кто говорит о мафии?

— Называйте это как угодно. Я не принадлежу никому, кроме себя, и не собираюсь делать исключений.

Машина остановилась перед светофором.

— Мы почти приехали, — сказала Дженнифер. — Спасибо, что подвезли. — Она открыла дверцу и вышла.

— Когда мы увидимся снова? — спросил Моретти.

— Никогда.

Он проводил ее взглядом.

«Бог ты мой, — подумал он. — Какая женщина!» Он улыбнулся, не сомневаясь, что рано или поздно все равно добьется ее.

Глава 23

Заканчивался октябрь. До выборов оставалось две недели, и борьба за сенаторское кресло была в самом разгаре. Соперником Адама был опытный политик сенатор Джон Троубридж, и эксперты предсказывали ожесточенную схватку.

В одной из телепередач Дженнифер видела, какой жаркий спор разгорелся между Адамом и его политическим конкурентом. Мэри Бет была права. Развод лишил бы Адама шансов на успех.

Однажды, когда Дженнифер вернулась в свою контору после продолжительного делового обеда, Синтия сообщила, что с ней срочно хочет поговорить Рик Арлен.

— Он раза три звонил за последние полчаса, — сказала Синтия.

Рик Арлен был рок-звездой, певцом, за короткое время добившимся огромной популярности во всем мире. Дженнифер и раньше слышала о невероятных доходах рок-музыкантов, но воочию убедилась в этом, когда стала вести дело Рика Арлена. Прибыли от продажи пластинок, концертов, участия в фильмах и рекламных роликах приносили ему более пятнадцати миллионов долларов в год. Рику, парню из Алабамы, родившемуся с золотым горлом, было всего двадцать пять лет.

— Соедини меня с ним, — сказала Дженнифер.

Через пять минут она уже разговаривала с Риком.

— Эй, крошка, я уже все телефоны оборвал, пытаясь дозвониться тебе.

— Извини, Рик. У меня была деловая встреча.

— Есть одна проблема. Надо срочно увидеться.

— Заходи ко мне завтра днем.

— Не пойдет. Я в Монте-Карло по приглашению принцессы Грейс. Когда ты сможешь прилететь?

— Вряд ли я смогу, — запротестовала Дженнифер. — У меня столько...

— Солнышко, ты мне нужна. Вылетай сегодня же.

И он повесил трубку.

Дженнифер задумалась. Арлен не захотел обсуждать свою проблему по телефону. Это могло быть связано с чем угодно: наркотиками, девушками или молодыми людьми. Сначала Дженнифер хотела послать к нему Теда Харриса или Дэна Мартина, но ей очень нравился Рик Арлен, и в конце концов она решила лететь сама.

Она попыталась дозвониться Адаму, но ей это не удалось.

— Забронируй мне билет на рейс «Эр Франс» до Ниццы, — сказала она Синтии. — Договорись, чтобы там в аэропорту меня встретили на машине и отвезли в Монте-Карло.

Через двадцать минут Синтия сообщила Дженнифер, что она вылетает рейсом в семь часов вечера.

— Из Ниццы в Монте-Карло летает вертолет. Я забронировала тебе билет.

— Прекрасно. Спасибо.

Услышав, что Дженнифер собирается улетать, Кен Бэйли сказал:

— Что этот сопляк себе позволяет?

— Он может себе это позволить, Кен. Это один из самых богатых наших клиентов.

— Когда ты вернешься?

— Дня через три-четыре.

— Возвращайся поскорее. Я буду скучать по тебе.

«Интересно, — подумала Дженнифер, — было ли у него что-нибудь с тем молодым блондином?»

— Удерживай крепость до моего возвращения.

Обычно Дженнифер получала наслаждение от полета. Оказавшись в воздухе, она чувствовала себя свободной, далекой от земных проблем и бесконечных клиентов. Но этот перелет через Атлантику оказался неприятным. Ей казалось, что самолет постоянно проваливается в воздушные ямы, и ее тошнило.

Она почувствовала себя немного лучше, лишь когда самолет приземлился на следующее утро в Ницце. Там ее ждал вертолет. До этого Дженнифер никогда не летала на вертолетах и была рада, что ей представилась такая возможность. Но когда тот поднялся в воздух, Дженнифер снова стало плохо. Она была не в состоянии любоваться величественным видом лежащих внизу Альп.

Вскоре появились городские постройки Монте-Карло, и через несколько минут вертолет приземлился возле современного здания казино, расположенного на пляже.

Синтия предупредила Рика о прилете Дженнифер, и тот встречал ее. Обняв ее, он спросил:

— Ну, как долетела?

— Немного устала.

Внимательно посмотрев на нее, он заметил:

— Да, вид у тебя неважный. Я отвезу тебя в свой номер, чтобы до концерта ты оклемалась.

— До концерта?

— Состоится гала-представление. Поэтому я позвал тебя.

— Что?

— Ну да. Принцесса Грейс сказала, что я могу пригласить кого угодно. Я выбрал тебя.

— О Боже!

Она готова была задушить его. Как он мог! Три тысячи миль отделяли ее от Адама, от клиентов, от судебных заседаний... А он заманил ее на гала-представление в Монте-Карло!

— Рик, что ты наделал!

Но, посмотрев на его сияющее лицо, она рассмеялась.

Что теперь поделаешь. К тому же представление наверняка будет интересным.

Представление на самом деле оказалось великолепным. Это был благотворительный концерт в пользу детей-сирот, устроенный принцессой Грейс и Ренье Гримальди. Он проходил в парке, примыкающем к казино. Вечер был превосходным. Легкий ветерок со Средиземного моря качал пальмовые листья. Как было бы хорошо, если бы с ней сейчас был Адам, подумала Дженнифер. Всего на концерт были приглашены полторы тысячи зрителей.

Среди выступающих было немало международных рок-звезд, но гвоздем программы был, конечно, Рик Арлен. Когда он закончил петь, зрители вскочили с мест, устроив ему шумную овацию.

Затем возле бассейна отеля «Париж» был организован прием для именитых гостей. Столики с напитками и закусками были расставлены вокруг огромного бассейна, где в искусственных лилиях плавали десятки зажженных свечей.

Гостей было около трехсот человек. У Дженнифер не было вечернего платья, и она чувствовала себя Золушкой среди дам в шикарных туалетах. Рик представил ее графам, графиням, принцу и принцессе. Казалось, что все королевские особы Европы собрались здесь. Она познакомилась с главами картелей и знаменитыми оперными певцами. Среди приглашенных были всемирно известные модельеры, владельцы салонов красоты и даже король футбола — Пеле. Дженнифер разговаривала с двумя швейцарскими банкирами, когда вдруг почувствовала приступ тошноты.

— Извините, — сказала Дженнифер.

Она нашла Рика Арлена.

— Рик, послушай…

Взяв ее за руку, он сказал:

— Крошка, на тебе лица нет. Мотаем отсюда.

Через полчаса Дженнифер лежала в постели на вилле, которую снимал Рик Арлен.

— Доктор скоро приедет, — сообщил он.

— Мне не нужен доктор. Это просто вирус или что-нибудь еще.

— Правильно. Вот он и посмотрит это «что-нибудь еще».

* * *

Седовласому доктору Андре Монто было около восьмидесяти лет. У него была аккуратно подстриженная бородка, в руках он держал черный медицинский саквояж.

— Оставьте нас одних, — попросил он Рика Арлена.

— Конечно, я подожду в другой комнате.

Доктор подошел к постели:

— Ну-с. Что у нас произошло?

— Если бы я знала, — слабо ответила Дженнифер.

Он присел на край постели:

— Как вы себя чувствуете?

— Как будто у меня бубонная чума.

— Покажите язык.

Дженнифер высунула язык. Доктор Монто измерил ей температуру и пощупал пульс.

Когда он закончил, Дженнифер спросила:

— Что у меня?

— Сейчас трудно сказать, моя дорогая. Если вы завтра будете чувствовать себя лучше, зайдите ко мне, и я вас тщательно осмотрю.

Дженнифер слишком устала, чтобы спорить с ним.

— Ладно, — сказала она. — Зайду.

Утром Рик Арлен отвез ее в Монте-Карло, где доктор Монто подверг ее тщательному обследованию.

— У меня какая-нибудь инфекция? — спросила Дженнифер.

— Если вас интересует предсказание, — ответил старый доктор, — обратитесь к гадалке. А если вы хотите точно знать, что с вами, то подождите результатов анализов.

— А долго ждать?

— Обычно это занимает два-три дня.

Дженнифер знала, что она не может остаться здесь еще на три дня. Ей хотелось как можно скорее увидеться с Адамом.

— А пока вам надо полежать в постели и отдохнуть. — Он протянул ей бутылочку с таблетками. — Принимайте это.

— Спасибо. — Дженнифер написала что-то на листке бумаги. — Со мной можно связаться по этому телефону.

200

Когда Дженнифер ушла, доктор Монто посмотрел на листок бумаги. На нем был написан нью-йоркский номер телефона.

В парижском аэропорту, где Дженнифер пересела в другой самолет, она приняла две таблетки, которые ей дал доктор Монто, и таблетку снотворного. Она спала на протяжении всего полета, но, когда вышла из самолета в аэропорту Нью-Йорка, ее состояние не улучшилось. На такси она добралась до своей квартиры.

Был вечер, когда зазвонил телефон.

— Дженнифер! Где ты была?.. — услышала она голос Адама.

Она собрала все силы в кулак:

— Извини, дорогой, я летала в Монте-Карло на встречу с клиентом и никак не могла тебе позвонить.

— Я так беспокоился. С тобой все в порядке?

— Все отлично. Устала только немного.

— Господи. А я уже не знал, что и думать.

— Не волнуйся, — успокоила его Дженнифер. — Как идет твоя предвыборная кампания?

— Прекрасно. Когда мы встретимся? Я сегодня собирался лететь в Вашингтон, но могу отложить...

— Не надо, — сказала Дженнифер. Она не хотела, чтобы Адам видел ее в таком состоянии. — У меня накопилось много дел. Мы проведем вместе конец недели.

— Ладно, — нехотя согласился он. — Если в одиннадцать еще не будешь спать, можешь увидеть меня в выпуске новостей Си-би-эс.

— Обязательно, дорогой.

Через пять минут после того как Дженнифер повесила трубку, она уже спала мертвым сном.

Утром Дженнифер позвонила Синтии и предупредила, что сегодня на работу не пойдет. Хотя она и выспалась, но чувствовала себя скверно. Дженнифер приготовила себе завтрак, но ничего не смогла съесть. У нее была ужасная слабость, и она вспомнила, что уже три дня ничего не ела.

Сама того не желая, она стала представлять все самое страшное, что могло случиться с ней. Сначала, конечно, рак. Она ощупала грудь, ища твердые узелки, но ничего не нашла. Хотя рак может появиться где угодно. Может, это был какой-то вирус, но в этом случае доктор обнаружил бы его. Самое ужасное, что это могло быть все что угодно. Дженнифер чувствовала себя потерянной и беспомощной. Она не была ипохондриком, никогда не жаловалась на здоровье, а теперь чувствовала, что ее тело предало ее. Как же это могло случиться? Особенно сейчас, когда все было так прекрасно.

Все пройдет. Она снова будет чувствовать себя хорошо.

Ее опять затошнило.

В одиннадцать утра из Монте-Карло позвонил доктор Андре Монто. Раздался голос телефонистки:

— Минутку. Сейчас я вас соединю.

Дженнифер вцепилась в телефонную трубку, ей показалось, что прошла целая вечность, прежде чем она услышала голос доктора Монто.

— Ну, как вы себя чувствуете?

— Все так же, — нервно ответила Дженнифер. — Что показали анализы?

— У меня для вас хорошие новости, — сказал доктор Монто. — Это не бубонная чума.

Дженнифер больше не могла вытерпеть:

— Что со мной? Чем я больна?

— Мисс Паркер, у вас будет ребенок.

Дженнифер тупо посмотрела на телефон.

— Вы... вы уверены?

— Кролики не ошибаются. Полагаю, это ваш первый ребенок.

— Да.

— Я посоветовал бы вам как можно быстрее обратиться в женскую консультацию. Судя по первым симптомам, у вас могут быть осложнения при родах.

— Да, — ответила Дженнифер. — Спасибо, что позвонили, доктор Монто.

Она положила трубку. Тысячи мыслей крутились у нее в голове. Она не могла с уверенностью сказать, когда это могло случиться. Она не могла разобраться в своих чувствах. У нее будет ребенок от Адама. И внезапно Дженнифер поняла, как она себя чувствует. Она чувствует себя превосходно. Казалось, что ей преподнесли бесценный подарок. Время было подходящее, как будто Бог был на их стороне. Выборы скоро закончатся, и они с Адамом сразу же поженятся. У них будет мальчик. Дженнифер была уверена в этом. Ей не терпелось рассказать об этом Адаму.

Она позвонила ему на работу.

— Мистера Уорнера нет, — сообщила ей секретарша. — Попробуйте позвонить ему домой.

Дженнифер не хотелось звонить Адаму домой, но ее просто распирало от новостей. Она набрала его домашний номер. К телефону подошла Мэри Бет.

— Простите за беспокойство, — извинилась Дженнифер. — Я бы хотела поговорить с Адамом. Это Дженнифер Паркер.

— Как я рада, что вы позвонили, — сказала Мэри Бет. — Адама сейчас нет дома, но он скоро должен вернуться. Почему бы вам не приехать к нам. Поужинаем вместе. Скажем, в семь часов?

Дженнифер заколебалась.

— Это будет прекрасно, — наконец ответила она.

Просто чудом Дженнифер не попала в аварию, направляясь в поместье Уорнеров. Ее мысли были далеко, она мечтала о будущем. Они с Адамом часто говорили о детях. Она помнила его слова: «Я хочу, чтобы наши дети были похожи на тебя».

Дженнифер показалось, что она почувствовала шевеление в животе, но убедила себя, что это ей показалось. Срок был небольшой. Но внутри у нее был ребенок Адама. Он живой и скоро начнет двигаться. Это будет так здорово. Она...

Дженнифер услышала, как кто-то сигналит ей, и, подняв глаза, увидела, что она чуть не заставила съехать на обочину большой грузовик. Виновато улыбнувшись, она повернула руль. Сегодня ничто не могло испортить ей настроение.

Уже смеркалось, когда Дженнифер подъехала к дому Уорнеров. Шел небольшой снег, и деревья казались сделанными из серебра. Мэри Бет, в парчовом платье, открыла ей дверь и тепло поздоровалась, взяв за руку. Это напомнило Дженнифер об их первой встрече. Мэри Бет, казалось, вся сияла от счастья. Она непрерывно говорила, и Дженнифер почувствовала себя легко и непринужденно. Они прошли в библиотеку, где в камине весело потрескивали дрова.

— Адам еще не пришел, — сказала Мэри Бет. — Наверное, он задержится. Но мы с вами пока сможем поболтать. У вас по телефону был такой восторженный голос. — Мэри Бет заговорщицки наклонилась к ней. — Так какие у вас новости?

Посмотрев на эту милую женщину, сидящую напротив, Дженнифер выпалила:

— У меня будет ребенок от Адама.

Откинувшись в кресле, Мэри Бет улыбнулась:

— Надо же! У меня тоже.

Дженнифер уставилась на нее:

— Я... я не понимаю.

Мэри Бет засмеялась:

— А что тут понимать, моя дорогая. Ведь мы с Адамом женаты, вы ведь знаете об этом.

— Но, — медленно сказала Дженнифер, — но вы ведь разводитесь.

— Милая моя, зачем мне разводиться с Адамом? Я его обожаю.

У Дженнифер заломило в затылке. Какой бессмысленный разговор.

— Вы же сказали, что влюблены в другого человека. Вы сказали...

— Я сказала, что влюблена. Я люблю Адама, вот что я вам сказала. Я полюбила его с того раза, когда впервые увидела его.

Она, наверное, дразнила Дженнифер, хотела пошутить. Ведь это не могло быть правдой!

— Перестаньте! — сказала Дженнифер. — Вы ведь с ним как брат и сестра. Адам ведь не спит с вами...

Мэри Бет снова рассмеялась.

— Моя дорогая! Просто удивительно, как такая умная женщина, как вы, могла попасться на эту уловку. — Она укоризненно покачала головой. — Вы ему поверили. Мне вас жаль. Искренне жаль.

Дженнифер изо всех сил пыталась держать себя в руках.

— Адам любит меня. Мы с ним поженимся.

Мэри Бет посмотрела на нее, и в ее глазах Дженнифер увидела такую ненависть, что замолчала.

— Это сделает Адама двоеженцем. Я никогда не разведусь с ним. Если я позволю Адаму развестись со мной и жениться на вас, он проиграет на выборах. А так он станет победителем. А потом, со временем, мы переедем в Белый дом, Адам и я. В его жизни нет места таким, как вы. И никогда не было. Он только думает, что любит вас. Но у него это пройдет, когда он узнает, что я ношу его ребенка. Адам всегда хотел иметь детей.

Дженнифер прикрыла глаза, стараясь унять невыносимую боль.

— Может, вам принести чего-нибудь? — участливо спросила Мэри Бет.

Дженнифер открыла глаза:

— Вы уже сказали ему, что у вас будет ребенок?

— Еще нет, — улыбнулась Мэри Бет. — Я расскажу ему об этом сегодня, когда он вернется и мы ляжем в постель.

— Вы чудовище, — с отвращением сказала Дженнифер.

— Все зависит от точки зрения, моя дорогая. Я — жена Адама, а вы — его шлюха.

Дженнифер встала, слегка покачиваясь. В висках неистово пульсировала боль. В ушах шумело, и она боялась, что упадет в обморок. Неуверенно ступая, она пошла к двери.

У выхода Дженнифер остановилась, пытаясь собраться с мыслями. Адам говорил, что любит ее, но занимался любовью с этой женщиной, и она забеременела от него.

Открыв дверь, Дженнифер вышла в холодную ночь.

Глава 24

Наступил заключительный этап предвыборной кампании. Адам несколько раз звонил Дженнифер, но никак не мог толком поговорить с ней, так как рядом с ним постоянно кто-то находился. Дженнифер тоже не могла рассказать ему свои новости.

Дженнифер поняла, как забеременела Мэри Бет. Она хитростью заманила Адама в постель. Но Дженнифер хотела, чтобы Адам сам сказал об этом.

— Через несколько дней я вернусь, и мы поговорим, — сказал Адам.

До выборов оставалось пять дней. Адам был достоин победы. Мэри Бет была права, когда говорила, что это только первый шаг на пути к Белому дому. Дженнифер оставалось лишь ждать результатов голосования.

Если Адама выберут сенатором, Дженнифер потеряет его. Адам уедет в Вашингтон вместе с Мэри Бет. О разводе и речи не может быть. Пресса не пропустит такой скандал: новоизбранный сенатор разводится со своей беременной женой, чтобы жениться на беременной любовнице. Но если Адам проиграет на выборах, он будет свободен. Он снова будет работать в своей юридической фирме, сможет жениться на Дженнифер и не волноваться о последствиях. Они смогут не расставаться до конца своих дней. У них будет ребенок.

В день выборов похолодало, шел дождь. Но интерес к выборам был настолько велик, что ожидался большой наплыв избирателей.

Утром Кен Бейли спросил ее:

— Собираешься голосовать?

— Да.

— Борьба будет до последнего.

— Именно так.

Днем она пошла голосовать и, стоя в кабинке, подумала: «Голос за Адама Уорнера — это голос против Дженнифер Паркер». Она проголосовала за Адама и вышла из кабинки. Она не могла заставить себя вернуться на работу. Весь день она ходила по улицам, стараясь ни о чем не думать, ничего не чувствовать. Но она думала только об одном. Она чувствовала, что в ближайшие несколько часов решится ее судьба.

Глава 25

— Давным-давно уже не было такой напряженной борьбы на финишной прямой, — говорил комментатор с экрана телевизора.

Дженнифер сидела в своей квартире и смотрела отчет о подсчете голосов по Эн-би-си. Она приготовила себе легкий ужин, но от волнения совсем не могла есть. Закутавшись в халат, она сидела на диване, слушая, как о ее судьбе рассказывают миллионам зрителей. У каждого из них была своя причина желать успеха одному или другому кандидату, но Дженнифер была уверена, что вряд ли исход выборов может так изменить их жизнь, как ее. Если Адам победит, значит, они никогда не будут вместе. Значит, у них никогда не будет ребенка...

На экране появился Адам, а рядом с ним — Мэри Бет. Дженнифер гордилась тем, что может легко разбираться в людях, понимать причины, толкающие их на те или иные поступки. Но этой сладкоголосой стерве удалось обвести ее вокруг пальца. Перед глазами у нее стояла картина, как Адам и Мэри Бет зачинают ребенка. Изо всех сил она пыталась не думать об этом.

— Последние сведения о подсчете голосов в борьбе за сенаторское кресло между Джоном Троубриджем и Адамом Уорнером. В Манхэттене Джон Троубридж набрал 221 375 голосов, Адам Уорнер — 214 895. В пятьдесят пятом избирательном округе в районе Куинс Джон Троубридж на два процента обгоняет своего соперника.

Жизнь Дженнифер измерялась теперь в процентах.

207

— Общее количество голосов, — продолжал вещать комментатор с телеэкрана, — в Бронксе, Бруклине, Куинсе, Ричмонде, а также в округах Нассау, Роклэнд, Суффолк и Вестчестер составляет 2 300 000 за Джона Троубриджа и 2 120 000 за Адама Уорнера. Пока еще не поступили сведения из других штатов. Адам Уорнер оказался довольно сильным противником для сенатора Троубриджа, который уже третий срок удерживает это кресло. С самого начала голоса избирателей разделились пополам. Согласно последним сообщениям, проголосовало уже шестьдесят два процента избирателей. Сенатор Троубридж начинает вырываться вперед. Мне только что сообщили, что сенатор Троубридж лидирует уже с перевесом в два с половиной процента. Если эта тенденция сохранится, то наш компьютер предсказывает победу сенатору Троубриджу.

С бьющимся сердцем Дженнифер смотрела на экран. Ей казалось, что миллионы избирателей отдают свои голоса, решая, с кем быть Адаму — с Дженнифер или с Мэри Бет. У нее закружилась голова, и она почувствовала слабость. Она вспомнила, что так ничего и не поела. Ничего, она поест потом. Сейчас ее интересовало только то, что происходило на экране телевизора. Напряжение нарастало с каждой минутой, с каждым часом.

К полуночи сенатор Джон Троубридж имел перевес уже в три процента. В два часа ночи, когда проголосовал семьдесят один процент избирателей, сенатор Троубридж имел преимущество в три с половиной процента. Согласно предсказаниям компьютера, ему была обеспечена победа.

Дженнифер смотрела на экран, чувствуя себя совершенно опустошенной. Адам проиграл. Дженнифер выиграла. Она выиграла Адама и их сына. Теперь она могла сказать ему, что у них будет ребенок, и могла начать строить планы на будущее.

У нее болело сердце за Адама, ведь она знала, как много значили для него эти выборы. Но ничего, это временное поражение. Когда-нибудь он вновь выставит свою кандидатуру, и Дженнифер будет ему помощницей. Он еще молод. Весь мир перед ними — перед Дженнифер и Адамом. Перед Дженнифер, Адамом и их сыном.

* * *

Дженнифер заснула на диване, и ей приснилось, что Адама выбрали президентом США. Она, Адам и их сын сидели в Овальном кабинете Белого дома. Адам выступал с приветственной речью. Тут в комнату ворвалась Мэри Бет. Адам принялся кричать на нее. Его голос становился все громче и громче. Дженнифер проснулась. Голос принадлежал комментатору с телеэкрана. Телевизор все еще работал. Было раннее утро.

Комментатор с осунувшимся лицом читал последние сводки о подсчете голосов. Еще не полностью проснувшись, Дженнифер посмотрела на экран. Уже поднимаясь с дивана, она услышала:

— Итак, закончились выборы в сенат США в штате Нью-Йорк. Такого уже давно не случалось в политической жизни. Адам Уорнер обошел на финише ветерана Джона Троубриджа с преимуществом менее чем в полпроцента.

Конец. Дженнифер проиграла.

Глава 26

Когда на следующее утро Дженнифер вошла в кабинет, Синтия сказала:

— Мисс Паркер, звонит мистер Адамс. Вас соединить?

Поколебавшись, Дженнифер ответила:

— Ладно. Соединяй.

Сев за стол, она подняла трубку.

— Здравствуй, Адам. Поздравляю.

— Спасибо. Нам надо поговорить. Давай пообедаем вместе.

— Хорошо.

Рано или поздно это должно было случиться.

Со времени их последней встречи прошло три недели. Она изучающе посмотрела на него. Адам выглядел усталым, его лицо осунулось. Он должен был радоваться победе, но вместо этого выглядел нервным и неуверенным. Они заказали обед, но никто из них так и не притронулся к еде. Они говорили о выборах, пряча за словами свои чувства.

Их беседа стала уже совсем невыносимой, когда наконец Адам сказал:

— Дженнифер... — Он тяжело вздохнул. — У Мэри Бет будет ребенок.

Ей было тяжело слышать это из его уст.

— Прости, дорогая. Это... Так уж случилось. Трудно все объяснить.

— Не надо ничего объяснять. — Дженнифер ясно видела эту картину: Мэри Бет в соблазнительном пеньюаре или голая — и Адам...

— Я чувствую себя полным идиотом, — продолжал Адам. Он замолчал, и повисла неловкая пауза. — Мне сегодня звонил председатель Национального комитета. Они хотят, чтобы я выставил свою кандидатуру на следующих президентских выборах. — Он замялся. — Проблема в том, что Мэри Бет беременна, и сейчас неподходящее время для развода. Черт возьми, я не знаю, что делать. Я уже три ночи не спал, думая об этом. — Он посмотрел на Дженнифер. — Мне не хочется просить тебя об этом, но, может, ты подождешь, пока все уляжется?

Дженнифер посмотрела на Адама и почувствовала такую боль, которую вынести было просто невозможно.

— Мы будем продолжать встречаться как можно чаще, — сказал Адам. — Мы...

— Нет, Адам, — через силу произнесла Дженнифер. — Все кончилось.

Он посмотрел на нее:

— Ты не можешь так говорить. Я люблю тебя. Мы найдем способ...

— Нет, Адам. Твоя жена и ребенок не исчезнут. Между нами все кончено. Мне было с тобой так хорошо. Я помню каждую минуту.

Она встала, зная, что, если она сейчас не уйдет, с ней случится истерика.

— Мы не должны больше встречаться.

Она не могла заставить себя посмотреть в его наполненные болью глаза.

— Господи, Дженнифер, не говори так. Пожалуйста, не говори! Мы...

Но она уже ничего не слышала. Она спешила к выходу, оставляя Адама в прошлой жизни.

Глава 27

Она не отвечала на звонки Адама. Отсылала его письма, не вскрывая их. На последнем письме, которое она получила от него, Дженнифер написала: «Адресат умер» — и бросила обратно в почтовый ящик. «Это правда, — подумала Дженнифер. — Я умерла».

Она и не подозревала, что существует такая боль. Она хотела быть одна, но не могла. Внутри у нее зарождался человек, часть ее и часть Адама. И она собиралась убить его.

Дженнифер решила, что ей лучше сделать аборт. Еще несколько лет назад ей пришлось бы прибегнуть к помощи нелегального врача, но теперь в этом не было никакой необходимости. Она могла лечь в больницу, и дипломированный хирург сделает ей операцию. Но только не в Нью-Йорке. Слишком часто ее фотография появлялась в газетах, слишком часто ее показывали по телевизору. Ей нужна полная анонимность, никто не должен задавать ей никаких вопросов. Никогда ее имя не должно ассоциироваться с Адамом Уорнером. Сенатором Соединенных Штатов Адамом Уорнером. Ребенок должен умереть в безвестности.

Дженнифер представила, каким мог быть ее ребенок, и зарыдала.

Начался дождь. Дженнифер посмотрела на небо и подумала, что Бог, наверное, плачет вместе с ней.

Кен Бэйли был единственным человеком, к которому Дженнифер могла обратиться за помощью.

— Мне надо сделать аборт, — без преамбул сказала она. — У тебя есть на примете хороший врач?

Он попытался скрыть свое удивление, но Дженнифер заметила, как изменилось его лицо.

— Где-нибудь подальше от Нью-Йорка. Там, где меня не знают.

— Может быть, на острове Фиджи? — В его голосе звучала злость.

— Я ведь серьезно...

— Извини... Ты застала меня врасплох. — Он был просто поражен. Кен боготворил Дженнифер. Он чувствовал, что влюблен в нее, но одна только мысль об этом приносила ему ужасные мучения. Он никогда не сможет вести себя с Дженнифер как со своей женой. «Господи, — подумал Кен. — Почему ты не можешь решить раз и навсегда, кто я такой на самом деле?»

Взъерошив свои рыжие волосы, он сказал:

— Если тебе не подходит Нью-Йорк, я бы посоветовал Северную Каролину. Это не так далеко.

— Ты можешь помочь мне найти врача?

— Да, конечно. Я...

— Да?

Он посмотрел в сторону:

— Ничего.

Кен Бэйли исчез на три дня. Когда он наконец вошел в кабинет Дженнифер, он был небрит, а под глазами были мешки.

Посмотрев на него, Дженнифер спросила:

— С тобой все в порядке?

— Думаю, да.

— Я могу тебе чем-нибудь помочь?

— Нет. — «Уж если Бог не может помочь мне, что можешь сделать ты, любовь моя?»

Он протянул Дженнифер листок бумаги. На нем было написано: «Доктор Эрик Линден, больница «Мемориал», Шарлотта, Северная Каролина».

— Спасибо, Кен.

— Не за что. Когда ты собираешься это сделать?

— В выходные.

Помявшись, он спросил:

— Ты хочешь, чтобы я поехал с тобой?

— Нет, спасибо.

— А как ты доедешь обратно?

— Я сама справлюсь.

Он стоял, нерешительно переминаясь с ноги на ногу.

— Это, конечно, не мое дело, но ты уверена, что хочешь это сделать?

— Уверена.

У нее не было выбора. Больше всего на свете она хотела оставить ребенка Адама, но знала, что ей будет не под силу воспитать его самой.

Она посмотрела на Кена и повторила:

— Я уверена.

Больница располагалась в старом аккуратном здании в пригороде Шарлотты.

В приемном покое ее встретила седовласая женщина лет шестидесяти:

— Чем могу вам помочь?

— Я — миссис Паркер, — сказала Дженнифер. — Я договорилась о встрече с доктором Линденом для... для... — Она не могла выговорить это слово.

Женщина понимающе кивнула:

— Доктор ждет вас, миссис Паркер. Я скажу, чтобы вас проводили к нему.

Молодая медсестра провела ее в комнату для осмотров и сказала:

— Я передам доктору Линдену, что вы здесь. А вы пока разденьтесь. Пижама в шкафу.

Медленно, как во сне, Дженнифер разделась и надела белую больничную пижаму. Ей казалось, что она надевает фартук мясника. Она собиралась убить зарождавшуюся внутри нее жизнь. Мысленно Дженнифер представляла, что пижама залита кровью. Кровью ее ребенка. Она почувствовала, что вся дрожит.

— Ну что вы, — услышала она голос. — Расслабьтесь.

Дженнифер подняла голову и увидела полного лысого мужчину в очках, делавших его похожим на сову.

— Меня зовут доктор Линден. — Он посмотрел на листок бумаги, который держал в руке. — А вы — миссис Паркер.

Дженнифер кивнула.

Взяв ее за руку, он мягко сказал:

— Садитесь. — Он налил ей из крана стакан воды. — Выпейте это.

Дженнифер послушно выпила воду. Доктор Линден сел на стул и подождал, пока у нее пройдет дрожь.

— Итак, вы хотите сделать аборт?

— Да.

— Вы обсудили этот вопрос с мужем, миссис Паркер?

— Да. Мы... мы оба хотим этого.

Он изучающе посмотрел на нее:

— Вы выглядите здоровой женщиной.

— Я чувствую себя хорошо.

— У вас экономические трудности?

— Нет, — резко ответила Дженнифер. — К чему все эти вопросы? Просто мы не хотим иметь ребенка.

Доктор Линден достал трубку:

— Вам не будет мешать дым?

— Нет.

Доктор Линден раскурил трубку.

— Дурная привычка. — Он выпустил клуб дыма.

— Может, мы побыстрее закончим со всем этим? — спросила Дженнифер.

Нервы у нее были напряжены до предела. Она чувствовала, что еще немного и у нее начнется истерика.

Доктор Линден выпустил еще одно облако дыма.

— Побеседуем еще пару минут.

Огромным усилием воли Дженнифер попыталась сдержать свои эмоции.

— Хорошо.

— Что касается абортов, — сказал доктор Линден, — то это необратимая вещь. Сейчас вы еще можете изменить свое решение, но потом будет слишком поздно.

— Я не изменю своего решения.

Он кивнул и выпустил облако дыма.

— Это хорошо.

От приторного запаха табака Дженнифер затошнило.

— Доктор Линден...

Нехотя он поднялся.

— Ну что ж, давайте вас осмотрим.

Дженнифер легла на стол осмотра, поставив ноги на холодные металлические стремена. Она чувствовала, как он ощупывал ее пальцами. Он делал это умело, и ей было совсем не стыдно. У нее возникло чувство необратимой потери. Перед ее глазами стоял ее сын, потому что она была уверена, что это должен быть мальчик. Он бегал, играл, смеялся. Маленькая копия своего отца.

Доктор Линден закончил осмотр.

— Можете одеваться, миссис Паркер. Можете остаться здесь на ночь, а утром мы сделаем операцию.

— Нет, — сказала она резче, чем ей хотелось. — Я хочу закончить все прямо сейчас.

Доктор Линден снова изучающе посмотрел на нее.

— Перед вами у меня два пациента. Я скажу медсестре, чтобы она подготовила вас. Операцию сделаем часа через четыре. Пойдет?

— Пойдет, — прошептала Дженнифер.

Она лежала на больничной койке, закрыв глаза, ожидая, когда придет доктор Линден. На стене тикали большие часы. Ей казалось, что они говорят: «Твой сын, твой сын».

Перед глазами у Дженнифер стоял ее ребенок. Сейчас он находился в ее теле, чувствуя себя уютно и спокойно. «Интересно, — подумала Дженнифер, — знает ли он, что должно с ним случиться? Будет ли ему больно, когда острый нож войдет в его тельце?» Она закрыла уши руками, чтобы не слышать тиканья часов. Дыхание ее участилось, а на лбу

215

выступила испарина. Она услышала какой-то звук и открыла глаза.

Над ней склонился доктор Линден, укоризненно глядя на нее.

— Вы хорошо себя чувствуете, миссис Паркер?

— Да, — прошептала Дженнифер. — Я хочу, чтобы все поскорее закончилось.

Доктор Линден кивнул.

— Этим мы и займемся. — Он взял в руки шприц.

— Что это?

— Демерол и фенерган, чтобы вы расслабились. Через несколько минут вас отвезут в операционную. — Он сделал ей укол. — Я полагаю, это ваш первый аборт?

— Да.

— Тогда я вам объясню, как это будет производиться. Это простая и безболезненная операция. В операционной вам сделают общую анастезию и дадут кислород. Когда вы уснете, во влагалище вам введут зеркало, чтобы мы могли видеть, что нам делать. Затем при помощи металлических расширителей мы раздвинем шейку матки и сделаем чистку. Вопросы есть?

— Нет.

По ее телу волнами расходилось тепло. Как по мановению волшебной палочки, все ее напряжение куда-то исчезло. Очертания предметов стали расплываться. Она хотела о чем-то спросить доктора, но не могла вспомнить о чем. Что-то насчет ребенка. Но это уже было не важно... Самое главное, что ей сделают то, что она хотела. Через несколько минут все закончится, и она начнет новую жизнь.

Дженнифер погружалась в сон. Какие-то люди подняли ее с постели и переложили на каталку. Через тонкую больничную пижаму она ощутила холодный металл. Когда ее везли по коридору, она принялась считать плафоны на потолке. Ей казалось очень важным не сбиться со счета, хотя она и не знала почему. Когда ее ввезли в операционную, сверкающую белизной, она подумала: «Здесь умрет мой ребенок. Не беспокойся, мой маленький Адам. Я не позволю, чтобы тебе сделали больно». Из глаз у нее потекли слезы.

216

Доктор Линден похлопал ее по руке.

«Безболезненная смерть, — подумала Дженнифер. — Как это прекрасно».

Кто-то положил ей на лицо маску, и голос сказал:

— Дышите глубоко.

Дженнифер почувствовала, как с нее сняли одежду и раздвинули ноги.

«Сейчас это произойдет. Мой сын. Мой Адам. Мой сын».

— Расслабьтесь, — сказал доктор Линден.

Она кивнула. «Прощай, мой сын». Она почувствовала, как холодный металлический предмет медленно входит в нее. Инструмент смерти, который убьет ее сына.

Она услышала крик:

— Стойте! Стойте! Стойте!

Дженнифер открыла глаза и увидела удивленные лица, склонившиеся над ней. Она поняла, что это был ее крик. Кто-то надавил на кислородную маску. Она попыталась сесть, но ремни не давали ей этого сделать. Все закрутилось в каком-то водовороте, все быстрее и быстрее.

Последнее, что она помнила, это яркий белый свет, который нестерпимо резал глаза.

Когда Дженнифер проснулась, она лежала на больничной койке. За окном было темно. Все ее тело болело и ломило. Интересно, долго ли она была без сознания? Она была жива, а ее ребенок?..

Она протянула руку и нажала на кнопку звонка. Она жала и жала ее не переставая.

В дверях появилась медсестра и тут же скрылась. Через несколько секунд в палату поспешно вошел доктор Линден. Он подошел к ней и убрал ее руку от звонка.

Дженнифер уцепилась за его руку и хрипло спросила:

— Мой ребенок... Он умер?

— Нет, миссис Паркер, — ответил доктор Линден. — Он жив. Я думаю, это будет мальчик. Вы все время называли его Адамом.

Глава 28

Прошли рождественские праздники, и наступил новый, 1973 год. Февральские снегопады уступили место теплому мартовскому ветру. Дженнифер знала, что пора оставить работу.

Она провела совещание со своими сотрудниками.

— Я ухожу в пятимесячный отпуск, — объявила она.

Раздались возгласы удивления.

— Но мы ведь будем поддерживать связь? — спросил Дэн Мартин.

— Нет, Дэн. Я буду вне досягаемости.

Тед Харрис посмотрел на нее через толстые стекла своих очков:

— Дженнифер, ты ведь не можешь так просто...

— Я ухожу в отпуск на следующей неделе.

В ее голосе звучала такая решительность, что больше вопросов не последовало. Остальное время они посвятили обсуждению текущих дел.

Когда все ушли, Кен Бэйли спросил:

— Ты все хорошо обдумала?

— У меня нет выбора, Кен.

Он посмотрел на нее:

— Я не знаю, кто этот сукин сын, но я его ненавижу.

Дженнифер взяла его за руку:

— Со мной будет все в порядке.

— Тебе будет нелегко. Дети растут. Они задают вопросы. Ему захочется узнать, кто его отец.

— Я справлюсь с этим.

— Ладно. — Его голос потеплел. — Если я тебе буду нужен, ты знаешь, где меня найти.

Она обняла его:

— Спасибо, Кен. Большое спасибо.

Все уже давно разошлись, а Дженнифер все еще сидела в своем кабинете. Разные мысли одолевали ее. Она всегда будет любить Адама. Ничто не сможет помешать ей, и она была уверена, что он все еще любит ее. «Мне было бы легче, если бы он не любил меня», — подумала Дженнифер. Просто невыносимо, что они так любят друг друга, а вынуждены не видеться. Их жизненные дороги расходятся в разные стороны. Теперь Адам будет жить в Вашингтоне с Мэри Бет и ребенком. Возможно, когда-нибудь он переедет в Белый дом. Дженнифер подумала о том, как ее сын будет спрашивать о своем отце. Она никогда не скажет ему, и Адам тоже не должен знать, что у него есть сын, так как это погубит его.

И если кто-нибудь другой узнает об этом, это тоже погубит Адама.

Дженнифер решила купить загородный дом подальше от Манхэттена, где она будет жить с сыном в своем собственном мире.

Она нашла подходящий дом по чистой случайности. Она ездила к своему клиенту в Лонг-Айленд и, по ошибке свернув не там с шоссе, оказалась в Сэндс-Пойнте. Тихие улицы утопали в зелени деревьев, дома стояли далеко от дороги, каждый похожий на маленькую крепость. На одном из домов по улице Сэндс-Пойнт-Роуд, белом особняке колониального стиля, висела табличка «Продается». За воротами из кованого железа виднелась аллея, ведущая к дому. По обе стороны от нее стояли фонари. Перед домом была огромная лужайка, а само здание укрывалось в тени тисовых деревьев. Дженнифер была очарована. Она записала имя торговца недвижимостью и договорилась о встрече на следующий день.

Агент по недвижимости был энергичным здоровяком. Дженнифер не переносила такой тип людей. Но ведь она покупала не его, а дом.

— Не дом, а сказка. Да, именно сказка. Ему почти сто лет. Он в прекрасном состоянии. В превосходном состоянии.

Слово «превосходный» здесь явно не подходило. Комнаты были просторными и светлыми, но нуждались в ремонте. «Мне доставит удовольствие отремонтировать и украсить дом», — подумала Дженнифер.

Наверху, напротив главной спальни, была комната, которую можно превратить в детскую. Она оклеит ее голубыми обоями и...

— Хотите осмотреть все вокруг?

Поместье занимало площадь в три акра. Раскидистые деревья, аккуратная лужайка, искусственный пруд. Прекрасное место для ее сына. У него будет где резвиться вовсю. Когда он подрастет, то сможет кататься на лодке по пруду. Это будет мир для них двоих.

Дженнифер купила дом на следующий день.

Она и не представляла, как тяжело ей будет покинуть квартиру в Манхэттене, где она жила вместе с Адамом. В ванной висел его халат, на полочке лежала его бритва. В каждой комнате сотни вещей напоминали ей об Адаме. Воспоминания о прекрасном мертвом прошлом. Дженнифер постаралась как можно быстрее собрать свои вещи и уйти оттуда.

В новом доме Дженнифер старалась занять себя работой с утра до вечера, чтобы у нее не оставалось времени думать об Адаме. Она посетила магазины в Сэндс-Пойнте и Порт-Вашингтоне, чтобы заказать мебель и шторы. Она купила постельное белье, столовое серебро, фарфор. Наняла местных рабочих, чтобы они починили крышу, водопровод и электропроводку. С утра до ночи в доме работали маляры, плотники и электрики. Дженнифер была повсюду, наблюдая за ремонтом. Она изматывала себя днем, чтобы уснуть ночью, но демоны снова мучили ее ужасными кошмарами.

Она ходила по антикварным магазинам, покупая лампы, столики, украшения. Она приобрела несколько скульптур для сада. В доме на стенах появились картины известных художников. Теперь дом выглядел просто великолепно.

Один из клиентов Дженнифер был дизайнером, и ковры, сделанные по его эскизам, украшали гостиную и спальню. Их мягкие тона придавали комнатам уют.

Живот у Дженнифер становился все больше и больше. Ей пришлось покупать платья для беременных. Она установила в доме телефон, номер которого не был указан в телефонной книге. Он служил только для экстренных случаев. Никто не знал, как позвонить ей. Единственный человек, который знал, где она живет, был Кен Бэйли, но он поклялся держать это в тайне.

Он как-то заехал к ней в гости, и она показала ему дом, радуясь его восхищению.

— Прекрасный дом, Дженнифер. Просто прекрасный. Однако тебе пришлось немало потрудиться. — Он посмотрел на ее живот: — Сколько тебе еще осталось?

— Два месяца. — Она положила его руку себе на живот. — Чувствуешь?

Кен почувствовал шевеление.

— С каждым днем он становится все сильнее и сильнее, — гордо сообщила Дженнифер.

Она приготовила Кену ужин. За десертом Кен сказал:

— Может, это меня и не касается, но не мешало бы и папочке, кто бы он там ни был, внести свой вклад.

— Вопрос закрыт, — сказала Дженнифер.

— Ладно. Извини. Все скучают по тебе. У нас появился новый клиент.

Дженнифер подняла руку:

— Ничего не хочу знать.

Они еще долго разговаривали. Дженнифер не хотелось, чтобы Кен уходил. Он был ей хорошим другом.

Дженнифер пыталась отгородиться от мира как только можно. Она не читала газет, не смотрела телевизор и не слушала радио. Вся ее вселенная заключалась в четырех стенах. Это было ее гнездо, где она должна была родить своего сына.

Она перечитала все книги о воспитании детей от доктора Спока до Амеса и Джеселла.

Когда детская комната была готова, Дженнифер стала наполнять ее игрушками. Она пошла в спортивный магазин и увидела там бейсбольные биты и перчатки. Она рассмеялась. «Это просто смешно. Ведь он еще не родился». Она купила и биту, и перчатку. Она еще хотела купить футбольный мяч, но решила, что это может подождать.

Наступил май, затем июнь.

Ремонт давно закончился, и в доме было тихо и спокойно. Два раза в неделю Дженнифер выезжала в центр за покупками, а раз в две недели посещала доктора Харвея, акушера. Дженнифер послушно пила больше молока, чем ей хотелось, принимала витамины и ела полезную пищу. Она сильно набрала в весе, стала неуклюжей, и ей было трудно ходить.

Она всегда была подвижной и боялась, что ей будет неприятно стать толстой и совсем не двигаться. Но теперь ей почему-то было все равно. Ей не надо было никуда спешить. Дни текли мирно и ровно. Как будто часы внутри нее остановили или замедлили свой ход. Казалось, она бережет свою энергию, отдавая ее человеческому существу внутри нее.

Однажды, после очередного осмотра, доктор Харвей сказал:

— Вы родите через две недели, миссис Паркер.

Оставалось совсем немного времени. Дженнифер думала, что ей будет страшно. Она слышала жуткие истории о невыносимой боли, о несчастных случаях, о травмах, но, как ни странно, ничего не боялась. Она хотела как можно быстрее родить, чтобы поскорее взять ребенка на руки.

Теперь Кен Бэйли заезжал к ней почти каждый день, привозя с собой детские книжки.

— Ему они понравятся, — сказал Кен.

И Дженнифер улыбалась, потому что Кен говорил «он». Хорошее предзнаменование.

Они гуляли по саду, устроили пикник возле пруда. Дженнифер знала, как она выглядит. «Зачем он тратит свое время на такую неуклюжую корову, как я?» — думала Дженнифер.

А Кен, глядя на Дженнифер, думал: «Я никогда не видел более прекрасной женщины».

Схватки начались в три часа ночи. Боль была настолько резкая, что у Дженнифер перехватило дыхание. Когда

222

боль появилась снова, Дженнифер радостно подумала: «Началось!»

Она принялась засекать время между схватками и, когда они стали повторяться каждые десять минут, позвонила доктору Харвею. Дженнифер поехала на машине в больницу, съезжая на обочину всякий раз, когда начинались схватки. Когда она приехала, ее уже ждала медсестра, и через несколько минут доктор Харвей уже осматривал ее.

Закончив осмотр, он ободряюще сказал:

— Думаю, роды будут легкими, миссис Паркер. Вам надо будет лишь расслабиться. Все остальное сделает природа.

Роды были не такие уж и легкие, но Дженнифер терпела боль, так как знала, что происходит нечто чудесное. Через восемь часов, когда Дженнифер поняла, что больше уже не может, боль внезапно пропала, уступив место ощущению пустоты и покоя.

Она услышала плач и увидела, как доктор Харвей поднял ребенка.

— Хотите посмотреть на своего сына, миссис Паркер? Дженнифер засияла.

Глава 29

Его звали Джошуа Адам Паркер. Он весил восемь фунтов и шесть унций. Дженнифер знала, что при рождении дети выглядят некрасивыми. У них красная морщинистая кожа, и они похожи на маленьких обезьян. Джошуа Адам не был таким. Он был прекрасен. Все медсестры говорили Дженнифер, какой у нее красивый сын, и она могла слушать это часами. Джошуа был поразительно похож на Адама. Та же форма головы, те же серо-голубые глаза. Смотря на сына, Дженнифер видела Адама. Это было странное чувство — смесь радости и печали. Как было бы приятно Адаму посмотреть на своего красавца сына!

Когда Джошуа было всего два дня, он улыбнулся, и Дженнифер стала неистово звонить, вызывая медсестру.

— Посмотрите! Он улыбается!

— Это у него газы, миссис Паркер.

— У других детей это могут быть газы, — упрямо сказала Дженнифер, — а мой ребенок улыбается.

Раньше Дженнифер часто думала, как она будет относиться к ребенку, будет ли она хорошей матерью. Ведь дети приносят столько хлопот. Грязные пеленки, кормления, неусыпная забота о них. И нельзя поговорить с ними.

«У меня появятся какие-нибудь чувства к нему, лишь когда ему будет четыре или пять лет», — думала раньше Дженнифер. Как она ошибалась. С момента рождения Джошуа она любила его так, как никогда не любила никого. Это была любовь, которая должна была защитить его. Джошуа был таким маленьким, а мир таким большим.

Когда Дженнифер выписалась из больницы и вернулась домой вместе с Джошуа, ей дали целый список рекомендаций, но они приводили ее в панику. Первые две недели с ней была патронажная сестра. Оставшись одна, Дженнифер боялась сделать что-нибудь такое, что убьет ее сына. Ей казалось, что в любой момент он может перестать дышать.

Когда Дженнифер в первый раз готовила Джошуа молочную смесь, она вспомнила, что забыла простерилизовать соску. Она вылила все в раковину и стала делать все сначала. Приготовив смесь, она вспомнила, что не прокипятила бутылочку. Пришлось опять начинать все сначала. Когда она наконец закончила, Джошуа разрывался от крика.

Были моменты, когда у Дженнифер опускались руки. Ее охватывала депрессия. Она убеждала себя, что еще не оправилась после родов, но от этого ей не становилось лучше. Она чувствовала страшную усталость. Ей казалось, что она всю ночь была на ногах, готовя еду Джошуа, а когда наконец ложилась, умирая от усталости, ее будил детский плач. Покачиваясь, она шла к нему в комнату.

Она постоянно звонила доктору, и днем и ночью:

— Джошуа дышит слишком быстро... Джошуа дышит слишком медленно... Джошуа кашляет... Джошуа плохо кушает...

Доктору пришлось приехать к ней домой и прочитать нотацию.

— Миссис Паркер, я никогда не видел более здорового ребенка, чем ваш Джошуа. Может быть, он и выглядит хрупким созданием, но он сильный, как бык. Запомните — он переживет и меня, и вас.

С тех пор Дженнифер уже не так беспокоилась. Она повесила в детской красивые шторы, купила новое покрывало с белыми цветами и желтыми бабочками. В детской стояли манеж, маленький столик со стульчиком, деревянная лошадка и полный ящик игрушек.

Дженнифер любила купать и переодевать Джошуа. В солнечные дни она вывозила его гулять в коляске. Она постоянно разговаривала с ним, и, когда ему было четыре недели, он наградил ее улыбкой. «Это у него не газы, — счастливо подумала Дженнифер, — а настоящая улыбка».

Когда Кен Бэйли впервые увидел ребенка, он долго не мог оторвать от него глаз. «Он сейчас узнает его, — в панике подумала Дженнифер. — Он узнает, что это ребенок Адама».

Но Кен сказал:

— Настоящий красавец. Весь в маму.

Она разрешила Кену взять Джошуа на руки. И смеялась над его неуклюжими движениями. Но одна мысль не выходила у нее из головы: «У Джошуа никогда не будет отца, который будет держать его на руках».

Прошло шесть недель. Пора было возвращаться на работу. Дженнифер не могла представить, что ей придется расставаться с Джошуа хотя бы на несколько часов, но ее радовала мысль, что она снова займется любимым делом. Слишком долго она жила вдали от мира. Надо было возвращаться в прежнюю жизнь.

Посмотрев на себя в зеркало, она решила, что первым делом надо привести в порядок свое тело. После рождения Джошуа она села на диету и делала упражнения, но теперь взялась за это как следует и скоро стала выглядеть, как и раньше.

Дженнифер стала подыскивать няню. Она разговаривала с кандидатками, как будто это были присяжные, которых следует отобрать для суда. Она искала в них признаки слабости, некомпетентности, нечестности. Она встретилась не менее чем с двадцатью женщинами, прежде чем нашла подходящую кандидатуру — шотландку средних лет по имени миссис Макей. До этого она работала пятнадцать лет в одной семье и ушла оттуда, когда дети выросли и стали ходить в школу.

Дженнифер попросила Кена Бэйли проверить миссис Макей, и, когда Кен уверил ее, что у той чистая биография, Дженнифер наняла ее.

Через неделю Дженнифер вышла на работу.

Глава 30

Внезапное исчезновение Дженнифер породило немало слухов в юридических фирмах Манхэттена.

Когда стало известно, что она вернулась, интерес был огромным. Прием, который Дженнифер устроили в день ее возвращения, казалось, никогда не закончится, потому что приходили все новые и новые люди, которым хотелось поздравить ее с возвращением.

Синтия, Дэн и Тед развесили по стенам гирлянды, у входа красовался плакат «Добро пожаловать снова!». На столе были шампанское и сладости.

— Шампанское в девять утра? — запротестовала Дженнифер.

Но они и слушать не хотели.

— Без тебя тут был настоящий сумасшедший дом, — сказал Дэн Мартин. — Надеюсь, ты не собираешься поступить так еще раз?

Посмотрев на него, Дженнифер ответила:

— Нет, я не собираюсь поступать так еще раз.

На все вопросы, где она была, Дженнифер отвечала с улыбкой:

— К сожалению, я не могу вам этого сообщить.

Целый день она провела на совещании со своими сотрудниками. Накопились сотни телефонных посланий.

Когда Кен Бэйли остался с Дженнифер наедине, он сказал:

— Знаешь, кто не давал нам жизни, допытываясь, где ты?

У Дженнифер забилось сердце.

— Кто?

— Майкл Моретти.

— О!

— Странный тип. Когда он понял, что мы ему ничего не скажем, он заставил нас поклясться, что с тобой все в порядке.

— Забудь о Моретти.

Дженнифер просмотрела все дела, накопившиеся за это время. Все шло превосходно. Появилось немало новых состоятельных клиентов. Некоторые старые клиенты отказывались вести дела с другими адвокатами, ожидая, когда она вернется.

— Я позвоню им, как только освобожусь, — пообещала Дженнифер.

Она принялась за телефонные послания. Раз десять звонил мистер Адамс. Может, ей стоило сообщить Адаму, что с ней все в порядке. Но она знала, что не вынесет этого. Слышать его голос, знать, что он рядом, и не иметь возможности увидеть его, дотронуться до него, рассказать ему все. Рассказать ему о Джошуа.

Синтия собирала для нее вырезки из газет, которые могли заинтересовать Дженнифер. Среди них было несколько статей, посвященных Майклу Моретти, где его называли самым влиятельным мафиозо в США. Под одной из фотографий газета напечатала его слова: «Я простой работник страховой компании».

Три месяца понадобилось Дженнифер, чтобы войти в курс всех дел. Она бы справилась с этим гораздо быстрее, но она уходила с работы в четыре часа, как бы занята ни была. Ее ждал Джошуа.

По утрам, прежде чем уйти на работу, Дженнифер сама готовила ему завтрак и играла с ним.

Приходя домой после работы, она посвящала ему все свое свободное время. Она не брала работу на дом и по этой причине отказывалась от многих дел. Она перестала работать по выходным. Ничто не должно было отвлекать ее от сына.

Дженнифер любила читать ему вслух.

— Он еще совсем маленький, — говорила ей миссис Макей, — он не понимает ни слова.

— Джошуа все понимает, — отвечала ей Дженнифер.

И она продолжала читать.

Джошуа постоянно поражал ее. Когда ему было три месяца, он стал агукать и пытался поговорить с Дженнифер. Он играл в своей кроватке с большим мячом и игрушечным зайцем, которого подарил ему Кен. В шесть месяцев он уже пробовал вылезать из кроватки, пытаясь исследовать окружающий его мир. Дженнифер брала его на руки, он хватал своими ручонками ее за пальцы, и они вели долгие и серьезные беседы.

На работе у Дженнифер не было ни секунды свободного времени. Однажды ей позвонил Филип Реддинг, президент крупной нефтяной корпорации.

— Я хотел бы встретиться с вами, — сказал он. — У меня кое-какие проблемы.

Дженнифер не надо было спрашивать, в чем заключались эти проблемы. Его компанию обвиняли в даче взяток государственным деятелям для расширения своего влияния на Ближнем Востоке.

Гонорар, разумеется, был огромным, но у Дженнифер не было времени.

— Извините, — ответила она. — Я не могу этим заняться, но с удовольствием порекомендую вам хорошего адвоката.

— Мне сказали, что только вы способны мне помочь, — ответил Филип Реддинг.

— Кто сказал?

— Мой друг судья Лоренс Уолдман.

Дженнифер показалось, что она ослышалась.

— Судья Уолдман сказал, чтобы вы позвонили мне?

— Он сказал, что вы — самый лучший адвокат, но я и сам это знаю.

Дженнифер вспомнила предыдущие встречи с судьей Уолдманом, когда он пытался лишить ее звания юриста.

— Ладно. Давайте пообедаем завтра и поговорим о деле.

Повесив трубку, она решила позвонить Лоренсу Уолдману.

Знакомый голос ответил ей:

— Давно мы с вами не разговаривали, Дженнифер.

— Я хотела поблагодарить вас за то, что порекомендовали меня Филипу Реддингу.

— Я просто хотел быть уверен, что это дело окажется в надежных руках.

— Спасибо, ваша честь.

— Может быть, мы как-нибудь вместе поужинаем?

Дженнифер была поражена.

— С большим удовольствием.

— Отлично. Я приглашаю вас в свой клуб. Там полно таких же стариков, как я, и они не привыкли видеть очаровательных женщин. Мы их немного встряхнем.

Судья Лоренс Уолдман был членом клуба «Сенчури», и когда Дженнифер встретилась там с ним, то поняла, что слова насчет стариков были шуткой. В обеденном зале было много писателей, артистов и адвокатов.

— Здесь не принято представлять гостей, — объяснил ей Уолдман. — В клубе бывают только известные люди.

И правда, среди присутствующих Дженнифер увидела немало знаменитостей.

Вне зала суда Лоренс Уолдман был совершенно другим человеком. Держа в руке бокал с вином, он сказал Дженнифер:

— Когда-то я хотел лишить вас звания юриста, потому что считал, что вы опозорили нашу профессию. Но я глубоко заблуждался. Я внимательно слежу за вашей карьерой. Вы — гордость нашей профессии.

Дженнифер была польщена. Ей часто встречались злобные, глупые и некомпетентные судьи. Она уважала Лоренса Уолдмана. Это был блестящий юрист и порядочный человек.

— Спасибо, ваша честь.

— Когда мы с вами не в суде, может, будем звать друг друга Лоренс и Дженни?

До этого только отец звал ее Дженни.

— Конечно, Лоренс.

Кухня была превосходной, и с тех пор раз в месяц Дженнифер обедала с судьей Уолдманом в его клубе. Этот ежемесячный ритуал доставлял удовольствие им обоим.

Глава 31

Наступило лето 1974-го. Со времени рождения Джошуа пролетел целый год. Просто невероятно. Он уже ходил и понимал такие слова, как рот, нос, голова.

— Он — настоящий гений, — гордо сообщила Дженнифер миссис Макей.

Дженнифер готовилась к первому дню рождения Джошуа, как будто она давала прием в Белом доме. В субботу она приобретала ему подарки. Она купила Джошуа одежду, книги и трехколесный велосипед, которым он мог воспользоваться разве что года через два. Она накупила сладостей для соседских детей, которых пригласила на праздник, и украсила комнаты гирляндами и воздушными шарами. Она сама испекла праздничный пирог и оставила его на столе в кухне. Каким-то образом Джошуа добрался до пирога и стал ломать его руками, засовывая в рот огромные куски.

Дженнифер пригласила десяток детей вместе с их мамами. Единственным мужчиной на празднике был Кен Бэйли. Он принес Джошуа трехколесный велосипед, точно такой же, как купила Дженнифер.

Засмеявшись, Дженнифер сказала:

— Это просто смешно, Кен. Джошуа слишком маленький, чтобы кататься на велосипеде.

Хотя праздник продолжался всего два часа, все было великолепно. Некоторые дети так объелись сладостей, что их тошнило. Они дрались из-за игрушек, плакали, когда лопались шары, но все же, решила Дженнифер, вечер удался на славу. Джошуа прекрасно справился с ролью хозяина и, за исключением мелких инцидентов, держался с достоинством и апломбом.

Ночью, когда все гости ушли, а Джошуа спал в своей кроватке, Дженнифер сидела рядом с ним, глядя на это удивительное создание ее и Адама. Как был бы счастлив Адам, если бы увидел своего сына. От сознания того, что она не может поделиться с ним радостью, Дженнифер стало грустно.

Она подумала о предстоящих днях рождения. Когда Джошуа исполнится два года, пять лет, десять, двадцать. Он станет мужчиной и покинет ее. Он будет жить своей жизнью.

«Хватит! — остановила себя Дженнифер. — Тебе просто жалко саму себя». Она лежала в темноте с открытыми глазами, вспоминая каждую деталь сегодняшнего праздника.

Возможно, когда-нибудь она расскажет об этом Адаму.

Глава 32

Последние несколько месяцев имя Адама Уорнера было у всех на устах. Благодаря своим способностям, уму и обаянию он выделялся среди других сенаторов. Он принимал участие в работе важных комитетов и выдвинул законопроект, который был принят большинством голосов. У Адама Уорнера в конгрессе были влиятельные друзья. Многие знали и уважали его отца. Все сходились во мнении, что когда-нибудь он примет участие в президентских выборах. Дженнифер испытывала горькое чувство гордости.

Дженнифер часто получала приглашения от клиентов и друзей пообедать, сходить в театр или на вечеринку, но она практически всегда отвечала отказом. Время от времени она ходила куда-нибудь с Кеном. Рядом с ним она чувствовала себя превосходно. Он беззаботно шутил, но за внешней бравадой скрывался чувствительный, ранимый человек. Дженнифер знала об этом. Иногда в субботу или воскресенье он приезжал к ней на обед и мог играть с Джошуа часами. Они любили друг друга.

Однажды, когда Джошуа уже спал, Дженнифер и Кен ужинали на кухне. Кен долго смотрел на Дженнифер, пока она не спросила:

— Что-нибудь не так?

— Да, не так, — пробормотал Кен. — Извини. Жизнь — это такая ужасная штука.

Больше он не проронил ни слова.

Вот уже почти девять месяцев Адам не пытался связаться с ней, но она с жадностью читала о нем статьи в газетах и журналах, смотрела его выступления по телевизору. Она постоянно думала о нем. А как могло быть иначе? Ее сын постоянно напоминал ей об Адаме. Джошуа уже исполнилось два года, и он был невероятно похож на своего отца. У него были такие же серьезные голубые глаза и такие же жесты. Это был ее самый милый и любимый человек, который постоянно засыпал ее вопросами.

Первыми словами Джошуа были «кар-кар», после того как они во время прогулки увидели ворону.

Сейчас он уже произносил фразы, знал, когда говорить «спасибо» и «пожалуйста». Однажды, когда Дженнифер кормила его с ложечки, он нетерпеливо сказал:

— Мама, иди поиграй со своими игрушками.

Кен купил Джошуа краски, и тот старательно изрисовал все стены в гостиной.

Когда миссис Макей хотела отшлепать его, Дженнифер сказала:

— Не надо. Стены можно вымыть. Джошуа просто хочет выразить себя.

— Выразить себя, — фыркнула миссис Макей. — Вы избалуете мальчика.

Но Джошуа не был испорченным мальчиком. Он шалил и не слушался, но это было нормально для двухлетнего ребенка. Он боялся пылесоса, диких зверей, поездов и темноты.

Джошуа был прирожденным спортсменом. Однажды, глядя, как он играет с друзьями, Дженнифер сказала миссис Макей:

— Хотя я и мама Джошуа, я могу объективно судить о нем, миссис Макей. Я думаю, он будет вторым Иисусом Христом.

Дженнифер взяла за правило не брать дел, которые могли бы заставить ее уехать в другой город, уехать от Джошуа. Но однажды утром ей позвонил Питер Фентон, клиент, у которого была крупная фабрика.

— Я покупаю завод в Лас-Вегасе и хочу, чтобы вы прилетели сюда и поговорили с их адвокатами.

— Я пошлю вместо себя Дэна Мартина, — предложила Дженнифер. — Вы же знаете, я не люблю уезжать из города.

— Дженнифер, все дела можно решить за двадцать четыре часа. Я пришлю за вами свой самолет, и на следующий день он отвезет вас обратно.

Поколебавшись, Дженнифер ответила:

— Ладно.

Она бывала в Лас-Вегасе, и этот город не произвел на нее впечатления. Невозможно было любить Лас-Вегас или ненавидеть его. Надо было смотреть на него как на некий феномен, как на чуждую цивилизацию, где существуют свой язык, законы и мораль. Другого такого города в мире не было. Огромные неоновые рекламы горели всю ночь, восхваляя роскошь величественных дворцов, которые были построены, чтобы облегчить карманы туристов. А те, как лемминги*, стремились туда, чтобы отдать свои сбережения.

_____
* Группа млекопитающих подсемейства полевок. Предпринимают далекие миграции.

233

Дженнифер вручила миссис Макей длинную инструкцию, как заботиться о Джошуа.

— Вы надолго уезжаете, миссис Паркер?

— Завтра уже вернусь.

— Ох уж эти мамы!

На следующее утро реактивный «Лир», принадлежащий Питеру Фентону, доставил Дженнифер в Лас-Вегас, где она до вечера обсуждала детали контракта. Когда все было закончено, Питер Фентон пригласил ее на ужин.

— Спасибо, Питер. Но лучше я вернусь к себе в номер и пораньше лягу спать. Завтра утром я возвращаюсь в Нью-Йорк.

Дженнифер три раза звонила миссис Макей, и каждый раз та успокаивала ее, сообщая, что с Джошуа все в порядке. Он хорошо кушал, у него не было температуры, и он был веселым.

— Он скучает без мамы? — спросила Дженнифер.

— Об этом он ничего не сказал, — вздохнула миссис Макей.

Дженнифер знала, что миссис Макей считает ее идиоткой, но ей было все равно.

— Скажите ему, что я завтра вернусь.

— Я передам ему ваше послание, миссис Паркер.

Дженнифер хотела спокойно поужинать в своем номере, но ей казалось, что стены давят на нее. Мысли об Адаме неотступно преследовали ее.

«Как он мог заниматься любовью с Мэри Бет...»

Дженнифер часто убеждала себя, что ее Адам просто уехал в командировку, но на этот раз это не сработало. Перед глазами Дженнифер стояла Мэри Бет в кружевном пеньюаре. И Адам...

Ей хотелось оказаться среди шумной толпы. «Может, пойти посмотреть шоу?» — подумала Дженнифер. Приняв душ, она оделась и спустилась вниз.

В главном зале выступал Марти Аллен. У входа стояла очередь, и Дженнифер пожалела, что не попросила Питера Фентона заказать ей столик.

Подойдя к швейцару, она спросила:

— Сколько придется ждать, пока освободится столик?

— Сколько вас?

— Я одна.

— Извините, мисс, но боюсь, что...

Голос позади нее произнес:

— За мой столик, Эйб.

На лице у швейцара расплылась улыбка.

— Конечно, мистер Моретти. Сюда, пожалуйста.

Дженнифер повернулась. На нее смотрели черные глаза Майкла Моретти.

— Нет, спасибо, — сказала Дженнифер. — Боюсь, что...

— Вам надо поесть. — Майкл Моретти взял Дженнифер за руку и уверенно повел ее за собой. Дженнифер пришла в ужас от одной только мысли, что ей придется ужинать вместе с Майклом Моретти, но она не знала, как избавиться от него, не устраивая сцены. Как она жалела, что не приняла предложение Питера Фентона.

Когда они уселись за столик, стоявший недалеко от сцены, к ним подошел метрдотель.

— Добро пожаловать, мистер Моретти, и вы, мисс.

Дженнифер все время чувствовала на себе пристальный взгляд Майкла Моретти, и это смущало ее. Майкл Моретти молчал. Он предпочитал молчание словам, чувствуя в них скорее ловушку, чем средство общения. Его молчание было настолько красноречивым, что Майкл Моретти использовал его так же часто, как другие используют речь.

Когда он наконец заговорил, Дженнифер была сбита с толку его словами.

— Ненавижу собак, — сказал Майкл Моретти. — Они умирают.

Это прозвучало как откровение, идущее из глубины его души, и Дженнифер не знала, что ей ответить.

Официант принес заказанные напитки, и они пили, ведя молчаливую беседу.

Она подумала над его словами. «Я ненавижу собак. Они умирают». Ей стало интересно, каким было его детство. Она поймала себя на том, что изучает его. У него была опасная красота. В его глазах угадывалась сила, которой не терпелось вырваться на свободу.

Дженнифер не знала почему, но, находясь рядом с этим мужчиной, она чувствовала себя женщиной. Возможно, ответ был в его черных глазах, которые он иногда отводил в сторону, как бы опасаясь, что они скажут слишком много. Дженнифер осознала, как много времени прошло с тех пор, когда она чувствовала себя женщиной. С того дня, когда она потеряла Адама. «Только мужчина может сделать женщину по-настоящему женственной, — подумала Дженнифер. — Сделать так, чтобы она почувствовала себя красивой и желанной».

«Хорошо, что он не может прочитать мои мысли», — мысленно добавила Дженнифер.

К их столику то и дело подходили люди, чтобы выразить свое уважение Майклу Моретти: бизнесмены, артисты, судья, сенатор. Он был своим человеком в мире власти и могущества, и Дженнифер почувствовала, насколько велик его авторитет.

— Я сам закажу нам ужин, — сказал Майкл Моретти. — Блюда, что указаны в меню, готовятся на восемьдесят человек. Это все равно что есть в самолете.

Он сделал знак рукой, и метрдотель тут же оказался рядом со столиком.

— Слушаю вас, мистер Моретти. Что вы будете заказывать сегодня, сэр?

— Для начала Chateaubriand.

— Разумеется, мистер Моретти.

— Затем pommes soufflees и салат из листьев эндивия.

— Будет исполнено, сэр.

— Десерт мы закажем потом.

Управляющий рестораном прислал им бутылку шампанского с пожеланиями приятно провести вечер.

Дженнифер поймала себя на мысли, что, несмотря на внутреннее сопротивление, ей хорошо. Давно она не проводила время с привлекательным мужчиной. Но как только эта мысль промелькнула у нее в голове, она подумала: «Как я могу считать его привлекательным мужчиной? Он убийца. Бесчувственное животное».

Среди тех, кого она защищала, было немало людей, совершивших ужасные преступления, но у нее было такое чувство, что никто из них не представлял такой опасности, как человек, сидящий напротив нее. Он занимал высокое положение в мафии и добился этого благодаря браку с дочерью Антонио Гранелли.

— Я звонил вам пару раз, когда вы были в отъезде, — сказал Майкл Моретти. По словам Кена Бэйли, он звонил чуть ли не каждый день. — Так где же вы были? — как бы мимоходом поинтересовался он.

— Далеко.

Долгое время они молчали.

— Вы помните о том предложении, которое я вам делал? Дженнифер отпила шампанского:

— Не будем начинать все сначала...

— У вас будет все, что вы...

— Я уже сказала вам, что меня это не интересует. Вряд ли вы можете предложить мне то, от чего я не смогу отказаться. Такое бывает только в сказках, мистер Моретти. Так что я отказываюсь.

Майкл Моретти вспомнил о разговоре, который произошел пару недель назад в доме его тестя. Встреча руководителей мафии прошла плохо. Томас Колфакс выступал против всего, что предлагал Майкл.

Когда Колфакс ушел, Майкл обратился к своему тестю:

— Колфакс стареет. Думаю, его пора отправить на покой.

— Томми — хороший человек. Он за эти годы избавил нас от многих неприятностей.

— Все это в прошлом. Сейчас у него уже не та хватка.

— И кого бы ты хотел поставить на его место?

— Дженнифер Паркер.

Антонио Гранелли покачал головой:

— Я уже говорил тебе, Майкл. Не дело, когда женщина посвящена в семейные тайны.

— Она не просто женщина. Она самый лучший адвокат в Нью-Йорке.

— Посмотрим, — сказал Антонио Гранелли. — Посмотрим.

Майкл Моретти привык, что все его желания исполняются. Поэтому, чем больше Дженнифер отталкивала его, тем сильнее ему хотелось ее заполучить. Теперь, сидя рядом с ней, Майкл подумал: «Когда-нибудь ты будешь принадлежать мне, крошка. Принадлежать душой и телом».

— О чем вы думаете?

Майкл Моретти улыбнулся, и Дженнифер пожалела о своем вопросе. Ей пора было уходить.

— Спасибо за прекрасный ужин, мистер Моретти. Завтра мне рано вставать...

Свет в зале стал меркнуть, и оркестр заиграл увертюру.

— Вы не можете уйти сейчас. Начинается представление. Вас приведет в восторг Марти Аллен.

Такое шоу мог позволить себе лишь Лас-Вегас, и Дженнифер получила огромное наслаждение. Она сказала себе, что уйдет сразу же после представления, но, когда оно закончилось, Майкл Моретти пригласил ее танцевать, и ей было неудобно отказаться. К тому же она вынуждена была признаться, что ей не хотелось уходить. Майкл был умелым партнером, он танцевал легко и непринужденно. Однажды, когда другая пара задела их, Майкл прижался к ней, и она почувствовала, что он хочет ее. Но Майкл тут же отстранился, старательно держа дистанцию.

После этого они пошли в казино, шумный, залитый огнями зал, полный игроков, решивших испытать свою судьбу. У них так горели глаза, будто от результата игры зависела их жизнь. Майкл подвел Дженнифер к столу для игры в кости и дал ей дюжину фишек.

238

— Желаю удачи, — сказал он.

Крупье с уважением относились к Майклу, называя его «мистер М.», давая ему стопки стодолларовых фишек в обмен на расписки. Майкл делал большие ставки и проиграл огромную сумму, оставаясь абсолютно спокойным. Играя на фишки Майкла, Дженнифер выиграла триста долларов, которые заставила Майкла Моретти забрать себе. Она не хотела быть ему хоть чем-то обязанной.

Время от времени к Майклу Моретти подходили женщины. Все они были молодые и привлекательные. Майкл вежливо разговаривал с ними, но было заметно, что его интересовала только Дженнифер. Несмотря ни на что, она чувствовала себя польщенной.

В начале вечера Дженнифер ощущала усталость и депрессию, но от Майкла Моретти исходила такая жизненная сила, что его настроение передалось и ей.

Майкл отвел ее в небольшой бар, где играл джаз, затем они отправились слушать новую рок-группу. Куда бы они ни приходили, везде Майклу оказывали царский прием. Каждому хотелось привлечь его внимание, поздороваться с ним.

За все это время Майкл не сказал Дженнифер ни одного слова, которое она могла воспринять как оскорбление. И все же Дженнифер чувствовала, как от него прямо-таки исходят волны сексуальности. Она еще никогда не испытывала, чтобы от одного только присутствия мужчины у нее ныло тело. Это было пугающее и в то же время сладостное чувство. Никогда Дженнифер еще не ощущала такой дикой, необузданной мужской силы, какая исходила от Майкла Моретти.

Было четыре часа утра, когда Майкл наконец проводил ее в гостиничный номер. Остановившись у двери, он взял ее за руку и сказал:

— Спокойной ночи. Я хочу, чтобы вы знали — это был самый лучший вечер в моей жизни.

От этих слов Дженнифер стало страшно.

Глава 33

В Вашингтоне популярность Адама Уорнера продолжала расти. Статьи о нем все чаще стали появляться в газетах и журналах. Адам занимался проблемой школ в гетто, возглавил сенатскую комиссию, которая отправилась в Москву на встречу с диссидентами. На фотографии в газетах в аэропорту Шереметьево его приветствовали неулыбчивые русские официальные люди. Когда через десять дней Адам вернулся, в газетах появились хвалебные отклики о результатах его поездки.

О нем писали все. Людям хотелось больше узнать об Адаме Уорнере, и газеты утоляли аппетит публики. Адам высказался за реформы в сенате. Он возглавил комиссию по изучению условий в федеральных тюрьмах. Посещая места заключения по всей стране, он встречался с осужденными, охранниками, и, когда его комиссия подготовила отчет о проделанной работе, начались широкие реформы.

Писали о нем и женские журналы. В «Космополитен» Дженнифер увидела фотографию, где Адам был снят вместе с Мэри Бет и дочкой Самантой. Сидя в спальне возле камина, Дженнифер долго рассматривала эту фотографию. Мэри Бет обаятельно улыбалась. Саманта как две капли воды была похожа на свою мать. Дженнифер посмотрела на Адама. Он выглядел усталым. Возле глаз появились морщинки, которых раньше не было, а на висках пробивалась седина. На какое-то мгновение Дженнифер показалось, что она смотрит на повзрослевшего Джошуа. Сходство было необыкновенное. Взгляд Адама был направлен в объектив, и Дженнифер казалось, что он смотрит прямо на нее. Она попыталась прочитать по его глазам, помнит ли он ее еще.

Затем Дженнифер снова перевела взгляд на Мэри Бет и Саманту. Она швырнула журнал в камин и смотрела, как его охватило пламя.

Адам Уорнер сидел на званом ужине, занимая беседой Стюарта Нидхэма и других гостей. Мэри Бет на другом конце стола вела светскую беседу с сенатором от Оклахомы и его женой, увешанной бриллиантами. Вашингтон был родной стихией Мэри Бет. Здесь она чувствовала себя в своей тарелке. Благодаря растущей популярности Адама все стремились попасть на ее приемы, и это доставляло ей огромную радость. Светская жизнь утомляла Адама, и он был доволен, что Мэри Бет взяла на себя эти хлопоты. У нее все прекрасно получалось, и Адам был ей благодарен.

— В Вашингтоне, — говорил Стюарт Нидхэм, — гораздо больше дел решается на званых ужинах, нежели в кулуарах конгресса.

Адам обвел взглядом собравшихся, и ему захотелось, чтобы вечер как можно быстрее закончился. Со стороны все выглядело прекрасно. Но все было не так, как надо. Он был женат на одной женщине, а любил другую. Этот брак оказался для него ловушкой, из которой нет выхода. Адам знал, что, если бы Мэри Бет тогда не забеременела, он бы обязательно развелся с ней. Но теперь было слишком поздно. Он был обречен. Мэри Бет родила ему дочь, которую он любил, но забыть Дженнифер он не мог.

Жена губернатора дотронулась до его руки:

— Вы такой счастливый, Адам. У вас есть все, чего только может пожелать мужчина, не так ли?

Адам промолчал, он был не в силах ответить на этот вопрос.

Глава 34

Время летело, и Джошуа становился все старше. В нем была вся жизнь Дженнифер. Она наблюдала его развитие день за днем. Он научился ходить, говорить и мыслить. Его поведение менялось: то он становился неуправляемым и диким, то нежным и застенчивым ребенком. Ему не нравилось, когда Дженнифер покидала его на ночь, он боялся темноты и требовал, чтобы оставляли включенным свет.

Когда ему исполнилось два года, он стал совсем несносным. В нем проснулись упрямство и тяга к разрушению. Он обожал «чинить» вещи. Он сломал швейную машинку миссис Макей, два телевизора и разобрал часы Дженнифер. Он смешивал соль с сахаром. Он проказничал, когда оставался один. Кен Бэйли принес ему щенка немецкой овчарки, и Джошуа укусил собаку.

Когда Кен приходил к ним в гости, Джошуа встречал его со словами: «Привет. У тебя есть часы? Дай я с ними поиграю».

В то время Дженнифер с удовольствием отдала бы Джошуа первому встречному.

В три года он внезапно стал настоящим ангелом, нежным и ласковым. Он все больше становился похожим на своего отца и любил мастерить все своими руками. Ему нравилось играть во дворе, бегать, лазать по деревьям и кататься на трехколесном велосипеде.

Они с Дженнифер стали большими друзьями. На День матери Джошуа выучил любимую песню Дженнифер — «Лунный свет». Это был самый трогательный момент в ее жизни.

«Мы не получаем мир в наследство от наших родителей, мы берем его взаймы у наших детей».

Джошуа стал ходить в детский сад, и ему там очень нравилось. Вечером, когда Дженнифер была дома, они садились у камина и вместе читали. Дженнифер читала журналы по юриспруденции, а Джошуа — книжки с картинками. Глядя на его сосредоточенное лицо, она вспоминала Адама. Рана еще не зажила. Она все время пыталась представить себе, чем сейчас занимается Адам. Чем занимаются Адам, Мэри Бет и Саманта.

Дженнифер старалась не смешивать личную и профессиональную жизнь, единственным связующим звеном был Кен Бэйли.

Он покупал Джошуа игрушки и книги, играл с ним.

Однажды воскресным днем Дженнифер и Кен стояли и смотрели, как Джошуа забирается на дерево.

— Знаешь, что ему нужно? — спросил Кен.

— Нет.

— Ему нужен отец. — Он повернулся к Дженнифер. — Его настоящий отец оказался дерьмом.

— Кен, перестань, пожалуйста.

— Извини. Это, конечно, не мое дело. Но я говорю не о прошлом, а о будущем. Ведь ты не можешь все время жить одна, как...

— Я не одна. У меня есть Джошуа.

— Я не про это говорю. — Он обнял ее и нежно поцеловал. — Прости, Дженнифер...

Раз десять ей звонил Майкл Моретти. Она не отвечала на его звонки.

Однажды, выступая в суде, она заметила его в зале, но, когда снова посмотрела туда, его уже не было.

Глава 35

Как-то раз, когда Дженнифер уже собиралась домой, Синтия доложила:

— Мистер Кларк на проводе.

Поколебавшись, Дженнифер решила поговорить с ним:

— Ладно, соедини меня с ним.

Кларк Холман был адвокатом при обществе юридической помощи.

— Извини, что беспокою тебя, Дженнифер, — начал он, — тут у нас одно дело, за которое никто не хочет браться. Я буду очень признателен, если ты мне поможешь. Я знаю, что ты ужасно занята, но...

— О ком речь?

— О Джеке Сканлоне.

Она сразу вспомнила это имя. Последние два дня оно не сходило с газетных страниц. Джека Сканлона арестовали за похищение четырехлетней девочки с целью выкупа. Его опоз-

243

нали по фотороботу, составленному полицией со слов свидетеля похищения.

— Почему ты обратился ко мне, Кларк?

— Сканлон сам попросил об этом.

Дженнифер посмотрела на часы. Она обещала Джошуа прийти сегодня пораньше.

— Где он сейчас?

— В исправительном центре «Метрополитен».

Дженнифер быстро приняла решение:

— Я поговорю с ним. Условься о встрече.

— Хорошо. И огромное спасибо. За мной должок.

Дженнифер позвонила миссис Макей:

— Я задержусь сегодня. Пусть Джошуа поужинает и ждет меня.

Десять минут спустя Дженнифер уже подъезжала к исправительному центру.

Дженнифер расценивала похищение как самое омерзительное преступление, особенно похищение беспомощного ребенка. Но каждый обвиняемый имеет право на защиту, независимо от тяжести совершенного преступления. Это основа закона — справедливость для высших и низших.

Дженнифер предъявила охраннику свои документы, и ее проводили в комнату для встреч с адвокатами.

— Сейчас я приведу Сканлона, — сказал охранник.

Через несколько минут в комнату ввели худого симпатичного человека лет тридцати, с белокурыми волосами до плеч и бородкой. Именно таким изображают Христа.

— Спасибо, что пришли, мисс Паркер, — произнес он мягким ласковым голосом. — Спасибо вам за отзывчивость.

— Садитесь.

Он сел напротив Дженнифер.

— Вы просили о встрече со мной?

— Да. Хотя я думаю, что теперь только Бог может мне помочь. Я совершил ужасную глупость.

Она посмотрела на него с отвращением:

— Вы называете похищение беспомощной девочки в целях выкупа «ужасной глупостью»?

244

— Я похитил Тэмми не из-за денег.

— Ах вот как! Тогда зачем же вы ее похитили?

Воцарилось молчание. Наконец Джек Сканлон сказал:

— Моя жена — Эвелин — умерла при родах. Я любил ее больше всего на свете. Если только на Земле существуют святые, то она была одной из них. У Эвелин, к несчастью, было слабое здоровье. Доктор советовал ей вовсе не иметь детей, но она не послушалась. — Он смущенно опустил глаза. — Возможно, вам будет трудно это понять, но она говорила, что все равно хочет иметь ребенка, потому что он будет частичкой меня.

Как хорошо понимала это Дженнифер!

Джек Сканлон замолчал. Его мысли были далеко.

— Итак, она родила?

Сканлон кивнул.

— Они умерли обе. — Ему было трудно говорить. — Некоторое время я подумывал... Я не хотел жить без нее. И все время представлял, каким был бы наш ребенок. Представлял, как было бы замечательно, если бы они обе были живы. Мне хотелось перенестись в то время, когда Эвелин еще не... — Он замолчал. Боль не давала ему говорить. — Я обратился к Библии, и она спасла меня от безумия. А затем, несколько дней назад, я увидел маленькую девочку, игравшую на улице. Она была просто копией Эвелин. Те же глаза, волосы. Она посмотрела на меня и улыбнулась. У меня помутилось в голове. Я подумал: вот ребенок Эвелин, наш ребенок.

Дженнифер видела, как у него побелели костяшки пальцев.

— Я знал, что этого делать нельзя, но я взял ее. — Он посмотрел Дженнифер в глаза. — Ни за что на свете я не причинил бы ей вреда.

Дженнифер внимательно наблюдала за ним, стараясь уловить фальшь. Но фальши не было. Перед ней сидел агонизирующий человек.

— А как же записка с требованием выкупа? — спросила она.

245

— Я не посылал никакой записки. Меньше всего я думал о деньгах. Мне нужна была лишь малышка Тэмми.

— Но кто-то же послал записку с требованием заплатить выкуп?

— Полиция утверждает, что это сделал я, но это не так.

Дженнифер задумалась, пытаясь собрать все факты воедино.

— История о похищении появилась в газетах до или после вашего ареста?

— До. Я помню, как мне хотелось, чтобы газеты перестали писать об этом. Мне хотелось уехать куда-нибудь с Тэмми, и я боялся, что нас поймают.

— Значит, кто-то прочитал об этом в газетах и решил получить выкуп?

Джек Сканлон беспомощно развел руками:

— Не знаю, я знаю только, что хочу умереть.

Дженнифер была тронута его болью. Если он говорит правду, а это просто написано на его лице, тогда он не заслуживает смерти за свое преступление. Конечно, он должен быть наказан, но не казнен.

Дженнифер приняла решение:

— Я постараюсь вам помочь.

Он спокойно сидел на стуле.

— Спасибо. Хотя мне и безразлично, что со мной будет.

— Мне небезразлично.

Джек Сканлон произнес:

— Боюсь, что у меня... у меня нет денег, чтобы заплатить вам.

— Не беспокойтесь об этом. Лучше расскажите о себе.

— А что бы вы хотели узнать?

— Начните с самого начала. Где вы родились?

— В Северной Дакоте, тридцать пять лет назад. Я родился на ферме. Если, конечно, можно назвать фермой клочок земли, на котором ничего не желало расти. Мы были бедны. Пятнадцати лет я ушел из дому. Я любил маму, но ненавидел отца. Я знаю, что Библия учит не говорить о родителях плохо, но он действительно был злым человеком. Ему доставляло удовольствие пороть меня.

246

Дженнифер заметила, как напряглось его тело при этих словах.

— Ему было приятно бить меня. За малейший проступок, который он считал неправильным, он хлестал меня кожаным ремнем с медной пряжкой. Затем заставлял меня становиться на колени и просить у Бога прощения. Долгое время я ненавидел Бога так же, как и своего отца.

Он замолчал, охваченный воспоминаниями.

— Итак, вы убежали из дому?

— Да. На попутках я добрался до Чикаго. Мне не удалось окончить школу, хотя я много читал. Стоило отцу застать меня с книгой, как он тут же хватался за ремень. В Чикаго я устроился рабочим на фабрику и там познакомился с Эвелин. Как-то я поранил руку на станке, и меня отвели в медпункт. А она там работала медсестрой. — Он улыбнулся Дженнифер. — Это была самая красивая женщина в мире. Моя рука зажила только через две недели, и все это время я ежедневно ходил к Эвелин на перевязки. Потом мы стали встречаться. Мы как раз собирались пожениться, когда компания не получила обещанный заказ и меня вышвырнули на улицу с сотней таких же, как я. Но Эвелин это не смутило. Мы поженились и жили на одну ее зарплату. Наверное, это единственное, из-за чего мы ссорились. Я настаивал, что мужчина должен заботиться о женщине, а не наоборот. Потом мне удалось найти место шофера грузовика с неплохим заработком. Плохо только, что, бывало, мы не виделись неделями. Но в остальном я был очень счастлив. Мы оба были счастливы. А потом Эвелин забеременела.

По его телу пробежала дрожь, руки затряслись.

— Эвелин и наш ребенок умерли. — По его щекам катились слезы. — Мне неизвестно, почему Господь поступил так. Наверное, у него была причина, но я не знаю какая. — Он раскачивался на стуле взад-вперед, не замечая этого. Ладони у него были сложены на груди в молитвенном жесте. «Я покажу тебе дорогу, которой ты пойдешь. Я дам тебе совет».

Дженнифер подумала: «Я не допущу, чтобы его посадили на электрический стул».

— Завтра я приду к вам, — пообещала она.

Залог о передаче на поруки составлял двести пятьдесят долларов. Таких денег у Джека Сканлона не было, и нужную сумму внесла Дженнифер. Сканлона выпустили из исправительного центра, и Дженнифер сняла для него номер в небольшом мотеле на Вест-Сайде. Она также вручила ему сто долларов, чтобы он привел себя в порядок.

— Не знаю как, — сказал Джек Сканлон, — но я верну вам долг до последнего цента. Я найду работу, все равно какую.

Когда Дженнифер выходила из номера, он уже читал в газете предложения по трудоустройству.

Федеральный прокурор Эрл Осборн был крупным мужчиной с гладким круглым лицом и мягкими манерами. Но его внешность была обманчива.

Дженнифер с удивлением обнаружила в его кабинете Роберта Ди Сильву.

— Я слышал, что вы решили взяться за это дело. Вам любая грязь нипочем?

Дженнифер резко обернулась к Осборну:

— Что ему здесь нужно? Ведь это уголовное преступление.

— Джек Сканлон увез девочку на машине ее родителей, — ответил Осборн.

— Похищение автомобиля — это кража в крупных размерах, — добавил Ди Сильва.

«Интересно, находился бы здесь Ди Сильва, если бы адвокатом был кто-нибудь другой?» — подумала Дженнифер. Она снова повернулась к Эрлу Осборну:

— Мне бы хотелось договориться с вами. Мой клиент...

Эрл Осборн предупреждающе поднял руку:

— Ни в коем случае! Мы намерены сражаться до конца.

— Существуют определенные обстоятельства...

— Обо всем расскажете на предварительном слушании.

Ди Сильва смотрел на нее с ухмылкой.

— Ладно. Встретимся в суде. — С этими словами Дженнифер вышла.

Джек Сканлон устроился работать на заправочную станцию недалеко от мотеля. Там и нашла его Дженнифер.

— Предварительное слушание состоится послезавтра, — сообщила она. — Я буду стараться, чтобы вас признали виновным не по тем статьям, которых требует обвинитель. Вам придется сесть в тюрьму, но я попытаюсь срезать срок до минимума.

Выражение его лица было для нее наградой.

По совету Дженнифер Джек Сканлон обзавелся приличным костюмом, в котором и явился на предварительное слушание дела. Его волосы и борода были аккуратно подстрижены, так что Дженнифер осталась довольна его видом.

Суд приступил к процедуре. В зале присутствовал окружной прокурор Роберт Ди Сильва. После того как Эрл Осборн предъявил имеющиеся доказательства и высказался за предание Джека Сканлона суду, судья Бернард повернулся к Дженнифер:

— У вас есть что-нибудь, мисс Паркер?

— Да, ваша честь. Я думаю, что нет необходимости выносить это дело в суд. Существуют смягчающие обстоятельства, о которых пока не было сказано. Я бы хотела признать моего клиента виновным в совершении менее серьезного преступления.

— Ни в коем случае, — запротестовал Эрл Осборн. — Обвинение не согласно.

Дженнифер повернулась к судье Бернарду:

— Не могли бы мы обсудить этот вопрос в кабинете вашей чести?

— Хорошо. Я назначу дату суда после того, как выслушаю адвоката.

Дженнифер повернулась к Джеку Сканлону, который ничего не мог понять.

— Можете возвращаться на работу, — сказала ему Дженнифер. — Я заеду к вам попозже и расскажу, чем все закончилось.

Он кивнул и тихо произнес:

— Спасибо вам, мисс Паркер.

Дженнифер, Эрл Осборн, Роберт Ди Сильва и судья Бернард сидели в комнате судьи.

Осборн обратился к Дженнифер:

— Я никак не могу понять, почему вы решили обратиться ко мне с прошением осудить его по другой статье. Похищение с целью выкупа наказывается смертной казнью. Ваш клиент виновен, и ему придется сполна ответить за содеянное.

— Эрл, не надо верить тому, что пишут газеты. Джек Сканлон не имеет никакого отношения к записке с требованием выкупа.

— Вы шутите? Зачем же, черт возьми, он тогда похитил ее?

— Сейчас я все расскажу.

И Дженнифер принялась рассказывать. О том, как он родился на ферме, как его избивал отец, как Джек влюбился в Эвелин, как жена и ребенок умерли при родах.

Они молча выслушали, и Роберт Ди Сильва сказал:

— Итак, Джек Сканлон похитил девочку, потому что она напоминала его умершего ребенка? Понятно... А жена, значит, умерла при родах?

— Правильно, — ответила Дженнифер, поворачиваясь к судье Бернарду, — ваша честь, я не думаю, что этот человек заслуживает смертной казни.

— Полностью с вами согласен, — неожиданно сказал Ди Сильва.

Дженнифер удивленно посмотрела на него, а Ди Сильва извлек из кейса какие-то бумаги.

— Разрешите задать вам вопрос? — обратился он к Дженнифер. — А этого человека можно приговорить к смерти? — И он принялся читать: — Фрэнк Джексон, тридцати восьми

250

лет. Родился в Ноб Хилл, Сан-Франциско. Отец — врач, мать — известный общественный деятель. В четырнадцать лет Джексон пристрастился к наркотикам, сбежал из дому, был задержан в Хейт-Эшбури, передан родителям. Спустя три месяца Джексон украл наркотические средства из кабинета отца и сбежал. Арестован в Сиэтле за хранение и продажу наркотиков, заключен в тюрьму. В возрасте восемнадцати лет освобожден и через месяц снова арестован, на этот раз за вооруженное ограбление с покушением на убийство...

Дженнифер почувствовала, как к горлу подкатывает тошнота.

— Какое отношение это имеет к Джеку Сканлону?

Эрл Осборн холодно улыбнулся:

— Джек Сканлон и Фрэнк Джексон — одно и то же лицо.

— Не может быть!

Ди Сильва сказал:

— Час назад мы получили эту информацию от ФБР. Джексон — превосходный артист и патологический лжец. В течение последних десяти лет он привлекался к суду за самые разные преступления, начиная с ложного вызова пожарной машины и кончая вооруженным ограблением. Он отсидел срок в тюрьме в Джольет. У него никогда не было постоянной работы, он никогда не был женат. Пять лет назад он был задержан ФБР и обвинялся в похищении трехлетней девочки в целях выкупа. Согласно заключению патологоанатома, тело ребенка уже частично разложилось, но сохранились многочисленные раны, нанесенные ножом. Девочка была изнасилована в извращенной форме.

Дженнифер замутило.

— Один адвокатишка-пройдоха сумел добиться его освобождения по каким-то техническим деталям. — В голосе Роберта Ди Сильвы звучало презрение. — И вы хотите, чтобы такой человек спокойно разгуливал по улицам?

— Можно мне взглянуть на его досье?

Ди Сильва молча передал ей бумаги. Дженнифер принялась их читать. Да, это был Джек Сканлон. В этом не приходилось сомневаться. В досье имелась фотография, сделанная в полицейском участке, на которой он был без бороды и выглядел моложе. Но конечно же, это был он. Он солгал Дженнифер, а она поверила его слову. Он говорил настолько убедительно, что она даже не удосужилась проверить его показания.

— Можно взглянуть? — попросил судья Бернард.

Дженнифер передала ему досье. Просмотрев бумаги, судья поинтересовался:

— Ну и какое же ваше мнение?

— Я отказываюсь защищать его.

Ди Сильва поднял брови в притворном удивлении:

— Вы поражаете меня, мисс Паркер. Вы же всегда утверждали, что право на защиту имеет каждый.

— Да, это так. Но у меня есть твердое правило — я не защищаю тех, кто говорит мне неправду. Мистеру Джексону придется искать себе другого адвоката.

Судья Бернард кивнул:

— Суд позаботится об этом.

Осборн сказал:

— Я настаиваю на немедленном задержании Джексона, ваша честь. Он слишком опасен, чтобы оставаться на свободе.

Судья Бернард повернулся к Дженнифер:

— Вам придется временно оставаться адвокатом по делу, так как ваше имя занесено в судейские протоколы. У вас есть возражения?

— Нет, — коротко ответила Дженнифер.

— Я прикажу немедленно взять его под стражу, — сказал в заключение судья Бернард.

В тот вечер судья Лоренс Уолдман пригласил Дженнифер на благотворительный ужин. И хотя она чувствовала себя измученной после всех событий и намеревалась провести вечер с Джошуа, ей не хотелось обижать Лоренса отказом. Она переоделась на работе и встретилась с Уолдманом в отеле «Уолдорф-Астория».

На торжественном мероприятии присутствовала по крайней мере дюжина голливудских звезд, но Дженнифер было не до них. Ее мысли витали далеко, когда к ней подошел Лоренс.

— Что-нибудь случилось, Дженнифер?

— Ничего особенного, проблемы на работе, Лоренс.

«Да. Ну и работка у меня, — подумала Дженнифер, — общаться с отбросами общества, насильниками, похитителями детей». Она пришла к выводу, что у нее есть прекрасный повод напиться.

К столику подошел метрдотель и шепнул ей на ухо:

— Извините, мисс Паркер, вас к телефону.

Дженнифер встревожилась. Лишь миссис Макей знала, где ее искать, но она бы позвонила только при чрезвычайных обстоятельствах.

— Простите, — извинилась Дженнифер перед соседями по столику и пошла за метрдотелем к телефону.

В трубке она услышала мужской голос.

— Ах ты сука! Продала меня!

По ее телу пробежала дрожь.

— Кто это?

Но она уже и так знала, кто это звонил.

— Ты сказала легавым, чтобы меня арестовали.

— Это неправда. Я...

— Ты обещала мне помочь!

— Я помогу вам. Где вы?

— Продажная шлюха! — Он говорил так тихо, что она едва разбирала слова. — Ты заплатишь за это! Еще как заплатишь!

— Подождите минутку...

В трубке раздались гудки отбоя. Дженнифер дрожала всем телом. Что-то случилось. Фрэнк Джексон, он же Джек Сканлон, каким-то образом убежал от полицейских и теперь во всем винит ее. Откуда он узнал, где она находится? Или он следил за ней? Может, он и сейчас караулит у входа?

Дженнифер попыталась унять дрожь и собраться с мыслями. Возможно, он сразу заметил, что за ним пришла поли-

253

ция. Или его задержали, но ему удалось бежать? Это не важно. Главное, что он во всем винит ее.

Фрэнку Джексону уже случалось убивать, и сейчас он пойдет на убийство без колебаний. Дженнифер пошла в дамскую комнату и находилась там, пока немного не успокоилась. Взяв себя в руки, она вернулась за столик.

Судья Уолдман удивленно посмотрел на нее:

— Господи, да что случилось?

Дженнифер вкратце рассказала ему, в чем дело, и он побледнел.

— Боже праведный! Может, проводить тебя до дома?

— Все в порядке, Лоренс. Главное, добраться до машины, а там я уже буду спокойна.

Они вышли из отеля, и Лоренс стоял рядом с Дженнифер, пока служитель не подогнал машину.

— Ты уверена, что мне не стоит проводить тебя домой?

— Спасибо. Я надеюсь, что к утру полиция его арестует. Его нетрудно обнаружить при такой броской внешности. Спокойной ночи.

Дженнифер отъехала и, убедившись, что за ней никто не следит, направилась к дому. Всю дорогу она поглядывала в зеркало, наблюдая за машинами, идущими сзади. Один раз она даже съехала на обочину, чтобы пропустить все машины, и возобновила движение, только когда дорога опустела. Теперь она чувствовала себя спокойно. Через пару часов Фрэнк Джексон будет арестован. Вся полиция уже поднята на ноги.

Дженнифер подъехала к воротам своего дома. Двор и дом, которые обычно были ярко освещены, сейчас были темными. Сидя в машине, она недоверчиво смотрела на дом, чувствуя, как ее охватывает тревога. Резко открыв дверцу машины, она побежала к дому и, охваченная ужасом, остановилась на секунду перед распахнутой настежь дверью. Войдя в холл, Дженнифер споткнулась обо что-то теплое и мягкое и вскрикнула от неожиданности. Включив свет, она увидела на полу собаку с перерезанным горлом.

Дженнифер не смогла сдержать истошный крик.

— Джошуа! Миссис Макей!

Дженнифер металась из комнаты в комнату, включая повсюду свет и зовя сына. Сердце стучало так сильно, что у нее прерывалось дыхание. В спальне Джошуа постель была разобрана, но пуста. Дженнифер обежала все комнаты. Пусто. Фрэнк Джексон, наверное, знал, где она живет. Он запросто мог выследить ее, когда она отъезжала от заправочной станции. Он похитил Джошуа и собирается его убить, чтобы отомстить ей.

Проходя мимо кладовой, она услышала слабый стон, доносившийся оттуда. Дженнифер медленно подошла к двери и распахнула ее. Внутри было темно.

— Пожалуйста, не мучайте меня больше, — раздался слабый голос.

Дженнифер включила свет. На полу лежала миссис Макей. Ее руки и ноги были крепко связаны проволокой. Она была в забытьи.

Дженнифер быстро опустилась на колени рядом с ней.

— Миссис Макей!

Старая женщина с трудом открыла глаза и посмотрела на Дженнифер.

— Он забрал Джошуа, — зарыдала она.

Стараясь не причинить боль, Дженнифер развязала миссис Макей. Проволока так сильно врезалась в кожу, что из ран сочилась кровь. Дженнифер помогла женщине подняться на ноги. Миссис Макей истерично рыдала:

— Я не... не м-могла ос-становить его! Я п-пыталась...

Резко прозвучал телефонный звонок. Обе женщины сразу замолчали. Телефон звонил и звонил. Что-то зловещее было в этом звуке. Дженнифер подошла к телефону и сняла трубку.

— Я лишь хотел убедиться, что ты дома, — услышала она.

— Где мой сын?

— Симпатичный мальчик, не правда ли? — сказал Джексон.

— Пожалуйста! Я сделаю что угодно! Все что вы скажете!

— Вы уже все сделали, мисс Паркер.

— Пожалуйста, прошу вас! — Она беспомощно зарыдала.

— Мне нравится слышать, как ты плачешь, — прошептал голос. — Завтра ты получишь своего сына обратно. Читай утренние газеты.

В трубке раздались короткие гудки.

В состоянии, близком к обмороку, Дженнифер старалась собраться с мыслями. Фрэнк Джексон сказал: «Симпатичный мальчик, не правда ли?» Значит, Джошуа жив. Иначе бы он сказал, был симпатичным мальчиком. Дженнифер понимала, что пытается успокоить себя, ища в словах несуществующий смысл. Надо срочно принять решение.

Первой мыслью было позвонить Адаму и попросить помощи у него. Ведь это его сына похитили, ведь это его сына собираются убить. Но она знала, что он ничем не сможет помочь. Он слишком далеко отсюда. Было еще два выхода: первый — позвонить Роберту Ди Сильве и попросить организовать массовую облаву на Джексона. Боже, но ведь это займет столько времени! Второй — ФБР. Они знают, что делать в таких случаях. Но здесь случай особый. Нет записки с требованием выкупа, по которой можно выйти на преступника. Невозможно устроить ловушку Джексону, чтобы спасти жизнь Джошуа. ФБР действует по своим, четко установленным правилам. А ей нужна помощь немедленно. Надо срочно принять решение... пока Джошуа еще жив. Роберт Ди Сильва или ФБР? Что выбрать?

Она глубоко вздохнула, наконец решившись. Ее руки дрожали так, что лишь с третьего раза ей удалось набрать номер.

Когда на другом конце провода ответили, Дженнифер сказала:

— Мне надо поговорить с Майклом Моретти.

Глава 36

— Извините, леди. Это ресторан «Тони Плейс». Я не знаю никакого Майкла Моретти.

— Подождите! — закричала Дженнифер. — Не вешайте трубку. — Она попыталась успокоиться. — У меня срочное

256

дело. Я... я его знакомая. Меня зовут Дженнифер Паркер Мне надо немедленно поговорить с ним.

— Послушайте, леди. Я уже сказал...

— Передайте ему мой номер телефона.

Она продиктовала номер. Она так дрожала, что почти не могла говорить.

— С-скажите е-ему...

Но на том конце провода уже повесили трубку.

Медленно Дженнифер положила трубку на рычаг. Опять у нее осталось только два выхода. Роберт Ди Сильва или ФБР. А может, они объединят свои силы. Но ей не давала покоя мысль, что у них не будет почти никаких шансов найти Джексона. Не будет времени. «Читай утренние газеты». В его голосе звучала такая решимость, что Дженнифер была уверена — больше он звонить не будет. А значит, засечь его не удастся. Но ведь что-нибудь можно сделать... Надо позвонить Ди Сильве. Она протянула руку к телефону. Когда она коснулась его, он зазвонил. Дженнифер вздрогнула.

— Это Майкл Моретти.

— Майкл! О Майкл, помогите же, пожалуйста! Я... — Она зарыдала. Она выронила трубку и быстро подняла ее, боясь, что линия разъединилась. — Майкл?

— Я слушаю. — Его голос был спокоен. — Возьмите себя в руки и расскажите, что случилось.

— Я... я... — Она сделала несколько глубоких вдохов, стараясь унять дрожь. — Мой сын, Джошуа. Его похитили. Его хотят убить.

— Вы знаете, кто похитил его?

— Д-да. Его зовут Ф-Фрэнк Джексон. — Сердце готово было выпрыгнуть из ее груди.

— Расскажите, как это произошло, — сказал он спокойным и доверительным голосом.

Дженнифер заставила себя связно рассказать, что произошло.

— Вы можете сказать мне, как выглядит Джексон?

Его образ возник перед глазами Дженнифер. Она тщательно описала его внешность.

— Отлично, — сказал Майкл Моретти. — Вы знаете, где он отбывал срок?

— В Джольет. Он мне сказал, что убьет...

— Где находится заправочная станция, на которой он работал?

Она назвала ему адрес.

— А как называется мотель, в котором он жил?

— Сейчас. — Она впилась ногтями в лоб, пытаясь вспомнить название. Из царапин сочилась кровь. Моретти терпеливо ждал.

Внезапно она вспомнила.

— Мотель «Трэвел Уэлл». Это на Десятой авеню. Но я уверена, что там его нет.

— Посмотрим.

— Мне нужен мой сын. Живой!

Майкл Моретти ничего не ответил, и Дженнифер все поняла.

— А если мы найдем Джексона?

Дженнифер сделала глубокий вдох:

— Убейте его!

— Ждите у телефона.

Линия разъединилась. Дженнифер повесила трубку. У нее появилось странное чувство умиротворения. У нее не было повода доверять Майклу Моретти. С точки зрения логики, это было безумное решение, но логика была здесь ни при чем. Ставкой была жизнь ее сына. Она преднамеренно направила одного убийцу на поиски другого. Если ничего не получится... Она подумала о маленькой девочке, которую изнасиловали и зверски убили.

Дженнифер пошла к миссис Макей. Обработав ее раны, она уложила женщину в постель. Дженнифер предложила ей выпить успокоительное лекарство, но миссис Макей оттолкнула ее руку.

— Я не могу заснуть, — зарыдала она. — О миссис Паркер! Он заставил Джошуа проглотить снотворное.

Дженнифер в ужасе смотрела на нее.

Майкл Моретти сидел за столом, глядя на семерых мужчин, которых он вызвал к себе. Первым троим он уже дал указания.

Он повернулся к Томасу Колфаксу:

— Том, я хочу, чтобы ты использовал свои связи. Пойди к капитану Нотарасу, и пусть он даст тебе все, что у них есть на Фрэнка Джексона. Все до мельчайших деталей.

— Мы окажемся его должниками, Майкл. Я не думаю...

— Не спорь. Выполняй, что тебе приказано.

— Ладно, — с каменным лицом произнес Колфакс.

Майкл повернулся к Нику Вито:

— Проверь бензозаправку, где работал Джексон. Может, он заходил в бары, расположенные по соседству. Узнай, не было ли у него там приятелей.

Затем он обратился к Сальваторе Фьоре и Джозефу Колелле:

— Езжайте в мотель Джексона. Его там наверняка нет, но узнайте, может, там остался кто-нибудь из его дружков. — Он посмотрел на часы. — Сейчас полночь. Даю вам восемь часов, чтобы найти Джексона.

Его помощники направились к двери.

Майкл крикнул им вслед:

— Я не хочу, чтобы с ребенком что-нибудь случилось. Буду ждать ваших докладов по телефону.

Когда дверь за ними закрылась, он снял трубку одного из телефонов, стоящих на его столе, и стал набирать номер.

1.00

Комната в мотеле была не очень большая, но аккуратная. Фрэнку Джексону нравился порядок. Он чувствовал, что получил правильное воспитание. Жалюзи были опущены и закрыты, чтобы снаружи никто не смог заглянуть в комнату. Дверь была заперта и закрыта на цепочку. На всякий случай он еще припер ее стулом. Он подошел к кровати, на которой лежал Джошуа. Фрэнк заставил мальчика проглотить три таблетки снотворного, и теперь Джошуа крепко спал. Но

Джексон никогда не полагался на волю случая, поэтому руки и ноги мальчика были крепко связаны такой же проволокой, какой он связал ту старуху в доме. Посмотрев на спящего ребенка, Джексон почувствовал, как его охватила грусть.

«Господи, зачем люди заставляют меня делать такие ужасные вещи? Я мирный, ласковый человек, но когда все против тебя, когда все нападают на тебя, приходится защищаться. Главное заключалось в том, что все недооценивали меня. Они убеждались в этом, когда было уже слишком поздно. Я умнее их всех».

За полчаса до того, как приехала полиция, он знал, что его собираются арестовать. Он как раз заправлял «шевроле», когда его хозяина позвали к телефону. Джексон не слышал, о чем шла речь, но ему этого и не надо было. Он видел, как босс что-то шептал в трубку, украдкой поглядывая на него. Фрэнк Джексон сразу же понял, что произошло. Эта стерва Паркер предала его, сказала легавым, чтобы его арестовали. Она была такой же дрянью, как и все остальные. Его босс еще говорил по телефону, когда Фрэнк схватил свой пиджак и исчез. Ему понадобилось три минуты, чтобы найти открытую машину и завести ее без ключа. Через несколько секунд он уже направлялся к дому Дженнифер Паркер.

Джексон сам поражался своей сообразительности. Кто бы еще мог додуматься до того, чтобы выследить, где она живет? Он сделал это в тот же день, когда она освободила его из тюрьмы под залог. Остановив машину на другой стороне улицы, он с удивлением смотрел, как у ворот Дженнифер встречал маленький мальчик. Глядя, как они вместе направляются к дому, он подумал, что мальчишка может ему пригодиться. Это был неожиданный удар, то, что поэты называют заложником судьбы.

Джексон улыбнулся, вспомнив, как испугалась эта старая сука нянька. Как ему было приятно связывать ее по рукам и ногам. Нет, ничего приятного не было. Зря это он так. Просто это была необходимость. Нянька думала, что он хочет изнасиловать ее. Она вызывала в нем отвращение. Женщины — это грязные существа, даже его сестра-шлюха. Чи-

260

стыми были только дети. Он вспомнил маленькую девочку, которую похитил в прошлый раз. Она была прелестна, какие у нее были белокурые волосы. Но она должна была заплатить за грехи своей матери. Ее мать выгнала Джексона с работы. Люди не давали ему честно заработать деньги, а затем наказывали его, когда он нарушал их дурацкие законы. Мужчины — мерзкие существа, но женщины еще омерзительнее. Свиньи, которые хотят осквернить непорочность мужского тела. Как эта официантка Клара, которую он собирается взять в Канаду. Она влюблена в него. Она считает его джентльменом, потому что он ни разу не дотронулся до нее. Если бы она только знала. От одной только мысли, что он должен заниматься с ней любовью, его начинало тошнить. Но ему надо взять ее с собой, так как полиция будет искать одинокого мужчину. Он сбреет бороду, коротко подстрижется, а когда пересечет границу, то отделается от Клары. Это доставит ему огромное наслаждение.

Фрэнк Джексон подошел к потрепанному чемодану, открыл его и вытащил оттуда набор инструментов. Он достал из набора только молоток и гвозди. Он положил их на тумбочку рядом со спящим мальчиком. Затем он пошел в ванную и взял там канистру с бензином. Он принес ее в спальню и поставил рядом с кроватью. Он предаст Джошуа огню. Но это произойдет после того, как он распнет его.

2.00

По Нью-Йорку пополз слух. Сначала он появился в барах и ночлежках. Здесь и там его пересказывали друг другу. Вскоре он набрал скорость и распространился на дешевые рестораны, шумные дискотеки, ночные заведения. Его подхватили таксисты, водители грузовиков, девушки с ночных улиц. Это было похоже на камушек, который бросили в пруд и круги от которого расходятся все шире и шире. Через пару часов на улицах уже все знали, что Майклу Моретти нужна кое-какая информация, и нужна быстро. Немногим выпадал шанс оказать услугу Майклу Моретти. Для кого-то это была долгожданная возможность, потому что Моретти умел быть благодарным. Слух заключался в том, что ему надо найти худощавого мужчину со светлыми волосами, который был похож на Иисуса. Люди стали копаться в своей памяти.

2.15

Джошуа Адам Паркер зашевелился во сне, и Фрэнк Джексон тут же подошел к нему. Он еще не снял с него пижаму. Джексон проверил, что гвозди и молоток лежат на месте. Самое главное — это быть аккуратным во всем. Он прибьет руки и ноги мальчика к полу, прежде чем подожжет бензин. Конечно, он мог бы сделать это, когда мальчик спал, но эффект был бы совсем другой. Самое главное заключалось в том, чтобы мальчик видел, что с ним происходит, чтобы он знал, что платит за грехи своей матери. Фрэнк Джексон посмотрел на часы. Клара заедет за ним в мотель в семь тридцать. Осталось пять часов и пятнадцать минут. Достаточно времени.

Фрэнк Джексон посмотрел на мальчика и ласково поправил выбившийся локон.

3.00

Стали поступать первые доклады.

На столе у Майкла Моретти было два телефона, и не успевал он ответить по одному, как уже звонил другой.

— Майк, есть тут одна зацепка. Пару лет назад он работал в деле с Джо Зиглером и Мелом Коэном из Канзас-Сити.

— Мне наплевать, чем он занимался два года назад. Где он сейчас?

— Джо говорит, что уже шесть месяцев ничего не слышал о нем. Сейчас я пытаюсь разыскать Мела Коэна.

— Действуй!

Второй телефонный звонок тоже ничего не дал.

— Я был в отеле. Он уехал. С собой у него были коричневый чемодан и канистра на два галлона, в которой мог быть бензин. Портье не знает, куда он уехал.

— Что в барах по соседству?

— Один из владельцев узнал его по описанию, но говорит, что он появлялся редко. Два или три раза зашел после работы.

— Один?

— Бармен говорит, что один. Он говорит, что тот не интересовался девочками.

— Проверь все бары для голубых.

Не успел Майкл повесить трубку, как телефон снова зазвонил. Это был Сальваторе Фьоре.

— Колфакс поговорил с капитаном Нотарасом. Среди личных вещей Джексона был закладной билет из ломбарда. У меня есть номер билета и адрес ломбарда. Его владелец — грек, Гас Стравос. Он покупает «горячие» камушки.

— Ты его уже проверил?

— Надо подождать до утра, Майк. Ломбард закрыт. Я...

Майкл Моретти взорвался:

— Мы не можем ждать до утра. Живо в ломбард!

Ему позвонили из тюрьмы в Джольет. Майклу пришлось прислушиваться, так как у его собеседника, перенесшего ларингостомию, голос звучал как из преисподней.

— Джексон сидел в камере с Мики Никола. Они были корешами.

— А где сейчас может быть Никола?

— Я слышал, он подался куда-то на восток. Он дружок сестры Джексона. У нас нет ее адреса.

— За что сидел Никола?

— Грабанул ювелирный магазин.

3.30

Ломбард находился в испанском Гарлеме на углу Второй авеню и 124-й улицы. Это было неказистое двухэтажное здание, внизу находился сам ломбард, а наверху жилые помещения.

Гас Стравос проснулся, когда ему в лицо направили луч фонаря. Инстинктивно он потянулся к кнопке сигнализации, расположенной рядом с кроватью.

— Я бы не стал этого делать, — раздался голос.

Луч фонаря убрали с его лица, и он сел в кровати. Посмотрев на двух мужчин, стоящих по обе стороны от него, он понял, что ему дали хороший совет. Гигант и коротышка. Стравос почувствовал, что у него начинается приступ астмы.

— Идите вниз и берите, что хотите, — просипел он. — Я не буду даже шевелиться.

Гигант, Джозеф Колелла, произнес:

— Вставай. Медленно.

Гас Стравос медленно поднялся на ноги, стараясь не делать резких движений.

Коротышка, Сальваторе Фьоре, сунул ему под нос клочок бумаги:

— Это номер закладного билета. Нам надо взглянуть на товар.

— Да, сэр.

Сопровождаемый громилами, Гас Стравос спустился по лестнице. Полгода назад Стравос установил в доме хитроумную сигнализацию. Повсюду были потайные кнопки и даже половицы, на которые стоило только наступить, и полиция будет тут через пару минут. Но он не поддался искушению. Инстинкт подсказывал ему, что он будет мертв, когда подоспеет помощь. Он знал, что единственный его шанс на спасение, это отдать им то, что они хотят. Он только молился, чтобы не умереть от приступа астмы, прежде чем они уйдут отсюда.

Он включил свет, и они направились к двери, ведущей в ломбард. Гас Стравос не знал, в чем дело, но он знал, что все могло быть гораздо хуже. Если эти люди хотели ограбить ломбард, они бы уже давно сделали свое дело и были далеко отсюда. Но похоже, их интересовал конкретный товар. Он удивился, как они смогли преодолеть систему сигнализации на двери и окнах, но решил не задавать им такой вопрос.

— Пошевеливайся, — сказал Джозеф Колелла.

Взглянув на номер закладного билета, Гас принялся искать в картотеке. Найдя то, что искал, он удовлетворенно кивнул, подошел к двери хранилища и открыл ее. Гангстеры стояли за его спиной, Стравос пошарил на полке и взял оттуда небольшой конверт. Повернувшись к мужчинам, он вскрыл конверт и достал оттуда кольцо с огромным бриллиантом, засиявшим тысячью огней.

— Вот, — сказал Гас Стравос. — Я дал ему за него пять сотен. — Кольцо стоило по крайней мере тысяч двадцать.

— Кому ты дал пять сотен? — спросил Сальваторе Фьоре.

Гас Стравос пожал плечами:

— У меня каждый день здесь столько народа проходит. Разве всех запомнишь?

Откуда ни возьмись, в руке Фьоре оказался обрезок свинцовой трубы, которым он со всей силы ударил Гаса Стравоса по лицу. Тот упал, крича от боли, захлебываясь собственной кровью.

— Так кто принес это сюда?

Гас Стравос судорожно дышал.

— Я не знаю его имени. Он мне не сказал. Клянусь вам!

— Как он выглядел?

Кровь лилась Стравосу в горло, и он едва мог говорить. Он начал терять сознание, но знал, что, если он отключится раньше, чем заговорит, он уже никогда не очнется.

— Дайте мне вспомнить, — умоляюще простонал он.

Стравос попытался сосредоточиться, но в голове у него был туман. Он пытался вспомнить клиента, который вытащил из коробочки кольцо и показал ему. Он стал припоминать.

— Он... он был худой, волосы светлые. — Стравос сплюнул кровь. — Помогите мне встать.

Сальваторе Фьоре пнул его ногой в бок.

— Рассказывай дальше.

— У него была борода. Светлая борода...

— А камушек? Откуда он взялся?

Даже мучаясь от боли, Стравос заколебался. Если он им расскажет, он умрет позднее. Если он не расскажет, он будет мертвым прямо сейчас. Он решил, насколько возможно, отсрочить свою смерть.

— Из ювелирного магазина «Тиффани».

— Кто его ограбил вместе с тем блондином?

Гас Стравос задыхался.

— Мики Никола.

— Где его можно найти?

— Я не знаю. Он... он живет у какой-то женщины в Бруклине.

Фьоре носком ботинка ударил его в нос. Гас Стравос застонал от боли.

— Как зовут эту шлюху? — спросил Джозеф Колелла.

— Джексон. Бланш Джексон.

4.30

Дом стоял далеко от улицы и был огорожен невысокой оградой. Перед домом зеленела ухоженная лужайка. Сальваторе Фьоре и Джозеф Колелла прямо по клумбам направились к черному ходу. Им хватило пяти секунд, чтобы открыть дверь Войдя внутрь, они направились к лестнице. Из спальни доносились звуки скрипящей кровати и голоса — мужской и женский. Гангстеры вытащили пистолеты и тихо стали подниматься по ступенькам.

— О Господи! — стонала женщина. — Какой ты молодец, Мики! Еще! Сильнее!

— Как приятно, крошка. Подожди, не кончай.

— Не буду, — простонала женщина. — Мы кончим вмес...

Повернувшись, она завизжала. Мужчина обернулся. Он потянулся к подушке, но потом передумал.

— Ладно, — сказал он. — Мой бумажник в брюках на стуле. Берите его и убирайтесь. Я занят.

— Нам не нужен твой бумажник, Мики, — сказал Сальваторе Фьоре.

Гневное выражение исчезло с лица Мики. Медленно он сел в постели, стараясь оценить ситуацию. Женщина натянула на себя простыню, на ее лице застыл страх.

Никола опустил ноги с кровати, готовый в любую минуту распрямиться, как пружина. Его эрекция исчезла. Он наблюдал за пришельцами, ожидая подходящей возможности.

— Что вам надо?

— Ты работаешь с Фрэнком Джексоном?

— Пошли в задницу!

Джозеф Колелла повернулся к своему напарнику:

— Отстрели ему яйца.

Сальваторе Фьоре поднял пистолет и прицелился.

— Эй! Подождите! — завопил Никола. — Вы совсем рехнулись, ребята! — Посмотрев в глаза коротышке, он быстро сказал: — Да, я работал с Джексоном.

— Мики! — злобно завопила женщина.

Он бросил на нее уничтожающий взгляд:

— Заткнись! Ты что, хочешь, чтобы я стал евнухом?

Повернувшись к женщине, Сальваторе Фьоре спросил:

— Ты сестра Джексона?

Ее лицо пылало от ярости.

— Не знаю такого!

Подняв пистолет, Фьоре приблизился к кровати.

— У вас есть две секунды, чтобы все рассказать, иначе я размажу вас по стене!

, В его голосе было нечто такое, что заставило ее содрогнуться. Он нацелил на нее пистолет, и кровь отлила от ее лица.

— Расскажи им! — завопил Мики Никола.

Дуло пистолета уперлось в грудь женщины.

— Не надо! Да, Фрэнк Джексон — мой брат.

— Где мы его можем найти?

— Я не знаю. Мы не видимся с ним. Клянусь, что я...

Палец на спусковом крючке напрягся.

Она завизжала:

— Клара! Клара может знать! Спросите у Клары!

— Кто такая Клара? — спросил Джозеф Колелла.

— Она официантка... Подружка Фрэнка...

— Где нам ее найти?

На этот раз она не стала тянуть с ответом.

— Она работает в баре «Шейкерс» в Куинсе. — Женщина дрожала всем телом.

Сальваторе Фьоре посмотрел на них и вежливо сказал:

— Можете продолжать трахаться. Всего хорошего.

И гангстеры ушли.

5.30

Мечта всей жизни Клары Томас, настоящая фамилия — Томашевски, должна была вот-вот исполниться. Счастливо напевая, она складывала в фанерный чемодан одежду, которая могла пригодиться ей в Канаде. Она и раньше путешествовала с мужчинами, но в этот раз все будет по-другому. Это будет ее свадебное путешествие. Фрэнк Джексон совсем не похож на ее прежних знакомых. Мужчины в баре, которые лапали и щипали ее за задницу, были просто животными. Фрэнк Джексон совершенно другой. Он настоящий джентльмен. Клара на секунду прекратила собирать вещи, наслаждаясь звучанием этого слова — джентльмен. Раньше она и не думала о таких вещах, но раньше у нее не было Фрэнка Джексона. Она его видела всего четыре раза, но знала, что любит его. Она чувствовала, что привлекает его, так как он всегда садился за ее столик. После того как он пришел в бар во второй раз, он проводил ее вечером домой.

«Значит, я еще не потеряла своего обаяния, — самодовольно подумала Клара, — если такой красавчик влюбился в меня». Оставив чемодан, она подошла к зеркалу. Возможно, она была немного полновата, и волосы были уж слишком рыжими, но она сядет на диету и сбросит лишний вес. А когда будет красить волосы, то выберет более нейтральный цвет. Она была довольна своим видом. «Ты еще неплохо выглядишь, старуха», — сказала она самой себе. Хотя Фрэнк Джексон ни разу не притронулся к ней, она знала, что он хотел бы переспать с ней. Это особенный мужчина. В нем была какая-то... Клара наморщила лоб, стараясь подобрать слово — духовность. Клара выросла в католической семье и знала, что даже думать об этом грех, но Фрэнк Джексон напомнил ей Иисуса Христа. Он говорил ей, что собирается жениться на ней, когда они приедут в Канаду. Интересно, какой он в постели, подумала Клара. Ну что ж, если он застенчивый парень, она научит его кое-чему. Ее мечта станет явью. Посмотрев на часы, Клара решила, что ей следует торопиться. Она обещала заехать за Фрэнком в семь тридцать.

Она увидела в зеркало, как они вошли в ее спальню. Они появились там как бы ниоткуда. Гигант и коротышка. Клара смотрела, как они приближались к ней.

Коротышка взглянул на чемодан:

— Далеко собралась, Клара?

— Не твое дело. Забирайте, что хотите, и валите отсюда. Если найдете тут что-нибудь дороже десяти долларов, я согласна съесть это.

— Могу угостить тебя чем-то получше, — сказал гигант.

— Ах вот как, — хмыкнула Клара. — Если вы собираетесь изнасиловать меня, то сразу предупреждаю, — я лечусь от гонореи.

— Мы не собираемся делать тебе ничего плохого, — сказал Сальваторе Фьоре. — Мы только хотим знать, где Фрэнк Джексон.

Они видели, как она переменилась в лице. Все ее тело напряглось.

— Фрэнк Джексон? — В ее голосе звучало удивление. — Не знаю никакого Фрэнка Джексона.

Сальваторе Фьоре достал обрезок трубы и шагнул к ней.

— Ты меня не испугаешь, — сказала Клара. — Я...

Он сделал замах рукой и ударил ее по лицу. Несмотря на невыносимую боль, она почувствовала, как осколки зубов заполнили рот. Она пыталась что-то сказать, но изо рта хлынула кровь. Коротышка снова поднял руку с трубой.

— Нет! Не надо! — захлебываясь кровью, сказала она.

— Так где мы можем найти Фрэнка Джексона? — вежливо спросил Джозеф Колелла.

— Фрэнк, он...

Клара представила этого милого человека в руках этих чудовищ. Они сделают ему больно, она инстинктивно чувствовала, что он не сможет терпеть боль. Он такой нежный. Если она спасет его, он всю жизнь будет ей благодарен.

— Я не знаю, где он.

Сальваторе Фьоре нанес ей удар, и сквозь мучительную боль она услышала, как хрустнула сломанная нога. Она упала на пол без звука — рот ее был полон крови.

Наклонившись над ней, Джозеф Колелла ласково произнес:

— Ты, наверное, нас не понимаешь. Мы не будем тебя убивать. Мы просто переломаем тебе все кости. Когда мы закончим с тобой, ты будешь выглядеть, как кусок падали, от которой будут шарахаться даже коты. Ты веришь мне?

Она верила ему. Фрэнк Джексон никогда не захочет снова посмотреть на нее. Эти двое ублюдков забрали его у нее. Прощай, мечта, прощай, замужество. Коротышка вновь замахнулся обрезком трубы.

— Нет, — застонала Клара. — Пожалуйста. Фрэнк...
Он в мотеле «Бруксайд» на Проспект-авеню. Он...

Клара потеряла сознание.

Джозеф Колелла подошел к телефону и набрал номер.

— Да? — ответил ему голос Майкла Моретти.

— «Бруксайд» на Проспект-авеню. Взять его?

— Нет. Ждите меня там. Следите, чтобы он не ушел.

— Никуда он не денется.

6.30

Мальчик снова зашевелился. Фрэнк увидел, как Джошуа открыл глаза. Мальчик посмотрел сначала на свои связанные руки и ноги, затем перевел взгляд на Фрэнка Джексона и вспомнил, что с ним произошло.

Этот человек затолкнул ему в горло таблетки и похитил его. О похищениях Джошуа знал из телепередач. Скоро полиция спасет его, а этого человека посадят в тюрьму. Джошуа твердо решил не показывать своего страха, потому что хотел потом рассказать маме, как смело он себя вел.

— Скоро моя мама принесет деньги, — уверил Джошуа похитителя. — Так что вам не обязательно мучить меня.

Фрэнк Джексон подошел ближе к кровати и улыбнулся мальчику. Какой восхитительный ребенок. Как было бы хорошо взять его в Канаду вместо Клары. С сожалением Фрэнк посмотрел на часы. Пора приниматься за дело.

Мальчик протянул к нему связанные руки. Они были в запекшейся крови.

— Пожалуйста, снимите это с меня, — вежливо попросил он. — Я никуда не убегу.

Фрэнку Джексону понравилось, что мальчик сказал «пожалуйста». Это признак хорошего воспитания. Сейчас большинство детей совсем не воспитаны. Целыми днями мотаются по улицам, как дикие звери.

Фрэнк Джексон поднял с кровати хрупкое тело мальчика и положил его на пол. Взяв молоток и гвозди, он встал на колени рядом с Джошуа.

Джошуа Паркер смотрел на него, широко раскрыв глаза.

— Что вы собираетесь с этим делать?

— То, что сделает тебя счастливым. Ты слышал когда-нибудь об Иисусе Христе? — Джошуа кивнул. — Ты знаешь, как он умер?

— На кресте.

— Правильно. Умный мальчик. У нас тут нет креста, но мы постараемся что-нибудь придумать.

Глаза мальчика заполнил страх.

— Не надо бояться, — сказал Фрэнк Джексон. — Иисус не боялся. И ты не должен бояться.

— Я не хочу быть Иисусом, — прошептал Джошуа. — Я хочу домой.

— Я отправлю тебя домой, — пообещал Фрэнк Джексон. — Я отправлю тебя домой к Иисусу.

Вытащив из кармана носовой платок, Фрэнк Джексон протянул руку к лицу мальчика. Джошуа крепко сжал зубы.

— Не серди меня, — предупредил Фрэнк Джексон.

Большим и указательным пальцами он надавил на щеки Джошуа и заставил открыть рот. Засунув ему платок в рот, он залепил его куском клейкой ленты. Джошуа сопротивлялся изо всех сил, и раны на его руках снова стали кровоточить. Фрэнк Джексон провел по ним пальцами.

— Кровь Христа, — тихо сказал он.

Освободив одну руку, он прижал ее ладонью к полу. Затем взял гвоздь. Приставив его к руке Джошуа, он взял молоток и вбил гвоздь в пол через руку мальчика.

7.15

Черный лимузин Майкла Моретти остановился на шоссе, ведущем из Бруклина в Куинс. Впереди стояла вереница машин, образовавшая пробку. Чуть подальше лежал перевернутый грузовик, на дороге валялись ящики с овощами.

— Выезжай на встречную полосу и гони, — приказал Майкл Моретти сидящему за рулем Нику Вито.

— Майк, впереди полицейская машина.

— Иди узнай, кто тут главный. Я хочу поговорить с ним.

— Сейчас, босс.

Ник Вито вылез из машины и поспешил выполнять приказание. Через минуту он вернулся в сопровождении сержанта полиции. Опустив стекло, Майкл Моретти высунул руку. В ней были зажаты пять сотенных купюр.

— Я спешу, офицер.

Через две минуты полицейская машина с включенной сиреной вела лимузин мимо места происшествия. Когда они выехали на шоссе, сержант вышел из патрульной машины и подошел к лимузину.

— Может, мне стоит сопровождать вас, мистер Моретти?

— Нет, спасибо, — ответил Майкл. — Зайди ко мне в понедельник. — И, повернувшись к Нику Вито, бросил: — Жми!

7.30

Неоновая вывеска на фасаде гласила:

МОТЕЛЬ «БРУКСАЙД»
Одноместные и двухместные номера
Суточная и еженедельная оплата
Индивидуальные и семейные
Низкие цены

Джозеф Колелла и Сальваторе Фьоре сидели в машине напротив домика под номером семь. Несколько минут назад оттуда послышался стук, поэтому они знали, что Джексон еще там.

«Взять бы сейчас его и шлепнуть», — подумал Сальваторе Фьоре. Но Майкл Моретти дал совсем другие указания.

Им оставалось только ждать.

7.45

Фрэнк Джексон заканчивал последние приготовления. Мальчишка разочаровал его. Он потерял сознание. Джексону хотелось подождать, пока Джошуа снова придет в себя, прежде чем забить оставшиеся гвозди, но времени оставалось мало. Подняв канистру, он принялся обливать ребенка бензином, стараясь не попасть на его прекрасное личико. Фрэнк представил его тело под пижамой и подумал, что как хорошо было бы... нет, не хватит времени. Вот-вот должна прийти Клара. К этому времени он должен быть готов. Он вытащил из кармана коробок спичек и положил его рядом с молотком и гвоздями. Люди просто не понимают, как важна аккуратность во всем.

Фрэнк Джексон посмотрел на часы и подумал, почему это задерживается Клара.

7.50

Лимузин резко затормозил у домика номер семь, и Майкл Моретти выпрыгнул из машины. Двое громил поспешили к нему.

— Он там, — махнул рукой в сторону домика Джозеф Колелла.

— А ребенок?

Гигант пожал плечами:

— Не знаю. Окна зашторены.

— Нам сейчас взять его? — спросил Сальваторе Фьоре.

— Оставайтесь на месте.

Оба гангстера удивленно переглянулись. Майкл был caporegime*. Все мокрые дела за него должны выполнять

_____
* Руководитель (ит.).

273

солдаты, а он — оставаться в тени. Майкл сам хотел заняться Джексоном. Это неправильно.

— Босс, — сказал Джозеф Колелла. — Сал и я можем...

Но Майкл уже направлялся к домику, держа в руке пистолет с глушителем. Прислушавшись, он отступил назад и мощным ударом выбил дверь.

В мгновение ока Майкл оценил обстановку — бородатый мужчина, стоящий на коленях возле мальчика; рука мальчика прибита к полу; резкий запах бензина.

Бородатый мужчина повернул голову и уставился на Майкла. Последнее, что он успел произнести, было:

— А где Кла...

Первая пуля попала ему в лоб, вторая разорвала горло, а третья пронзила сердце. Но к этому моменту он уже ничего не чувствовал.

Выйдя за дверь, Майкл махнул рукой гангстерам. Те поспешили к нему. Став на колени рядом с мальчиком, Майкл Моретти пощупал у него пульс. Он был слабый, но в теле все еще теплилась жизнь. Майкл повернулся к Джозефу Колелле:

— Позвони дону Петроне. Скажи, что мы едем к нему.

9.30

Как только телефон зазвонил, Дженнифер рывком сняла трубку.

— Алло!

— Сейчас я привезу вашего сына, — услышала она голос Майкла Моретти.

Джошуа крутился во сне. Наклонившись, Дженнифер обняла его. Он уже спал, когда Майкл Моретти привез его. Увидев бесчувственное тело сына, забинтованные руки и ноги, Дженнифер чуть не сошла с ума. Вместе с Майклом приехал врач, который полчаса успокаивал Дженнифер, говоря, что ничего страшного не случится.

— Рука заживет, — сказал врач. — Останется только маленький шрамик, но, к счастью, не были задеты ни нервы, ни сухожилия. Ожоги поверхностные. Я смазал его тело спе-

274

циальной мазью. Я буду наблюдать его несколько дней. Поверьте, с ним все будет в порядке.

Дженнифер попросила врача, чтобы он также помог миссис Макей.

Джошуа положили в постель, и Дженнифер села рядом, чтобы успокоить его, когда он проснется. Джошуа потянулся и открыл глаза. Увидев свою маму, он устало спросил:

— Я знал, что ты придешь за мной, мама. Ты отдала ему выкуп?

Дженнифер кивнула, не в силах вымолвить ни слова.

Джошуа улыбнулся:

— Надеюсь, что на эти деньги он накупит себе столько конфет, что у него разболится живот. Вот будет смешно, правда?

— Правда, дорогой мой. Знаешь, чем мы займемся с тобой на следующей неделе? Я поведу тебя...

Но Джошуа уже снова заснул.

Дженнифер вернулась в гостиную только через несколько часов. Она была удивлена, что Майкл Моретти все еще ждал ее. Это чем-то напоминало первую встречу с Адамом, когда тот ждал ее в маленькой квартирке.

— Майкл... — Невозможно было найти нужные слова. — Я не могу выразить всю благодарность...

Он посмотрел на нее и кивнул.

— А что с Фрэнком Джексоном? — с трудом задала она вопрос.

— Он больше никому не принесет зла.

Итак, все окончено. Джошуа спасен. Больше ее ничто не интересовало.

Посмотрев на Майкла Моретти, Дженнифер подумала: «Я стольким обязана ему. Как мне отплатить ему за все?»

Молча Майкл Моретти смотрел на нее.

КНИГА ВТОРАЯ

Глава 37

Дженнифер, обнаженная, стояла у огромного окна, выходящего на Танжерскую бухту. Был прекрасный осенний день, и в бухте было полно белоснежных парусников и сиплых паромов. Возле причала стояло на якоре несколько яхт. Почувствовав его присутствие, Дженнифер обернулась.

— Нравится вид?

— Просто прелесть.

Он посмотрел на ее обнаженное тело.

— Я тоже так думаю.

Его руки ласкали ей грудь.

— Вернемся в постель, — сказал он.

От его прикосновения по телу Дженнифер пробежала дрожь. Он требовал такого, что ни один мужчина не осмеливался до этого просить у нее, и делал с ней то, что никто раньше не делал.

— Да, Майкл.

Они вернулись в спальню, и Дженнифер на секунду вспомнила Адама Уорнера. Но только на секунду, потому что потом она уже не могла думать ни о чем, кроме того, что происходит с ней.

Дженнифер не знала ни одного мужчины, похожего на Майкла Моретти. Он был неутомим. Его гибкое мускулистое тело стало как бы продолжением тела Дженнифер, заставляя ее двигаться в неистовом ритме, вознося на гребне волны все выше и выше, пока она не начинала кричать от животного наслаждения. Когда они закончили заниматься любовью и Дженнифер лежала без сил, Майкл снова принялся ласкать ее. В ней опять возникло желание, она чуть не потеряла сознание от экстаза.

Он лежал на ней, глядя на ее раскрасневшееся счастливое лицо.

— Тебе понравилось, крошка?

— Да.

Она чувствовала стыд. Ей стыдно было признаться, как ей хотелось его, хотелось заниматься с ним любовью.

Дженнифер вспомнила, как это произошло в первый раз.

Было утро, когда Майкл Моретти привез Джошуа домой. Дженнифер знала, что Фрэнк Джексон мертв и что его убил Майкл Моретти. Человек, стоящий перед ней, спас ее сына, убил ради нее. В ней возникло чувство безграничной благодарности к этому человеку.

— Как мне отблагодарить вас? — спросила Дженнифер.

Майкл Моретти подошел к ней, обнял и поцеловал. Из чувства верности Адаму Уорнеру Дженнифер пыталась убедить себя, что на этом все закончится. Но это, наоборот, стало началом. Она знала, кто такой Майкл Моретти, но это не имело никакого значения после того, что он сделал. Она отбросила все мысли и дала волю чувствам.

Они прошли в ее спальню, и Дженнифер сказала себе, что всего лишь отплатит таким образом за то, что Майкл сделал для нее. Но о том, что произошло в постели, Дженнифер и мечтать не могла.

Адам Уорнер занимался с ней любовью, но Майкл Моретти завладел всем ее телом. Она ощущала его каждой клеточкой. Как будто они занимались любовью в ярких разноцветных тонах, которые непрерывно менялись, как в каком-то необыкновенном калейдоскопе. То он был ласковый и нежный, то вдруг становился жестким и требовательным, и эти перемены приводили ее в неистовство. Он выходил из нее, раздразнивая; когда она бывала уже на грани оргазма, он вдруг останавливался. Когда у Дженнифер уже не было больше сил выдерживать это, она умоляла его: «Войди в меня! Пожалуйста, войди!»

И, чувствуя его мужскую силу, Дженнифер кричала от наслаждения. Она уже не была женщиной, которая возвращает долг. Она была его рабой. Майкл находился с ней четыре часа, и, когда он ушел, Дженнифер поняла, что жизнь ее изменилась.

Она лежала в постели, думая о том, что произошло, и стараясь понять, как все случилось. Как она могла любить Адама и в то же время наслаждаться близостью с Майклом Моретти? Фома Аквинский сказал, что, если вы отдаете свое сердце дьяволу, вам уже ничто не поможет. Была ли это любовь? Дженнифер отдавала себе отчет, что частично это произошло от ее глубокого одиночества. Она долгое время жила с фантомом, с человеком, которого не могла видеть, хотя она и знала, что всегда будет любить Адама. А может, она просто любила память о нем?

Дженнифер не могла разобраться в своих чувствах к Майклу. Благодарность? Да. Но это не все. Было еще и другое. И этого было гораздо больше, чем благодарности. Она знала, кто такой Майкл Моретти и чем он занимается. Он убил ради нее, но он убивал и ради других целей. Он убивал людей из-за денег, мести, убивал, потому что они мешали ему. Как она могла относиться к такому человеку? Как она могла позволить ему заниматься с ней любовью и хотеть его? Ей стало стыдно, и она подумала: «Что же я за женщина?»

Она не могла найти ответа на этот вопрос.

В вечернем выпуске газет сообщалось о пожаре в одном из мотелей в районе Куинс. Было обнаружено тело неопознанного мужчины. Полиция подозревает умышленный поджог.

После возвращения Джошуа Дженнифер старалась делать все так, как будто ничего не произошло, боясь, что события прошлой ночи могут травмировать психику ребенка. Когда Джошуа проснулся, Дженнифер приготовила ему завтрак. Она принесла в спальню сына его любимые кушанья — хот-дог, бутерброд с арахисовым маслом, жареную картошку в пакетике и шипучку.

— Ты бы его только видела, ма, — с набитым ртом говорил Джошуа. — Настоящий псих! — Он поднял забинтованную руку. — Ты думаешь, он действительно принял меня за Иисуса Христа?

Дженнифер подавила дрожь:

— Не знаю, дорогой.

— Зачем люди хотят убивать других людей?

— Ну... — Дженнифер внезапно подумала о Майкле Моретти. Было ли у нее право осуждать его? Она ведь не знала, какие факторы предопределили его судьбу, что заставило его стать таким, какой он есть сейчас. Ей следует больше узнать о нем, чтобы понять его.

— Я пойду завтра в детский сад? — спросил Джошуа.

Дженнифер обняла его:

— Нет, дорогой. Мы оба останемся дома и всю неделю будем играть. Мы...

Зазвонил телефон.

— Как Джошуа? — услышала она голос Майкла.

— Все в порядке, спасибо.

— А как ты себя чувствуешь?

От смущения у нее перехватило дыхание.

— Я... я... Прекрасно.

Он хмыкнул:

— Хорошо. Пообедаем вместе. Ресторан «Донато» на Малберти-стрит. В двенадцать тридцать.

— Хорошо, Майкл. В двенадцать тридцать.

Произнеся эти слова, она поняла, что обратной дороги нет.

Метрдотель в «Донато» знал Майкла, поэтому им был сервирован самый лучший столик. И снова люди подходили к ним, чтобы поздороваться с Майклом. Дженнифер поразилась, как все лебезили перед ним. Было странно, насколько Майкл Моретти напоминал ей Адама Уорнера, каждый из них по-своему обладал властью.

279

Дженнифер принялась расспрашивать Майкла о его детстве, стараясь понять, что привело его к такой жизни.

Он перебил ее:

— Ты думаешь, я такой из-за своих родственников или потому, что кто-то заставил меня стать таким?

— Ну да. Конечно.

Он рассмеялся:

— Я из кожи вон лезу, чтобы стать таким. Мне это нравится. Мне нравятся деньги. Мне нравится власть. Я король, крошка, и мне нравится быть королем.

Дженнифер смотрела на него, стараясь понять.

— Но ведь тебе не может нравиться...

— Послушай! — Его молчание вдруг превратилось в слова, предложения, откровения, хлынувшие из него так, как будто они копились долгие годы, ожидая нужного собеседника. — Мой старик был бутылкой из-под кока-колы.

— Бутылкой из-под кока-колы?

— Да. Их в мире миллиарды, и ты не отличишь одну от другой. Он был сапожником. Он до костей стирал пальцы, стараясь накормить семью. У нас ничего не было. Быть бедным хорошо только в романтических книжках. В настоящей жизни это вонючие комнаты с крысами и тараканами, невкусная еда, которой вечно не хватало. Когда я был маленьким, я делал все, чтобы заработать доллар-другой. Я был на побегушках у местных тузов, покупал им кофе и сигары, приводил к ним девушек — я делал все что угодно, чтобы выжить. Да, однажды летом я поехал в Мехико. У меня не было денег, у меня ничего не было. Однажды девушка, с которой я познакомился, пригласила меня на шумный обед в шикарном ресторане. На десерт подали мексиканский пирог, в котором была запечена маленькая глиняная куколка. Кто-то из сидящих за столом объяснил, что по обычаю, кому достанется кукла, тот и платит за обед. Кукла досталась мне. — Он замолчал. — Я проглотил ее.

Дженнифер накрыла его руку своей:

— Майкл, очень много людей выросли в нищете и...

— Не путай меня с другими людьми, — сказал он не терпящим возражений голосом. — Я — это я. Я знаю, кто я такой. А ты знаешь, кто ты?

— Думаю, да.

— Почему ты пошла со мной в постель?

Дженнифер заколебалась:

— Ну... Я была благодарна тебе.

— Чепуха. Ты хотела меня.

— Майкл, я...

— Я не покупаю женщин. Ни за деньги, ни за благодарность.

Дженнифер вынуждена была признаться, что он прав. Она хотела его так же, как и он ее. «И все же, — подумала Дженнифер, — когда-то он преднамеренно хотел уничтожить меня. Как я могу это забыть?»

Майкл наклонился и взял ее за руку. Медленно он погладил каждый палец, не сводя с нее глаз.

— Никогда не играй со мной, Дженнифер. Никогда.

Она почувствовала себя беспомощной. Что бы там ни было между ними, все это осталось в прошлом.

Когда им подали десерт, Майкл сказал:

— Кстати, у меня есть для тебя одно дело.

Это прозвучало как пощечина.

Она посмотрела на него:

— Что за дело?

— Одного из моих парней, Васко Гамбутти, арестовали за убийство полицейского. Я хочу, чтобы ты была его защитником.

Дженнифер стало обидно и больно, потому что он снова хотел использовать ее.

— Извини, Майкл, — сказала она ровным голосом. — Я уже тебе говорила. Я не могу защищать... твоих друзей.

Он лениво улыбнулся:

— Ты никогда не слышала историю про маленького львенка из Африки? В первый раз он без мамы решил пойти на водопой, и его побила горилла. Пока он отряхивался, лео-

281

пард столкнул его с дороги. Стадо слонов чуть не затоптало его до смерти. Дрожа, маленький львенок возвращается домой. «Знаешь, мама, тут настоящие джунгли!»

Воцарилась тишина. «Да, здесь настоящие джунгли», — подумала Дженнифер, но она всегда стояла рядом с ними, не заходя вглубь, чтобы в любой момент убежать. Она установила свои правила, и ее клиентам приходилось выполнять их. Но Майкл Моретти нарушил привычный уклад ее жизни. Это были его джунгли. Дженнифер боялась их, боялась, что уже никогда не выйдет оттуда. Но ведь он столько для нее сделал.

Она окажет Майклу эту услугу. Но только один раз.

Глава 38

— Мы будем заниматься делом Васко Гамбутти, — сказала Дженнифер Кену Бэйли.

Кен недоверчиво посмотрел на нее:

— Но он же из мафии! Один из громил Майкла Моретти. Мы не можем позволить себе такого клиента.

— Мы будем защищать его.

— Дженнифер, мы не можем позволить себе помогать мафии.

— Гамбутти имеет право на справедливый суд, как и любой другой. — Даже ей эти слова показались пустыми.

— Я не позволю тебе...

— Пока это моя контора, решения здесь принимаю я. — Она видела удивление и боль в его глазах.

Кен кивнул и, повернувшись, вышел из ее кабинета. Дженнифер хотелось позвать его и попытаться все объяснить. Но как она могла это сделать? У нее не было уверенности, что она может объяснить это даже себе.

При первой встрече с Васко Гамбутти Дженнифер старалась смотреть на него как на обычного клиента. И до этого она защищала людей, которых обвиняли в убийстве, но сейчас все было по-другому. Этот человек входил в разветвленную сеть организованной преступности, которая выкачивала из страны миллиарды долларов, секретную организацию, способную на убийство ради своих целей.

Улик против Гамбутти было предостаточно. Его схватили во время ограбления магазина меховых изделий, и он убил полицейского, который пытался задержать его. Утренние газеты сообщили, что Дженнифер Паркер выступит его адвокатом.

Ей позвонил Лоренс Уолдман:

— Дженни, это правда?

Дженнифер сразу же поняла, что он имел в виду:

— Да, Лоренс.

После короткой паузы он сказал:

— Я удивлен. Ты ведь, конечно, знаешь, кто он?

— Да, я знаю.

— Ты вступаешь на опасную территорию.

— Не совсем. Я просто оказываю услугу одному знакомому.

— Понятно. Будь осторожна.

— Обязательно, — пообещала Дженнифер.

И только спустя некоторое время Дженнифер вспомнила, что в этот раз он не пригласил ее на обед.

Просмотрев материалы, которые собрали ее сотрудники, Дженнифер поняла, что у нее нет никаких шансов выиграть дело.

Васко Гамбутти взяли с поличным. Ограбление, убийство и никаких смягчающих обстоятельств. К тому же присяжные всегда предвзято относились к преступнику, если жертвой был полицейский.

Вызвав Кена Бэйли, она дала ему указания.

Он ничего не сказал, но весь его вид выражал неодобрение, и Дженнифер стало грустно. Она пообещала себе, что в первый и последний раз выполняет просьбу Майкла.

Зазвонил ее личный телефон, и она сняла трубку.

— Привет, крошка, — раздался голос Майкла. — Я хочу тебя. Встречаемся через полчаса.

Слушая его голос, она уже представляла его сильные руки, сжимающие ее в своих объятиях.

— Я приду.

Она уже забыла о своем обещании.

Суд над Гамбутти продолжался десять дней. Зал был забит репортерами, желающими посмотреть на очередную схватку окружного прокурора Ди Сильвы с Дженнифер Паркер.

Ди Сильва тщательно подготовился к суду. Он специально многое не договаривал, давая лишь намеки, чтобы воображение присяжных нарисовало ужасную картину преступления.

Дженнифер не мешала ему, лишь изредка подавая протесты.

В последний день суда она нанесла удар.

Один из негласных законов утверждал: если у тебя слабая защита, постарайся очернить пострадавшего. И Дженнифер решила сделать из Скотта Нормана, убитого полицейского, виноватого. Кен Бэйли откопал все, что только можно, про Скотта Нормана. Репутация у него была не совсем безупречная, но, когда Дженнифер закончила свою речь, она стала в десять раз хуже. Норман служил в полиции двадцать лет, и за это время его три раза отстраняли от работы за необоснованное применение силы. Он выстрелил в безоружного человека, похожего на разыскиваемого преступника, и чуть не убил его; избил пьяного в баре; разбирая семейную ссору, так круто обошелся с главой семьи, что того положили в больницу. Хотя эти три инцидента произошли в течение двадцати лет, Дженнифер повернула дело так, будто Норман постоянно совершал низкие, недостойные поступки. Дженнифер пригласила свидетелей, которые поливали грязью убитого полицейского, и Роберт Ди Сильва ничего не мог поделать.

В заключительной речи Ди Сильва сказал:

— Запомните, дамы и господа присяжные, мы судим здесь не офицера полиции Скотта Нормана. Скотт Норман — жертва. Его убил обвиняемый Васко Гамбутти.

Но он сам понимал, что его слова ничего не изменят. Дженнифер сделала так, что полицейский Скотт Норман стал выглядеть таким же никчемным существом, как и Васко Гамбутти. Он уже не был доблестным полицейским, который отдал свою жизнь, чтобы задержать преступника. Дженнифер так исказила картину, что он выглядел не лучше своего убийцы.

Присяжные вынесли вердикт не считать обвиняемого виновным в убийстве первой степени и осудили Васко Гамбутти по статье за непреднамеренное убийство. Это был сильный удар по престижу окружного прокурора Ди Сильвы, и пресса быстро раструбила о новой победе Дженнифер Паркер.

— Надень свое шифоновое платье. Сегодня мы будем праздновать, — сказал ей Майкл Моретти.

Они ужинали в ресторане, специализировавшемся на дарах моря. Владелец ресторана прислал им бутылку дорогого шампанского. Дженнифер и Майкл подняли бокалы.

— Я очень доволен.

В устах Майкла это звучало высшей похвалой.

Он положил ей на ладонь маленькую коробочку, завернутую в красную бумагу:

— Открой.

Майкл смотрел, как она развязала золотую нитку и открыла коробочку. Внутри лежало кольцо с огромным четырехугольным изумрудом, окруженным бриллиантами.

Дженнифер была поражена. Сначала она пыталась протестовать.

— Но, Майкл... — Она замолчала, увидев радость и гордость на его лице. — Майкл! Ну что мне с тобой делать?

И тут же она подумала: «О Дженнифер! Ну что мне с тобой делать?»

285

— Оно прекрасно подходит к твоему платью. — Он надел ей кольцо на палец.

— Я не знаю, что и сказать. Я... Спасибо. Это действительно настоящий праздник.

Майкл ухмыльнулся:

— Мы еще и не начинали праздновать. Это всего лишь прелюдия.

Они сели в лимузин и поехали к нему на квартиру, которую Майкл снимал в центре. Он нажал на кнопку, и темное стекло загородило их от водителя.

«Мы замкнуты в нашем собственном мире», — подумала Дженнифер. Близость Майкла возбуждала ее.

Она посмотрела в его черные глаза, и Майкл подвинулся к ней. Он провел ей рукой между ног, и она почувствовала обжигающую страсть. Майкл прижался к ней и поцеловал в губы. Дженнифер соскользнула на пол и принялась ласкать его, чувствуя твердость его мужской силы. Она ласкала и целовала его, пока Майкл не застонал, и Дженнифер застонала вместе с ним, двигая губами все быстрее и быстрее...

Празднование началось.

Дженнифер вспоминала об этом, лежа в постели гостиничного номера в Танжере, пока Майкл мылся в душе. Она чувствовала себя счастливой и удовлетворенной. Ей не хватало только одного — ее сына. Ей хотелось бы брать с собой в такие путешествия и Джошуа, но она инстинктивно пыталась держать его подальше от Майкла Моретти. Джошуа никогда не должен знать об этой части жизни Дженнифер. Дженнифер казалось, что вся жизнь состояла из закрытых отсеков: Адам, ее сын, Майкл Моретти. И ни один отсек не сообщался с другими.

Майкл вышел из душа с обвязанным вокруг бедер полотенцем. Его волосы блестели от влаги. Прекрасный, волнующий зверь.

— Одевайся. Нам надо кое-чем заняться.

Глава 39

Все происходило так постепенно, что, казалось, ничего и не происходит. Сначала был Васко Гамбутти, потом Майкл попросил Дженнифер взять еще одно дело, и скоро она стала заниматься только знакомыми Майкла.

Обычно он звонил Дженнифер и говорил:

— Мне нужна твоя помощь, крошка. Один из моих парней попал в беду.

Дженнифер вспомнила, как говорил отец Райен: «У одного из моих друзей небольшие проблемы». Впрочем, какая разница?

Америке пришлось смириться с синдромом «Крестного отца».

Дженнифер убеждала себя, что делает то же самое, что и раньше. Хотя разница была. Большая разница.

Она была в центре одной из самых могущественных организаций в мире.

Майкл пригласил ее на ферму в Нью-Джерси. Здесь она впервые повстречалась с Антонио Гранелли и другими членами «семьи».

За большим столом в кухне сидели Ник Вито, Артур Скотто по кличке Толстяк, Сальваторе Фьоре и Джозеф Колелла.

Дженнифер и Майкл вошли и остановились на пороге. Ник Вито что-то рассказывал:

— ...Как в тот раз, когда я раскручивал «пятерку» в Атланте. И травка была и ширево. А тот козел стал возбухать, видать, в долю захотел.

— Ты знаешь его? — спросил Толстяк.

— А то же. Прикинь, он пытался угрожать.

— Тебе?

— Ну. Башка совсем у него не варила.

— И чё?

— Мы с Эдди Фрателли поговорили с ним в укромном уголке. Там его и закопали.

— Эй, а где сейчас малыш Эдди?

— Мотает «десятку» в Льюисбурге.

— А телка его? Классная баба!

— Ну, я сам бы ее с удовольствием трахнул.

— Она все еще сохнет по Эдди. Чего это она так?

— Мне нравился Эдди. Четкий парень.

— Потом-то он скурвился. Кстати, кто сейчас толкает товар?

Деловые разговоры...

Майкл ухмыльнулся, глядя на удивленное лицо Дженнифер:

— Пойдем. Я познакомлю тебя с папой.

Дженнифер была поражена, когда увидела Антонио Гранелли. Сидя в инвалидном кресле, он напоминал скелет, обтянутый кожей. Трудно было поверить, что он обладал огромной властью.

Пышная привлекательная брюнетка вошла в комнату, и Майкл представил ее Дженнифер:

— Это моя жена Роза.

Дженнифер со страхом ждала этой встречи. Когда Майкл уходил от нее — удовлетворив ее, как только женщина может мечтать, — ее начинали мучить угрызения совести. «Я не хочу причинять боль другой женщине. Я краду у нее мужа. Надо прекратить это! Я должна это сделать!» Но она ничего не могла поделать с собой.

Роза посмотрела Дженнифер в глаза. «Она знает», — подумала Дженнифер.

Возникла неловкая пауза, и затем Роза мягко сказала:

— Рада познакомиться с вами, мисс Паркер. Майкл говорил, что вы очень умна.

Антонио Гранелли хмыкнул:

— Негоже женщине быть слишком умной. Мозги нужны мужчинам.

С каменным лицом Майкл произнес:

— Папа, я отношусь к мисс Паркер как к мужчине.

Они ужинали в просторной столовой, обставленной в старинном стиле.

— Садись рядом со мной, — приказал Антонио Гранелли Дженнифер.

Майкл сел рядом с Розой. Томас Колфакс сидел напротив Дженнифер, и она чувствовала его неприязнь.

Ужин был великолепным. Сначала шли разнообразные закуски, а затем подали pasta fagioli*. Потом на столе появились салат с бобами, фаршированные грибы, телятина под острым соусом, язык и жареные цыплята. Казалось, ужин никогда не закончится.

Слуг не было видно, и Роза постоянно подхватывалась с места, чтобы убрать грязную посуду и принести новые блюда с кухни.

— Моя Роза замечательно готовит, — сказал Антонио Гранелли, обращаясь к Дженнифер. — Совсем как ее мать. Да, Майкл?

— Да, — вежливо ответил Майкл.

— Его Роза — превосходная жена, — продолжал Антонио Гранелли, и Дженнифер стало интересно, была ли это обычная реплика или же предупреждение.

— Ты не доела телятину, — сказал Майкл.

— Я в жизни столько не ела, — стала протестовать Дженнифер.

Но это было еще не все.

Принесли свежие фрукты, сыр, мороженое с сиропом и конфеты.

Дженнифер поразилась. Как Майкл умудряется сохранять свою фигуру?

Шла обычная неторопливая беседа, как в любом итальянском доме, и Дженнифер было трудно поверить, что эта семья отличалась от всех других.

Наконец Антонио Гранелли сказал:
— Ты знаешь что-нибудь про Unione Siciliana**?
— Нет, — ответила Дженнифер.
— Так вот, послушай, леди.
— Папа, ее зовут Дженнифер.

---

* Макароны с фасолью *(ит.)*.
** Сицилийский союз *(ит.)*.

— Это не итальянское имя, Майк. Мне трудно его запомнить. Я буду звать тебя леди. Согласна?

— Согласна, — ответила Дженнифер.

— Unione Siciliana зародился в Сицилии, чтобы защищать бедняков от несправедливости. Видишь ли, богатые люди грабили бедняков. А у бедных не было ничего — ни денег, ни работы, ни справедливости. Поэтому появился Unione. Когда творилась несправедливость, люди обращались к членам секретного братства, и те мстили за них. Очень скоро Unione стал сильнее законной власти, потому что он был законом народа. Мы верим в то, что написано в Библии, леди. — Он посмотрел Дженнифер в глаза. — Если кто-нибудь предаст нас, мы отомстим ему.

Все было предельно ясно.

Дженнифер всегда полагала, что если когда-нибудь она будет работать на Организацию, то столкнется с совершенно другим миром. Как и подавляющее большинство людей, она не представляла, что такое на самом деле мафия. Считали, что мафия — это банда гангстеров, убивающих людей и считающих деньги, поступающие из публичных домов и от «акульего промысла». Но это была лишь одна сторона медали. Совещания, на которых присутствовала Дженнифер, дали ей полную картину. Это были бизнесмены, работающие с поразительным размахом. Они владели отелями и банками, ресторанами и казино, строительными компаниями и больницами, страховыми компаниями и заводами. Они контролировали профсоюзы. Они занимались выпуском пластинок и игральных автоматов. Они являлись владельцами похоронных бюро, булочных и парикмахерских. Их годовые доходы исчислялись миллиардами. Как они достигли этого, Дженнифер не интересовало. Ее работа заключалась в том, чтобы защищать тех, у кого возникли проблемы с законом.

Роберт Ди Сильва арестовал трех людей Майкла Моретти за шантаж владельцев киосков, продающих бутерброды. Они обвинялись в вымогательстве, запугивании и препятствовании нормальной торговле. Единственным свидетелем, который согласился дать показания на суде, была хозяйка одного из таких киосков.

— Она потопит нас, — сказал Майкл. — Ей надо заткнуть рот.

— По-моему, ты являешься совладельцем одного из иллюстрированных журналов? — спросила Дженнифер.

— Да. Но какое отношение это имеет к киоскам, торгующим бутербродами?

— Увидишь.

Дженнифер договорилась, чтобы журнал предложил свидетельнице большую сумму за право напечатать ее историю. Женщина согласилась. На суде Дженнифер использовала этот факт, чтобы дискредитировать ее, и обвинения были сняты.

Отношения Дженнифер с сотрудниками изменились. Когда ее контора стала заниматься только делами мафии, Кен Бэйли зашел к Дженнифер и сказал:

— Что происходит? Мы не можем защищать интересы этих головорезов. Так мы разоримся.

— Не беспокойся об этом, Кен. Они хорошо платят.

— Не будь такой наивной, Дженнифер. Платить придется тебе. Ты будешь у них на крючке.

Зная, что он прав, она раздраженно сказала:

— Хватит об этом, Кен.

Он долго смотрел на нее, не говоря ни слова.

— Ладно, — наконец сказал он. — Ты здесь хозяйка.

Уголовный суд был маленьким миром, и слухи распространялись быстро. Когда стало известно, что Дженнифер Паркер защищает людей из Организации, очень многие подходили к ней и говорили то же самое, что и судья Лоренс Уолдман и Кен Бэйли.

— Если ты и дальше будешь общаться с ними, на тебе поставят такое же клеймо.

Дженнифер всем отвечала:

— Каждый имеет право на адвоката.

Она была благодарна им за предупреждения, но считала, что ее это не касается. Она не была членом Организации, она всего лишь защищала некоторых ее людей. Как и ее отец, она была адвокатом и никогда не сделает того, за что ей было бы стыдно. Рядом были джунгли, но она не заходила в них.

Как-то раз к ней пришел отец Райен. Но в этот раз ему не нужна была помощь для одного из его друзей.

— Я за тебя беспокоюсь, Дженнифер. Я слышал, что ты общаешься с... гм... нехорошими людьми.

— Что значит нехорошие люди? Вы разве осуждаете тех людей, что приходят к вам за помощью? Вы отлучаете их от церкви за то, что они согрешили?

Отец Райен покачал головой:

— Конечно, нет. Но одно дело, когда ошибку совершает один человек. А когда коррупция организована, это совсем другое. Если ты помогаешь этим людям, ты поощряешь то, чем они занимаются. Ты становишься такой же, как и они.

— Нет. Я — адвокат и помогаю людям, попавшим в беду.

Дженнифер знала о Майкле Моретти столько, сколько не знал никто. Он рассказывал ей то, чего не доверял никому. Он был замкнутым человеком, и Дженнифер была первой, кого он подпустил к себе.

Дженнифер чувствовала, что Майкл нуждался в ней. Она никогда не испытывала такого с Адамом. Майкл высвободил в ней чувства, которые она все время подавляла, — дикую, примитивную страсть, которой она раньше боялась дать волю. Майкл не признавал никаких запретов. Когда они были в постели, рушились все барьеры, исчезали все табу. Оставалось только наслаждение. Наслаждение, о котором Дженнифер и мечтать не могла.

Майкл признался Дженнифер, что он не любит Розу, но было видно, что Роза обожает Майкла. Она всегда была готова сделать для него все что угодно.

Дженнифер познакомилась и с другими женами членов мафии. Их жизнь поразила ее. Мужья ходили в рестораны, бары, на бега со своими любовницами, а жены терпеливо ждали их дома.

Денег у этих женщин хватало, но они вынуждены были тратить их так, чтобы не привлечь внимания налогового управления.

Существовала целая иерархия — от жены простого soldatto до жены di tutti capi*. Ни одна женщина не могла себе позволить шубу или пальто дороже, чем у жены непосредственного начальника ее мужа.

Жены устраивали вечеринки для друзей своих мужей, но они не должны были быть более шикарными, чем вечеринки у жен, занимающих более высокую ступеньку в иерархии.

Протокол был здесь такой же строгий, как в компании «Ю Эс Стил» или в других крупных деловых конгломератах.

Мафия была фантастическим станком для печатания денег, но Дженнифер поняла, что существовал еще один не менее важный элемент — власть.

— Наша Организация значит больше, чем правительства большинства стран, — сказал ей Майкл. — Наш доход гораздо выше, чем у половины самых крупных корпораций Америки, вместе взятых.

— Тут есть одно отличие, — заметила Дженнифер. — Они законные, а...

Майкл расхохотался:

— Ты имеешь в виду те компании, которые еще не поймали за руку. Десятки крупнейших корпораций страны были осуждены за нарушение тех или иных законов. Не надо выдумывать себе героев. Средний американец не сможет назвать и двух имен космонавтов, высадившихся на Луне, но все знают Аль Капоне и Лаки Лючиано.

Дженнифер пришла к выводу, что по-своему Майкл был таким же целеустремленным, как и Адам. Единственная разница заключалась в том, что их жизненные ценности были абсолютно противоположными.

Что касалось бизнеса, то здесь Майкл действовал безжалостно. В этом заключалась его сила. Он принимал ре-

---

* Помощник главы мафии (*ит.*).

шения исходя лишь из того, принесет ли это пользу Организации или нет.

Раньше Майкл посвящал всю энергию претворению в жизнь своих честолюбивых планов. В его жизни не было места для женщины. Ни Роза, ни его многочисленные подружки ему были не нужны.

С Дженнифер все было совсем по-другому. Он нуждался в ней, как ни в ком другом. У него никогда не было подобных женщин. Она возбуждала его физически, но его возбуждали и другие. Дженнифер отличалась от них умом и независимостью. Роза подчинялась ему, другие женщины боялись его, Дженнифер бросала ему вызов. Она была не просто умной. Она была крайне изобретательной.

Он знал, что не может позволить себе потерять ее.

Иногда Дженнифер сопровождала Майкла в его деловых поездках, но она старалась делать это как можно реже, так как хотела уделять больше времени Джошуа.

Ему уже исполнилось шесть лет, и он взрослел не по дням, а по часам. Дженнифер отдала его в частную школу, где Джошуа очень нравилось.

Он катался на двухколесном велосипеде, любил играть с игрушечными гоночными машинами, которых у него было огромное количество, и вел длинные беседы с Дженнифер и миссис Макей.

Дженнифер хотела, чтобы ее сын вырос сильным и независимым. Ей пришлось выбрать такую линию поведения, чтобы, с одной стороны, он знал, что всегда может рассчитывать на ее помощь, а с другой — был независимым в своих поступках. Она научила его любить книги и наслаждаться музыкой. Она водила его в театры, избегая премьер, где могла встретить знакомых. В выходные дни они с Джошуа ходили в кино. В субботу они смотрели фильм, обедали в ресторане и шли смотреть второй фильм. По воскресеньям они катались на яхте или на велосипедах. Дженнифер отдавала сыну всю свою любовь, но старалась не баловать его. Она планировала воспитание Джошуа так же тщательно, как и дела в суде, стараясь не попадать в ловушки, угрожающие семьям с одним родителем.

Отдавая все свое свободное время Джошуа, Дженнифер не считала, что приносит в жертву свои интересы. Наоборот, это радовало ее. Они играли в слова, в вопросы и ответы, и Дженнифер поражалась, как быстро все схватывал ее сын. В классе он был лучшим учеником, у него были превосходные физические данные. Джошуа обладал редким чувством юмора.

Если это не мешало его школьным занятиям, Дженнифер и Джошуа путешествовали. Во время зимних каникул Дженнифер ездила с ним в Поконос, где они катались на лыжах. Летом, отправляясь в командировку в Лондон, она взяла с собой Джошуа. Они провели там две недели, путешествуя по стране. Джошуа был без ума от Англии.

— Можно, я буду здесь учиться? — спросил он.

У Дженнифер кольнуло сердце. Скоро он покинет ее, поступит в университет, будет работать, женится, у него будет свой дом и своя семья. Разве не этого она хотела? Конечно, этого. Когда наступит время, она сама отпустит его, хотя ей придется трудно.

Джошуа смотрел на нее, ожидая ответа.

— Так можно или нет? — спросил он. — Скажем, в Оксфорде?

Дженнифер прижала его к себе:

— Конечно. Они будут счастливы иметь такого студента.

Однажды воскресным утром, когда у миссис Макей был выходной, Дженнифер надо было съездить в Манхэттен, чтобы забрать копию одного документа. Джошуа был в гостях у приятеля. Вернувшись домой, она принялась готовить обед на двоих. Она открыла холодильник и замерла. Между двумя бутылками молока торчала записка. Так оставлял записки Адам. Дженнифер стояла не шевелясь, боясь прикоснуться к ней. Наконец она вытащила записку и развернула ее. Там было написано: «Сюрприз! Можно, Алан пообедает у нас?»

Ей понадобилось полчаса, чтобы сердце перестало стучать как бешеное.

Время от времени Джошуа спрашивал о своем отце.

— Его убили во Вьетнаме, Джошуа. Он был очень смелым.

— А у тебя есть его фотография?

— Нет, дорогой. Мы только поженились, и вскоре его убили.

Она ненавидела ложь, но другого выхода не было.

Майкл Моретти лишь однажды поинтересовался отцом Джошуа:

— Мне все равно, что было до меня, просто мне интересно.

Дженнифер подумала, какой властью мог бы располагать Майкл над сенатором Адамом Уорнером, если бы она раскрыла ему правду.

— Его убили во Вьетнаме. Какая тебе разница, как его звали.

Глава 40

В Вашингтоне сенатская комиссия, возглавляемая Адамом Уорнером, проводила слушания по новому бомбардировщику ХК-1. ВВС США хотели, чтобы сенат утвердил требуемый бюджет на производство этого самолета. Несколько недель длинной чередой проходили перед комиссией ведущие эксперты. Половина из них заявляла, что новый бомбардировщик — слишком дорогое удовольствие и придется утверждать слишком большой бюджет на военные расходы, а это подорвет экономику страны. Другая половина свидетельствовала, что, если ВВС не получат на вооружение этот бомбардировщик, оборонная мощь США настолько ослабнет, что русские захватят Америку в ближайшее воскресенье.

Адам вызвался лично проверить в полете опытный образец бомбардировщика, и его коллеги с радостью поддержали его. Адам был одним из них, и ему они могли безоговорочно верить.

Ранним воскресным утром Адам поднял самолет с военного аэродрома и тщательно проверил в воздухе его летные и боевые качества. Полет превзошел все ожидания, и Адам сообщил сенаторам, что новый бомбардировщик ХК-1 — это достижение авиационной промышленности. Он рекомендовал немедленно принять его на вооружение. Сенат проголосовал за выделение необходимых средств.

Пресса на все лады расхваливала Адама Уорнера. Его называли представителем нового поколения сенаторов-исследователей, которые сами предпочитают изучить все факты, нежели выслушивать советы лоббистов, пекущихся только о собственных интересах.

«Ньюсуик» и «Тайм» уделили Адаму немало места на своих страницах, и статья в «Ньюсуике» заканчивалась такими словами:

«Наконец-то в сенате появился честный и способный защитник интересов народа, который лично пытается разобраться в проблемах, захлестнувших нашу страну, стараясь высветить их, а не подлить масла в огонь. Ведущие политики полагают, что у Адама Уорнера есть все необходимые качества, чтобы однажды стать президентом США».

Дженнифер с жадностью прочитывала все статьи про Адама, и сердце ее наполнялось гордостью. И болью. Она все еще любила Адама, хотя любила и Майкла Моретти. Она никак не могла понять, как это возможно и что она за женщина. Адам сделал ее одинокой, Майкл лишил ее одиночества.

Контрабанда наркотиков из Мексики приняла невиданный размах, и было ясно, что за этим стояла организованная преступность. Адама попросили возглавить комиссию по расследованию. Он скоординировал усилия десятка американских агентств, занимающихся правоохранительной деятельностью, съездил в Мексику, где заручился поддержкой мексиканского правительства. Через три месяца контрабандная деятельность была сведена к минимуму.

На совещании, проходившем на старой голландской ферме, Майкл Моретти заявил:

— У нас появилась серьезная проблема.

Они сидели в просторном удобном кабинете: Дженнифер, Антонио Гранелли и Томас Колфакс. Антонио недавно перенес инфаркт, который состарил его еще лет на двадцать. Он скорее напоминал пародию на человека. Правая половина лица была у него парализована, и, когда он говорил, из уголка рта текла слюна. Это был дряхлый старик, и он все больше и больше зависел от Майкла Моретти. Ему пришлось даже смириться с тем, что Дженнифер принимала участие в совещаниях.

Но Томас Колфакс не смирился. Разногласия между адвокатом и Майклом Моретти становились все сильнее. Колфакс знал, что эту женщину Майкл хочет поставить на его место. Колфакс признавал, что она прекрасный адвокат, но что она могла знать о традициях borgata*? О том, почему их братство стало такой влиятельной организацией? Как Майкл мог позволить постороннему человеку — хуже того, женщине — знать секреты, касающиеся жизни и смерти? Уму непостижимо! Колфакс говорил об этом с caporegimi — лейтенантами и с soldati — солдатами, пытаясь переманить их на свою сторону, но все они боялись Майкла Моретти. Если он доверял этой женщине, считали они, то им тоже следует доверять ей.

Томас Колфакс решил выждать. Он был уверен, что найдет способ, как избавиться от нее.

Дженнифер знала о его отношении к ней. Она заняла его место, и его гордость никогда не позволит тронуть ее, но если ненависть пересилит верность...

Майкл повернулся к Дженнифер:

— Ты слышала когда-нибудь об Адаме Уорнере?

---

* Братство (ит.).

У Дженнифер чуть не остановилось сердце. У нее перехватило дыхание. Майкл смотрел на Дженнифер, ожидая ответа.

— Ты... ты имеешь в виду сенатора? — наконец выговорила она.

— Ну. Надо прижать к ногтю этого сукина сына.

Дженнифер почувствовала, как кровь отлила от ее лица.

— Почему, Майкл?

— Он сорвал нам всю операцию. Из-за него мексиканское правительство закрывает фабрики, принадлежащие нашим друзьям. Все разваливается на части. Мы займемся этим ублюдком. Он должен исчезнуть.

Дженнифер лихорадочно соображала.

— Если ты тронешь сенатора Уорнера, — сказала она, тщательно подбирая слова, — ты подпишешь себе смертный приговор.

— Я не позволю...

— Послушай, Майкл. Если ты избавишься от него, его место займут десять других человек, сто. Все газеты ополчатся на тебя. Расследование, которое проводится сейчас, покажется цветочками по сравнению с тем, что начнется, если с сенатором Уорнером что-нибудь произойдет.

— Пока все происходит только с нами, — раздраженно сказал Майкл.

Дженнифер решила изменить свой тон:

— Майкл, подумай хорошенько. И раньше были такие расследования. И долго они продолжались? Стоит сенатору сделать доклад о результатах деятельности комиссии, как через пять минут ему поручают какое-нибудь другое расследование, а о первом все благополучно забывают. Закрывшиеся фабрики снова откроются, и дела пойдут по-прежнему. В этом случае ты не пострадаешь. Но стоит только тебе сделать неверный шаг, и неприятностей не оберешься.

— Я не согласен, — сказал Томас Колфакс. — По моему мнению...

— Никто не спрашивает твоего мнения, — рявкнул Майкл Моретти.

Томас Колфакс дернулся, как будто его ударили. Майкл не обратил на это внимания. Колфакс повернулся к Антонио Гранелли, надеясь найти у него поддержку, но старик спал.

— Ладно, советник, — сказал Майкл Дженнифер. — Оставим пока Уорнера в покое.

Дженнифер выдохнула с облегчением:

— Еще что-нибудь?

— Да. — Взяв со стола массивную золотую зажигалку, Майкл прикурил сигарету. — Один наш друг, Марко Лоренцо, осужден за вымогательство и грабеж.

Дженнифер читала об этом в газетах. Лоренцо был рецидивистом, не раз сидевшим в тюрьме за серьезные преступления.

— Ты хочешь, чтобы я передала дело в апелляционный суд.

— Нет. Надо сделать так, чтобы он оказался в тюрьме.

Дженнифер удивленно посмотрела на Майкла Моретти. Майкл положил зажигалку на стол.

— До меня дошли слухи, что Ди Сильва хочет отправить его на Сицилию. Если он там окажется, то не проживет и двадцати четырех часов. У него там много врагов. Самое безопасное место для Марко — это Синг-Синг. Через пару лет, когда шум уляжется, мы вытащим его оттуда. Сможешь это организовать?

Дженнифер колебалась.

— Если бы мы были в другом судебном округе, я бы смогла это сделать. Но с Ди Сильвой мне вряд ли удастся договориться.

Томас Колфакс быстро сказал:

— Может, поручить это кому-нибудь другому?

— Если бы я хотел поручить это кому-нибудь другому, — раздраженно сказал Майкл, — я бы сказал об этом раньше. — Он повернулся к Дженнифер: — Я хочу, чтобы этим занялась ты.

Майкл Моретти и Ник Вито наблюдали в окно, как Томас Колфакс сел в свою машину и уехал.

300

— Ник, — сказал Майкл. — Надо избавиться от него.

— От Колфакса?

— Я ему больше не доверяю. Он, как и старик, живет понятиями вчерашнего дня.

— Как скажешь, Майкл. Когда мне убрать его?

— Скоро. Я сообщу тебе.

Дженнифер сидела в кабинете судьи Лоренса Уолдмана. Со времени их последней встречи прошло больше года. Он уже не приглашал ее на обед в свой клуб. Ничего не поделаешь, подумала Дженнифер. Ей нравился Лоренс Уолдман, и было жаль терять его дружбу, но она сделала свой выбор.

Они ждали Роберта Ди Сильву, и в комнате повисла гнетущая тишина. Никто не был настроен разговаривать из вежливости. Наконец пришел окружной прокурор, и совещание началось.

Судья Уолдман повернулся к Дженнифер:

— Бобби говорит, что вы хотели бы достичь компромисса, прежде чем я объявлю приговор Лоренцо.

— Да. — Дженнифер повернулась к Ди Сильве: — Я думаю, было бы ошибкой посадить Марко Лоренцо в Синг-Синг. Он не выживет там. Тем более у него нет американского гражданства. Я считаю, его надо отправить на Сицилию, откуда он родом.

Ди Сильва удивленно посмотрел на нее. Он сам хотел предложить депортировать Лоренцо на Сицилию, но раз это исходило от Дженнифер Паркер, он принял другое решение.

— Почему вы этого хотите? — спросил Ди Сильва.

— Тут много причин. Во-первых, находясь на Сицилии, он не сможет совершать преступления в нашей стране, и...

— Находясь в Синг-Синг, он тоже не сможет совершать их.

— Лоренцо — старый человек. Он не выдержит заключения в тюрьме. Он сойдет там с ума. Все его друзья на Сицилии. Он будет жить там мирно и спокойно вместе со своей семьей.

Лицо Ди Сильвы окаменело.

— Речь идет о бандите, который всю свою жизнь грабил и убивал. А вы волнуетесь о его здоровье. — Он повернулся к судье Уолдману: — Что она говорит?

— У Марко Лоренцо есть право...

Ди Сильва стукнул кулаком по столу.

— Нет у него никаких прав! Он осужден за вымогательство и грабеж.

— Но на Сицилии, когда человек...

— Он не на Сицилии, черт побери! — заорал Ди Сильва. — Он здесь. Здесь совершил свои преступления, здесь и будет расплачиваться за них. — Он встал. — Ваша честь, мы попусту тратим время. Обвинение отказывается идти на какой-либо компромисс. Я настаиваю, чтобы Марко Лоренцо поместили в тюрьму Синг-Синг.

Судья Уолдман посмотрел на Дженнифер:

— У вас есть что сказать?

Дженнифер бросила взгляд на Роберта Ди Сильву и раздраженным тоном сказала:

— Нет, ваша честь.

— Завтра будет объявлен приговор, — сказал судья Уолдман. — Вы оба свободны.

Ди Сильва и Дженнифер вышли из кабинета.

В коридоре окружной прокурор повернулся к Дженнифер и, улыбаясь, сказал:

— Теряете хватку, адвокат.

Дженнифер пожала плечами:

— Нельзя все время быть победителем.

Через несколько минут Дженнифер уже набирала телефонный номер Майкла Моретти.

— Можешь не беспокоиться. Марко Лоренцо будет сидеть в Синг-Синге.

Глава 41

Время было похоже на реку без дна и берегов. Вместо зимы, весны, лета и осени вехами были радости и печали, дни рождения, выигранные и проигранные дела в суде, при-

302

сутствие Майкла и память об Адаме. И Джошуа. Наблюдая, как он растет, Дженнифер ощущала, как быстро летит время.

Она не могла поверить, что ему семь лет. Еще недавно он раскрашивал книжки, а теперь его интересуют модели самолетов и спорт. Джошуа был высоким мальчиком и с каждым днем все больше становился похожим на своего отца. Это было не только внешнее сходство. Вежливый, справедливый, он всегда был честным в игре. Как-то Дженнифер наказала его за какой-то проступок, и Джошуа сказал: «Хотя я и ростом в четыре фута, но у меня есть свои права».

Он был уменьшенной копией Адама. Он так же интересовался спортом, как и Адам. По воскресеньям Джошуа садился перед телевизором и не пропускал ни одной спортивной передачи, не имело значения, что это — футбол, бейсбол или волейбол. Сначала Джошуа смотрел передачи один, но, когда потом он пытался обсудить их с Дженнифер, она не знала, что сказать. Поэтому она решила смотреть телевизор вместе с ним. Они садились на диван и, поедая воздушную кукурузу, подбадривали игроков.

Однажды Джошуа вернулся домой расстроенным и сказал:

— Мам, мы можем поговорить с тобой как мужчина с мужчиной?

— Конечно, Джошуа.

Они сели на кухне. Дженнифер сделала ему бутерброд с арахисовым маслом и налила стакан молока.

— В чем дело?

Его голос был серьезным:

— Ну, я слышал, тут ребята говорили... Как ты думаешь, когда я вырасту, секс еще останется?

Дженнифер купила небольшую яхту, и во время уик-эндов они с Джошуа ходили под парусом. Дженнифер нравилось наблюдать за ним, когда он стоял у штурвала. На его лице была улыбка, которую она называла улыбкой Эрика Рыжебородого. Как и его отец, Джошуа был прирожденным моряком. Эта мысль внезапно пришла в голову Дженнифер.

«Может, через Джошуа я стараюсь быть с Адамом?» — подумала она. Все, чем она занималась с сыном, — спорт, плавание на яхте — уже было с Адамом. Джошуа нравится это, убеждала она себя, но полной уверенности у нее не было. Глядя, как радостно он поднимает парус и как горят его глаза на загорелом лице, Дженнифер поняла, что это не имеет никакого значения. Самое главное — то, что ее сыну нравилось жить с ней. Он не заменял ей Адама. Это был самостоятельный человек, и Дженнифер любила его больше всего на свете.

Глава 42

Антонио Гранелли умер, и вся власть и империя перешли к Майклу Моретти. Похороны были пышными, как и полагалось по рангу главе мафии. Со всей страны прибыли главы различных «семей», чтобы отдать последние почести покойному другу и заверить в преданности новому саро. На похоронах было немало агентов ФБР, фотографирующих присутствующих.

Роза рыдала, ведь она очень любила своего отца. Но ее утешало, что теперь муж занял место главы «семьи».

С каждым днем Дженнифер становилась все более полезной Майклу. Как только возникала какая-нибудь проблема, Майкл обращался за советом к Дженнифер. Томас Колфакс всячески выражал свое недовольство.

— Не беспокойся, — сказал ей Майкл. — Скоро он отправится на покой.

Телефонный звонок разбудил Дженнифер. Она открыла глаза, затем села в постели и посмотрела на светящийся циферблат часов. Три часа ночи.

Она сняла трубку:

— Алло.

— Мне срочно нужна твоя помощь, — услышала она голос Майкла.

Дженнифер помотала головой, стараясь сбросить сон.

— Что случилось?

— Только что арестовали Эдди Сантини за вооруженное ограбление. Он и так условно на свободе, поэтому ему грозит пожизненное заключение.

— Свидетели есть?

— Трое. Они хорошо его рассмотрели.

— Где он сейчас?

— В семнадцатом участке.

— Сейчас поеду туда.

Накинув халат, Дженнифер спустилась на кухню и сварила себе кофе. Сидя за столом, она размышляла. Трое свидетелей. И все они хорошо рассмотрели его.

Она сняла телефонную трубку и набрала номер редакции «Нью-Йорк таймс».

— У меня есть для вас информация, — быстро сказала она. — Только что взяли за ограбление парня по имени Эдди Сантини. Его адвокат — Дженнифер Паркер. Она постарается освободить его.

Затем она позвонила еще в две газеты и на телевидение. Посмотрев на часы, Дженнифер неторопливо выпила еще чашку кофе. Она хотела, чтобы фотографы прибыли в участок на 51-й улице раньше нее. Она поднялась к себе в спальню и переоделась.

Прежде чем уйти, Дженнифер зашла в комнату Джошуа. У него горел ночник. Одеяло сбилось, и Дженнифер укрыла его. Поцеловав ребенка в лоб, она на цыпочках стала выходить из комнаты.

— Ты куда?

Она повернулась:

— На работу. Спи.

— А сколько времени?

— Четыре утра.

Джошуа хихикнул:

— Странное время для работы. Тем более для женщины.

Она подошла к постели:

— Странно, что ты не спишь в это время.

— Мы будем завтра смотреть матч с «Метс»?

— Конечно. А сейчас — спать.

— Ладно, мама. Удачи тебе.

— Спасибо, приятель.

Через несколько минут Дженнифер уже ехала в машине в сторону Манхэттена.

Когда она приехала в участок, там ждал только фотограф из «Дейли ньюс». Увидев Дженнифер, он сказал:

— Значит, это правда. Вы будете заниматься делом Сантини?

— Откуда вы это узнали? — требовательно спросила Дженнифер.

— Одна маленькая птичка рассказала.

— Зря теряете время. Я запрещаю вам фотографировать.

Она вошла в участок и оформила освобождение Сантини под залог. Она не спешила и затягивала процедуру, пока не увидела, что приехали телевидение и репортер с фотографом из «Нью-Йорк таймс». Она решила, что не будет ждать журналистов из «Пост».

Дежурный полицейский предупредил ее:

— Там собрались газетчики, мисс Паркер. Если хотите, можете выйти через черный ход.

— Не беспокойтесь, — ответила Дженнифер. — Я с ними справлюсь.

Она повела Эдди Сантини по коридору, где ее уже поджидали репортеры.

— Пожалуйста, не надо снимать, — попросила она.

Фотографы защелкали камерами, оператор телевидения тоже не терял времени. Дженнифер отошла в сторону.

— Почему вы взялись за это дело? — спросил один из репортеров.

— Обо всем вы узнаете завтра. А пока я вам советую не публиковать эти фотографии.

— Ну ладно уж, Дженнифер, — крикнул один из них. — Вы что, не слышали о свободе прессы?

* * *

Днем ей позвонил Майкл Моретти. В его голосе звучала ярость.

— Ты видела сегодняшние газеты?

— Нет.

— Все напечатали фотографию Эдди Сантини на первых полосах. Его показали и в теленовостях. Я разве просил тебя организовать цирковое представление?

— Нет, конечно. Это была моя идея.

— Господи. Зачем это надо?

— Потому что Сантини видели три свидетеля.

— Ну и что?

— Ты сказал, что они успели хорошо рассмотреть его. Ну а теперь, когда они будут опознавать его в суде, пусть докажут, что опознали его не потому, что видели по телевизору и во всех газетах.

После долгой паузы Майкл восторженно произнес:

— Черт меня побери!

Дженнифер рассмеялась.

Когда Дженнифер пришла на работу, ее ожидал Кен Бэйли. По его лицу она сразу определила — что-то случилось.

— Почему ты мне ничего не сказала? — спросил он.

— Что я тебе не сказала?

— Что ты и Моретти...

Дженнифер заставила себя сдержаться. Сказать «не твое дело» было слишком просто. Кен был ее другом, он заботился о ней. В какой-то мере это касалось и его. Дженнифер вспомнила убогую комнатушку, где они начинали работать, то, как он помогал ей. «Один знакомый адвокат просит меня помочь разнести повестки. А у меня нет времени. Он платит за каждую повестку двенадцать пятьдесят плюс транспортные расходы. Ты не сможешь помочь мне?»

— Кен, давай не будем обсуждать это.

В ее голосе звучала злость.

— А почему бы и нет? Ведь все остальные обсуждают. Все говорят, что ты любовница Моретти. — Его лицо побледнело. — Господи!

307

— Моя личная жизнь...

— Он живет на помойке, и ты перетащила эту помойку в контору. Ты заставляешь нас работать на Моретти и его головорезов.

— Перестань!

— Я перестану. Поэтому и решил поговорить с тобой. Я ухожу.

Она была поражена.

— Ты не можешь уйти. Зря ты так думаешь о Майкле. Если бы ты знал его, ты бы... — Она замолчала, сообразив, что допустила ошибку.

Грустно посмотрев на нее, он сказал:

— Он во все заставил тебя поверить. Я помню, какой ты была раньше. И такой я хочу тебя запомнить. Передавай от меня привет Джошуа.

И Кен Бэйли ушел.

Дженнифер почувствовала, как в горле у нее встал комок. На глазах выступили слезы. Она уронила голову на стол, стараясь не разрыдаться.

Когда она открыла глаза, было уже темно. В кабинете не горел свет, и на стенах мелькали отблески городских огней. Подойдя к окну, она посмотрела на раскинувшийся внизу город. Он выглядел как ночные джунгли.

Это были джунгли Майкла. И выхода из них не было.

Глава 43

В зале «Кау Плэйс» в Сан-Франциско стоял невообразимый шум. Здесь собрались делегаты со всей страны. Присутствовали три кандидата на пост президента, которые успешно прошли первичные выборы. Но звездой был, конечно, Адам Уорнер. Его партия гордилась своим кандидатом. Нынешний президент, лидер оппозиционной партии, не пользовался у избирателей популярностью.

— Не знаю, что может помешать тебе стать президентом Соединенных Штатов, — сказал Адаму Стюарт Нидхэм. — Разве что ты помочишься на всех с трибуны перед телекамерами.

После выдвижения его кандидатуры на пост президента Адам вылетел в Нью-Йорк на встречу с Нидхэмом и некоторыми влиятельными членами партии. На встрече присутствовал также Блэр Роман, глава ведущего рекламного агентства страны.

— Блэр будет заниматься рекламой твоей предвыборной кампании, — сказал Стюарт Нидхэм.

— Рад, что будем работать в одной упряжке, — ухмыльнулся Блэр Роман. — Вы будете моим третьим президентом.

— Действительно? — На Адама он не произвел впечатления.

— Я расскажу вам о правилах игры. — Блэр Роман принялся расхаживать по комнате, замахиваясь воображаемой клюшкой. — Мы заполним страну телерекламой, создадим вам образ человека, который может решить все проблемы Америки. Большой Папочка — молодой симпатичный Большой Папочка. Понятно, господин президент?

— Мистер Роман...

— Да?

— Может, вы не будете называть меня господином президентом?

Блэр Роман рассмеялся:

— Извините. Случайно с языка сорвалось, А. У. Для меня вы уже в Белом доме. Поверьте, я не сомневаюсь, что вы победите, иначе я бы не взялся за вашу кампанию. Я слишком богат, чтобы работать за деньги.

«Надо вести себя осторожно с людьми, которые уверяют, что слишком богаты, чтобы работать за деньги», — подумал Адам.

— Мы знаем, что вы — подходящий человек для Белого дома, и мы должны сделать так, чтобы об этом узнали все остальные. Посмотрите на эти схемы. Я разделил страну на несколько районов, где проживают различные этнические группы. Мы будем посылать вас в ключевые места, где вы сможете заработать очки.

Подойдя к Адаму поближе, он с жаром сказал:

— Мы сделаем из вашей жены звезду. Женские журналы наперебой будут требовать материалы о вашей семейной жизни. Мы будем торговать вами, А. У.

Адам почувствовал, как в нем закипает злость.

— И как вы собираетесь это делать?

— Очень просто. Вы — товар, А. У. И мы будем продавать вас, как любой другой товар. Мы...

Адам повернулся к Стюарту Нидхэму:

— Стюарт, я хотел бы поговорить с тобой наедине.

— Конечно. — Повернувшись к собравшимся, Нидхэм сказал: — Давайте сделаем перерыв на ужин и снова соберемся здесь в девять часов. Тогда и продолжим нашу беседу.

Когда они остались вдвоем, Адам сказал:

— Стюарт, он собирается устроить какой-то цирк! «Вы — товар, А. У. И мы будем продавать вас, как любой другой товар». Отвратительный тип!

— Я понимаю твои чувства, Адам, — примиряющим тоном сказал Стюарт Нидхэм, — но Блэр знает свое дело. Он не шутил, когда сказал, что ты у него третий президент. У всех президентов, начиная с Эйзенхауэра, была поддержка рекламных агентств. Нравится тебе или нет, но кампанию надо рекламировать. Блэр Роман знает психологию людей. Как это ни мерзко звучит, но, если ты хочешь попасть в Белый дом, тебя надо продать, тобой надо торговать.

— Мне это не по душе.

— Это часть цены, которую ты должен заплатить. — Подойдя к Адаму, Нидхэм обнял его за плечи. — Главное — помнить о цели. Хочешь попасть в Белый дом? Хорошо. Мы сделаем все, чтобы ты туда попал. Но и тебе надо постараться. И если надо играть роль циркача, смирись с этим.

— Нам действительно нужен Блэр Роман?

— Нам нужен человек типа Блэра Романа. Я сам им займусь. Постараюсь, чтобы ты сталкивался с ним как можно реже.

— Буду тебе очень благодарен.

* * *

Кампания началась. Сначала это были короткие выступления по телевидению, затем таких выступлений стало все больше и больше. Они захлестнули всю страну. Повсюду люди слышали о сенаторе Адаме Уорнере. В любом уголке страны его видели на телеэкране, слышали по радио, читали о нем в газетах. Ключевыми темами кампании были законность и правопорядок. Основной упор делался на комиссию по борьбе с преступностью, которую возглавлял Адам.

Ролики с выступлениями Адама рассылались по всей стране. Предназначенные к показу в Западной Виргинии, они касались безработицы и угледобывающей промышленности, которая должна была сделать этот край богатым. Ролики, идущие на Детройт, затрагивали проблемы урбанизации, на Нью-Йорк — растущей преступности.

Блэр Роман советовал Адаму:

— Надо лишь поверхностно обрисовать проблему, А. У. Не надо глубоко копать. Мы продаем товар, и этот товар — вы.

— Мистер Роман, — ответил Адам, — мне плевать на вашу статистику. Я не замороженный обед и не хочу, чтобы меня продавали как такового. Я буду глубоко раскрывать проблемы. Думаю, американцы достаточно умны, чтобы понять, что к чему.

— Я только...

— Я хочу, чтобы вы организовали дебаты по ключевым вопросам между мной и президентом.

— Ладно, — сказал Блэр Роман. — Я свяжусь с ребятами президента, А. У.

— И еще одно, — сказал Адам.

— Да? Что еще?

— Перестаньте называть меня А. У.

Глава 44

В утренней почте она обнаружила приглашение на съезд Ассоциации американских юристов, который должен был состояться в Акапулько. У Дженнифер было много дел, и она

311

бы отказалась от приглашения, но съезд должен был проходить как раз во время каникул Джошуа. Дженнифер подумала, что Джошуа понравится в Акапулько.

Она сказала Синтии:

— Напиши, что я принимаю приглашение. И забронируй три билета на самолет. — Она решила взять с собой миссис Макей.

За ужином она сообщила новость Джошуа:

— Тебе бы хотелось поехать в Акапулько?

— Это в Мексике, — заявил он. — На западном побережье.

— Правильно.

— А мы пойдем на нудистский пляж?

— Джошуа!

— Говорят, там такие есть. Это же естественно — ходить голым.

— Я подумаю об этом.

— А я смогу там заняться подводной охотой?

Дженнифер представила, как Джошуа пытается вытащить большого тунца, и еле сдержала улыбку.

— Посмотрим. Некоторые рыбы там слишком большие.

— Вот и хорошо, — серьезно сказал Джошуа. — То, что легко, не приносит удовольствия. Нет никакого спортивного интереса.

Ей казалось, что это говорит Адам.

— Согласна.

— Чем еще там можно заняться?

— Ну, мы будем кататься на лошадях, смотреть достопримечательности...

— Только давай не будем смотреть церкви. Они все одинаковые.

Именно так говорил Адам: «Если ты видел одну церковь, ты видел все церкви».

Съезд начинался в понедельник. Дженнифер, Джошуа и миссис Макей вылетели в Акапулько в пятницу утром рейсом авиакомпании «Бранифф». Джошуа уже не в первый раз летел на самолете, ему это нравилось. Миссис Макей дрожала от страха.

Джошуа постарался успокоить ее:

— Чего бояться. Если даже мы и разобьемся, то это произойдет за одну секунду.

Миссис Макей побледнела.

Самолет приземлился в аэропорту имени Бенито Хуареса в четыре часа дня, и через три часа они уже были в «Лас брисас». Отель находился в восьми милях от Акапулько и представлял собой городок из нескольких коттеджей, расположившихся на холме. У каждого коттеджа был свой дворик. В домике, где поселилась Дженнифер, был еще и плавательный бассейн. Гостиницу заказать было очень трудно, так как в это время в Акапулько проходило немало съездов и конференций, но Дженнифер позвонила одному из своих влиятельных клиентов, и через час он сообщил ей, что ее с нетерпением ждут в «Лас брисас».

Когда они устроились, Джошуа сказал:

— Может, мы пойдем в город и послушаем, как они разговаривают? Я никогда не был в стране, где никто не говорит по-английски. — Подумав немного, он добавил: — Если, конечно, не считать Англию.

Они направились в город на машине и бродили по Сокало, шумному торговому центру. К великому разочарованию Джошуа, все говорили только по-английски: в Акапулько было полно американских туристов.

Они посетили пестрый базар на главном причале в старой части города, где продавалось все, что только можно себе представить.

Днем они покатались в карете, запряженной лошадьми, и побывали на «Пье де ла Куэста» — солнечном пляже. Вечером они вернулись в город.

Они ужинали в ресторане «Армандо Ле Клуб», где кухня была превосходной.

— Я обожаю мексиканскую кухню, — заявил Джошуа.

— Я рада, — сказала Дженнифер. — Только это французская кухня.

— Зато вкус еды мексиканский.

В субботу они отдыхали целый день. С утра они занимались покупками на улице Кебрада, где было много хороших магазинов, пообедали в мексиканском ресторане «Койука 22». Джошуа спросил:

— Это, наверное, тоже французский ресторан?

— Нет, гринго, здесь все настоящее.

— А кто такой гринго?

— Это ты, дружок.

Проходя мимо «Пласа Калета», они увидели афиши с приглашением посетить петушиный бой.

Джошуа смотрел на афишу, широко раскрыв глаза, и Дженнифер спросила:

— Хочешь посмотреть петушиный бой?

Джошуа кивнул:

— Если это не очень дорого. Потому что, если у нас закончатся деньги, мы не сможем вернуться домой.

— Думаю, что мы это как-нибудь уладим.

Они вошли внутрь и стали наблюдать за боем. Дженнифер сделала ставку за Джошуа, и его петух победил.

Когда Дженнифер предложила вернуться в отель, Джошуа сказал:

— Мам, а может, посмотрим на ныряльщиков?

Ему рассказал о них управляющий отелем.

— Ты уверен, что не хочешь отдохнуть?

— Если ты устала, то, конечно, вернемся в отель. Я совсем забыл про твой возраст.

— Мой возраст не имеет значения. — Дженнифер повернулась к миссис Макей: — Вы поедете с нами?

— Разумеется, — простонала она.

Ныряльщики прыгали со скал в Ла-Кебрада. Дженнифер, Джошуа и миссис Макей стояли на смотровой площадке, наблюдая, как ныряльщики прыгали с высоты в сто пятьдесят футов в узкую щель между скал, рассчитывая время таким образом, чтобы попасть в набегающую волну. Малейший просчет — и их ждала неминуемая смерть.

Когда представление закончилось, к ним подошел мальчик, собирающий деньги:

— Uno peso, por favor*.

Дженнифер дала ему пять песо.

Ночью ей снились ныряльщики.

В «Лас брисас» имелся собственный пляж, Ла-Конча, и в воскресенье утром Дженнифер, Джошуа и миссис Макей поехали туда на джипе, который выделялся для гостей. Погода была отличной. В бухте на бирюзовых волнах качались катера и яхты.

Стоя у кромки воды, Джошуа наблюдал, как отдыхающие катаются на водных лыжах.

— Мам, ты знаешь, что этот спорт придумали в Акапулько?

— Нет. Откуда ты это знаешь?

— Не помню. То ли вычитал в книжке, то ли сам придумал.

— Я склоняюсь к последнему.

— Это значит, что я не смогу покататься на водных лыжах?

— Катера слишком быстрые. Тебе не страшно?

Джошуа посмотрел в море.

— Тот человек сказал: «Я отправлю тебя домой к Иисусу», — а затем вбил мне в руку гвоздь.

Впервые за все время он вспомнил об этом ужасном случае.

Став перед ним на колени, Дженнифер обняла Джошуа.

— Почему ты вспомнил об этом?

Он пожал плечами:

— Не знаю. Может, потому, что Иисус ходил по воде, и здесь все тоже ходят по воде. — Он посмотрел на ее иска-

_____

* Один песо, пожалуйста (*исп.*).

женное гримасой лицо. — Извини, мам. Я почти об этом не думаю, честно.

Крепко прижав его к себе, она сказала:

— Все хорошо, мой милый. Конечно, ты можешь покататься на водных лыжах. Только давай сначала пообедаем.

На пляже в Ла-Конче был открытый ресторан. Столики были накрыты розовыми скатертями и стояли под полосатыми зонтиками. Здесь же располагался шведский стол с невообразимым количеством закусок и блюд: омары, крабы, осетрина, мясо, разнообразные овощи и фрукты. Джошуа три раза ходил за добавкой и наконец довольный, откинулся на стуле.

— Это очень хороший ресторан, — заявил он. — И мне все равно, какая тут кухня. — Он встал. — Пойду узнаю насчет водных лыж.

Миссис Макей почти не прикасалась к еде.

— Вы себя хорошо чувствуете? — спросила Дженнифер. — Вы ничего не едите.

Наклонившись вперед, миссис Макей угрюмо прошептала:

— Не хочу испытать месть Монтесумы.

— Думаю, вы зря беспокоитесь.

— Я не могу есть иностранную пищу, — ответила миссис Макей.

Джошуа подбежал к столику и сказал:

— Я договорился насчет катера. Можно, я сейчас пойду кататься? А, мам?

— А ты не хочешь немного подождать?

— Зачем?

— Пускай у тебя в животе уляжется...

— Мам... — заныл он.

Миссис Макей осталась на берегу, а Дженнифер и Джошуа сели в катер. Джошуа получил свой первый урок по катанию на водных лыжах. Первые пять минут он постоянно падал, но потом стал ездить так, будто занимался этим с рождения. К концу дня он уже мог выделывать различные трюки и даже кататься без лыж на одних пятках.

Остаток дня они провели, нежась на песке и купаясь в бассейне.

Когда они на джипе возвращались в отель, Джошуа прижался к Дженнифер и сказал:

— Знаешь, мам. Это, наверное, был самый лучший день в моей жизни.

И ей сразу же вспомнились слова Майкла Моретти: «Я хочу, чтобы ты знала, — это был самый лучший вечер в моей жизни».

В понедельник Дженнифер проснулась рано и принялась одеваться, чтобы поехать на съезд. Она надела темно-зеленую юбку и просторную блузку, вышитую огромными красными розами. Она посмотрела на свое отражение в зеркале и осталась довольна. Что бы там Джошуа ни говорил о ее возрасте, она выглядела как его тридцатичетырехлетняя сестра. Она засмеялась и подумала, что это самая лучшая мысль, которая пришла ей в голову за последнее время.

Она позвала миссис Макей:

— Я отправляюсь на работу. Следите за Джошуа. Смотрите, чтобы он долго не находился на солнце.

Центр для проведения съездов представлял собой комплекс из пяти зданий, соединенных между собой крытыми террасами, расположенный на тридцати пяти акрах парковой зоны. На аккуратно подстриженных газонах стояли статуи доколумбовой эпохи.

Съезд Ассоциации американских юристов проходил в «Теотиуакане» — главном зале, вмещающем семь с половиной тысяч человек.

Зарегистрировавшись, Дженнифер вошла в огромный зал. Он был переполнен. В толпе Дженнифер увидела несколько знакомых и друзей. Здесь не было строгих костюмов и платьев — все переоделись в цветастые рубашки и брюки. Такое впечатление, что все они собрались в отпуск. «Вот поэтому съезд и проводится в Акапулько, а не в Чикаго или Детрой-

317

те», — подумала Дженнифер. Здесь можно снять галстуки и погреться под тропическим солнцем.

В дверях Дженнифер вручили программу съезда, но, разговорившись со знакомыми, она не обратила на нее никакого внимания.

Из громкоговорителя раздался голос:

— Пожалуйста, внимание! Будьте добры занять свои места. Начнем работу. Пожалуйста, садитесь!

Люди неохотно стали расходиться по своим местам. Дженнифер посмотрела на президиум. В центре стоял Адам Уорнер.

Дженнифер застыла, глядя, как Адам занял кресло недалеко от микрофона. Она почувствовала, как забилось сердце. Последний раз она видела Адама в итальянском ресторане, где он сообщил ей о беременности Мэри Бет.

Первым желанием Дженнифер было бежать отсюда. Она понятия не имела, что здесь будет присутствовать Адам. Она не могла вынести этого. Она знала, что ей надо уходить.

— Усаживайтесь побыстрее, и начнем работу.

Все вокруг сели, и только Дженнифер оставалась стоять. Она быстро опустилась в кресло, решив, что выйдет отсюда при первой же возможности.

— Для нас большая честь, — сказал председатель, — что сегодня среди нас присутствует кандидат на пост президента Соединенных Штатов, член нью-йоркской ассоциации юристов, сенатор Соединенных Штатов. Рад представить вам сенатора Адама Уорнера.

Дженнифер смотрела, как Адам встал, кланяясь в ответ на шумные аплодисменты. Подойдя к микрофону, он оглядел зал.

— Спасибо, господин председатель. Уважаемые дамы и господа!

Голос Адама буквально завораживал. В зале воцарилась полная тишина.

— Сегодня мы собрались здесь по многим причинам. — Он сделал паузу. — Кто приехал позагорать, кто понырять с аквалангом... — Раздался одобрительный смех. — Но в основном мы собрались здесь, чтобы обменяться опытом и обсудить новые концепции. Сегодня, как никогда раньше, юристы подвергаются критике. Даже Верховный судья нелестно отозвался о нашей деятельности.

Дженнифер нравилось, как он произносил слово «нашей», ставя себя наравне со всеми. Она почти не слышала, что он говорит, а только слушала его голос, наблюдала за его жестами. Он провел рукой по волосам, и сердце у Дженнифер замерло. Именно так делал Джошуа. Сын Адама был всего в нескольких милях отсюда, а Адам никогда не узнает об этом.

В голосе Адама зазвучали металлические нотки.

— В этом зале есть немало адвокатов, занимающихся уголовным правом. Должен признать, что я всегда считал эту сферу наиболее волнующей. Уголовные адвокаты часто имеют дело с жизнью и смертью. Однако, — он повысил голос, — есть среди них и такие, — Дженнифер заметила, как интонацией он противопоставляет их себе, — которые позорят нашу профессию. Американская система юриспруденции основывается на праве каждого гражданина на справедливый суд. Но когда из зала делают посмешище, когда адвокаты прилагают весь свой талант и энергию, чтобы обойти закон, здесь надо принимать ответные меры. — Все взгляды были обращены на Адама. — Я говорю об этом, дамы и господа, исходя из личного опыта, мне не нравится многое из того, с чем я сталкиваюсь. Недавно я возглавлял комиссию по расследованию преступности в Соединенных Штатах. И хочу сказать, что работа комиссии часто блокировалась влиятельными людьми из правоохранительных органов. Я видел судей, которые брали взятки, семьи свидетелей, получавших угрозы. Я знаю, что часто исчезают ключевые свидетели. Организованная преступность, как удав, стягивает кольца вокруг нашей экономики, проглатывает суд, угрожает нашей жизни. Большая часть юристов — это честные люди, добросовестно выполняющие свою работу, но я хочу предупредить тех, кто ставит себя выше закона, — вы совершаете большую ошибку и когда-нибудь заплатите за это. Спасибо.

В зале началась овация. Дженнифер тоже встала со всеми, горячо аплодируя, но она все еще думала о последних словах Адама. Ей казалось, что он сказал их непосредственно ей. Дженнифер направилась к выходу, прокладывая себе путь через толпу.

Когда она уже была рядом с дверью, ее окликнул знакомый мексиканский адвокат, с которым она работала год назад.

Галантно поцеловав ей руку, он сказал:

— Для меня встреча с вами — большая честь. Давайте поужинаем вместе. Я настаиваю.

Дженнифер пообещала Джошуа, что сегодня вечером они пойдут в клуб «Мария Элена» смотреть фольклорные танцы.

— Извините, Луис. У меня запланирована встреча.

В его черных влажных глазах сквозило отчаяние.

— Тогда, может, завтра?

Прежде чем Дженнифер смогла ему ответить, к ней подошел помощник окружного прокурора Нью-Йорка.

— Привет, — сказал он, — что это ты тут делаешь? Как насчет поужинать сегодня вместе? Тут есть чудесная дискотека со стеклянным полом и зеркальным потолком. Называется «Непента».

— Звучит заманчиво, спасибо, но вечером я занята.

Через несколько секунд Дженнифер стояла в кольце юристов, с которыми она когда-то работала. Она была знаменитостью, и всем хотелось поговорить с ней. Ей удалось избавиться от них только через полчаса. Она пошла в сторону вестибюля и вдруг увидела, как навстречу ей, окруженный репортерами и охраной, движется Адам Уорнер. Дженнифер хотела развернуться, но было уже поздно. Адам увидел ее.

— Дженнифер!

Сначала она намеревалась сделать вид, что не слышала, но ей не хотелось ставить его в неловкое положение перед другими. Она только поздоровается с ним и уйдет.

Она смотрела, как Адам направился к ней, говоря репортерам:

— Больше мне нечего вам сказать, дамы и господа.

Через секунду он уже коснулся ее руки, глядя ей в глаза. Казалось, они никогда не разлучались. Стоя в вестибюле, окруженные толпой, они были одни в этом мире. Дженнифер не знала, сколько времени они стояли таким образом.

Наконец Адам произнес:

— Я думаю, нам стоит выпить.

— Лучше не надо. — Ей хотелось поскорее уйти.

Адам покачал головой:

— Протест отклоняется.

Взяв Дженнифер под руку, он повел ее в бар. Они с трудом нашли свободный столик.

— Я тебе звонил и писал письма, — сказал Адам, — но ответа не получил. — Он вопросительно смотрел на нее. — Не было ни дня, чтобы я не думал о тебе. Почему ты исчезла?

— По волшебству, — ответила Дженнифер.

К столику подошел официант. Адам спросил у Дженнифер:

— Что ты будешь пить?

— Ничего. Мне действительно надо идти, Адам.

— Ты не можешь уйти. Мы будем праздновать годовщину революции.

— Нашей или мексиканской?

— Какая разница. — Он повернулся к официанту: — Две «Маргариты».

— Нет, я... — «Ладно, — подумала она, — так уж и быть». — Мне двойную, — сказала Дженнифер.

Официант кивнул и ушел.

— Я столько читала про тебя, — сказала Дженнифер. — Я очень горжусь тобой, Адам.

— Спасибо. — Он колебался. — Я про тебя тоже много читал.

— Но не гордишься мной, — ответила она таким же тоном.

— Похоже, у тебя много клиентов из синдиката.

Дженнифер почувствовала, что ей нечего сказать.

— Я полагала, что твой доклад окончен.

— Это не доклад, Дженнифер. Я беспокоюсь за тебя. Я поставил себе целью покончить с Майклом Моретти и добьюсь этого.

Дженнифер посмотрела по сторонам. В баре было полно юристов.

— Ради бога, Адам, не будем спорить, особенно здесь.

— А где тогда?

— Нигде. Майкл Моретти — мой клиент. Я не могу говорить с тобой о нем.

— Я хочу поговорить с тобой. Где?..

Она покачала головой:

— Я же тебя сказала...

— Я хочу поговорить о нас.

— Нас уже нет. — Она хотела встать.

Адам взял ее за руку:

— Пожалуйста, не уходи. Я не могу тебя отпустить.

Нехотя Дженнифер опустилась на стул.

— Ты когда-нибудь думала обо мне?

Дженнифер смотрела на него и не знала, смеяться ей или плакать. Думала ли она о нем! Он жил в ее доме. Она целовала его каждое утро, готовила ему завтрак, плавала с ним на яхте, любила его.

— Да, — наконец сказала Дженнифер. — Я думаю о тебе.

— Я рад. Ты счастлива?

— Конечно, — быстро, слишком быстро ответила Дженнифер. Она постаралась, чтобы ее голос звучал небрежно. — У меня хорошая клиентура, приличное состояние, я много путешествую, встречаюсь с привлекательными мужчинами. Как твоя жена?

— Все нормально, — тихо ответил он.

— А дочь?

Он кивнул, и на его лице была написана гордость.

— Саманта — чудный ребенок. Она так быстро растет. «Ей столько же лет, сколько и Джошуа».

— Ты так и не вышла замуж?

— Нет.

Пауза затянулась. Дженнифер не знала, что сказать. Адам посмотрел ей в глаза и сразу все понял.

Он сжал ей руку:

— О Дженнифер! Моя дорогая!

Дженнифер почувствовала, как краска залила ее лицо. Она знала, что может совершить ужасную ошибку.

— Адам, мне надо идти. У меня свидание.

— Отмени его, — потребовал он.

— Извини, не могу. — Ей хотелось как можно быстрее уйти отсюда, забрать сына и улететь домой.

— Завтра днем я должен улететь в Вашингтон. Но я изменю свои планы, если ты согласишься встретиться со мной сегодня вечером, — сказал Адам.

— Нет!

— Дженнифер, я не могу тебя отпустить. Не могу. Нам надо поговорить. Давай поужинаем вместе.

Он крепко сжал ее руку. Она посмотрела на него и поняла, что не сможет отказать.

— Пожалуйста, Адам, — умоляюще произнесла она. — Нас не должны видеть вместе. Если ты охотишься за Майклом Моретти...

— Это не имеет никакого отношения к Майклу Моретти. Один мой друг предложил мне воспользоваться своей яхтой. Она называется «Палома Бланка». Она стоит в яхт-клубе. В восемь часов.

— Я не приду.

— Я буду ждать тебя.

Возле стены за столиком сидел Ник Вито с двумя puttanas, которых привел ему один друг. Обе были хорошенькими и совсем еще девчонками. Такие нравились Нику. Друг пообещал, что они большие мастерицы, и это было правдой. Они терлись об него, шепча на ухо непристойности, но Ник их не слушал. Он смотрел на столик, за которым сидели Дженнифер Паркер и Адам Уорнер.

— Может, поднимемся в номер, querido*? — предложила одна из девчонок.

Нику Вито хотелось подойти к Дженнифер и ее спутнику, чтобы поздороваться, но девчонки стали гладить его между ног. Сейчас они отлично поразвлекаются.

— Да, пошли наверх, — сказал Ник Вито.

---

* Дорогой (исп.).

323

Глава 45

«Палома Бланка» гордо стояла у причала, озаренная лунным светом. Дженнифер медленно подошла к яхте, убедившись, что никто ее не видит. Адам сказал ей, что попытается скрыться от своей охраны, и это, очевидно, ему удалось. Отвезя Джошуа и миссис Макей в «Мария Элена», Дженнифер остановила такси и попросила шофера, чтобы тот высадил ее в двух кварталах от причала.

Несколько раз Дженнифер уже снимала трубку, чтобы позвонить Адаму и сказать, что она не придет. Она начала писать записку, но затем порвала ее. С того момента когда Дженнифер оставила Адама в баре, она пребывала в нерешительности. Какие только причины она не придумывала, чтобы не идти на встречу с Адамом. Из этого ничего хорошего не получится, и это принесет вред им обоим. Под угрозой окажется карьера Адама. Он сейчас поднялся на волне популярности, олицетворяя надежды страны на будущее. Он был любимцем прессы, но эта пресса с такой же легкостью столкнет его в пропасть, если он изменит своему образу.

Поэтому Дженнифер решила не встречаться с ним. Она была уже другой женщиной, жила другой жизнью, и она принадлежала теперь Майклу...

Адам ждал ее у трапа.

— Я боялся, что ты не придешь, — сказал он.

Она оказалась в его объятиях, и их губы встретились.

— А где команда? — наконец спросила Дженнифер.

— Я отправил их на берег. Ты еще помнишь, как ходить на яхте?

— Я еще помню все.

Они подняли парус, и через десять минут «Палома Бланка» уже направлялась в открытое море. Первые полчаса они были заняты управлением яхтой, но постоянно чувствовали присутствие друг друга. Напряжение нарастало, и они оба знали, что неизбежно должно было случиться.

Выйдя из гавани в открытое море, яхта летела по залитым лунным светом волнам. Адам подошел к Дженнифер и обнял ее.

Они занимались любовью прямо на палубе под звездами, и ласковый бриз обдувал их обнаженные тела.

Прошлое и будущее куда-то исчезли, и мир существовал только для них двоих. Но Дженнифер знала, что эта ночь в объятиях Адама не будет началом, она была концом. Не было мостов, которые соединили бы миры, разделяющие их. Они слишком далеко удалились друг от друга, и обратно дороги не было.

Эта ночь продлится для Дженнифер до конца жизни.

Они лежали, слушая, как волны нежно ударяются о борт яхты.

Адам повернул к ней голову:

— Завтра...

— Не говори ничего, — прошептала Дженнифер, — только люби меня, Адам.

Дженнифер покрыла его лицо поцелуями, нежно гладя мускулистое тело Адама.

— Боже мой, Дженнифер... — прошептал Адам и стал целовать ее тело, опускаясь все ниже и ниже...

Глава 46

— Этот козел постоянно доставал меня, — пожаловался Сальваторе Фьоре, — поэтому пришлось его прикончить.

Ник Вито захохотал. Надо было родиться идиотом, чтобы шутить с малышом Фьоре. Ник сидел за огромным столом на кухне старой голландской фермы вместе с Сальваторе Фьоре и Джозефом Колеллой, вспоминая былые деньки и ожидая, когда закончится встреча в гостиной. Гигант и коротышка были его самыми лучшими друзьями. Вместе они прошли огонь и воду. «Они для меня как братья», — подумал Ник Вито.

— Как твой племянник Пит? — спросил Ник у Колеллы.

— Его недавно замели, но он отмажется, это как пить дать.

— Крутой парень.

— Ну. Пит — классный чувак, не фартит ему только. Он стоял на стреме, когда брали банк, и его захомутали легаши. Попытались расколоть, да куда там...

— Да, парень он классный.

— Ну. Ему всегда нравились большие деньги, большие бабы и большие машины.

Из гостиной послышались громкие злые голоса. Гангстеры прислушались.

— Колфаксу как будто шило в задницу засунули.

Томас Колфакс и Майкл Моретти были одни в комнате. Они обсуждали крупную операцию по внедрению в азартный бизнес на Багамах. Майкл поручил Дженнифер заняться всеми необходимыми приготовлениями.

— Как ты можешь так поступать, Майк, — запротестовал Колфакс. — Я знаю там всех ребят. Она не знает. Поручи это мне. — Он знал, что говорит слишком громко, но ничего не мог с собой поделать.

— Слишком поздно, — сказал Майкл.

— Я не доверяю этой девчонке. Тони ей тоже не доверял.

— Тони уже не с нами, — понизил голос Майкл.

Томас Колфакс понял, что зашел слишком далеко.

— Ладно, Майк. Просто я говорю, что эта работа не по ней. Да, она умна, но я тебя предупреждаю — она может всех нас заложить.

Но Майкла волновал только Томас Колфакс. Комиссия по расследованию организованной преступности, возглавляемая Адамом Уорнером, работала в полную силу. Если они возьмут Колфакса, сколько он сможет продержаться? Он слишком стар. Он знает больше о тайнах «семьи», чем кто-либо другой. Колфакс мог погубить их всех, и Майкл не доверял ему.

— Отправь ее куда-нибудь, — продолжал Колфакс. — Пусть отдохнет, пока комиссия не закончит свое расследование. Она женщина. Если они нажмут на нее, она расколется.

Внимательно посмотрев на него, Майкл принял решение:

— Ладно, Том. Может, ты и прав. Она, конечно, не так опасна, но, с другой стороны, она ведь не на сто процентов с нами. Зачем подвергать себя лишнему риску?

— Я тебе про это и говорю, Майк. — Томас Колфакс встал со стула, облегченно вздохнув. — Ты правильно думаешь.

— Я знаю. — Повернувшись к двери, он закричал: — Ник!

Через секунду в комнату вошел Ник Вито.

— Отвези consigliere в Нью-Йорк. Ладно?

— Конечно, босс.

— Да. По пути заедешь, передашь от меня пакет одному человеку. — Он повернулся к Томасу Колфаксу: — Ты не против?

— Нет, Майк. — Его лицо сияло от одержанной победы.

Майкл Моретти сказал Нику Вито:

— Пойдем. Он наверху.

Ник вошел за Майклом в спальню. Когда они оказались вдвоем, Майкл закрыл дверь.

— Остановишься, не доезжая Нью-Джерси.

— Хорошо, босс.

— Выбросишь там мусор. — На лице у Ника Вито появилось удивленное выражение. — Consigliere, — пояснил Майкл.

— О! Ладно. Как скажете.

— Отвези его на свалку. Там в это время никого нет.

Через пятнадцать минут лимузин уже направлялся в сторону Нью-Йорка. Ник Вито сидел за рулем, а Томас Колфакс рядом на переднем сиденье.

— Я рад, что Майк решил больше не поручать дел этой стерве, — сказал Томас Колфакс.

Ник бросил взгляд на ничего не подозревающего адвоката.

— Угу, — пробормотал он.

Томас Колфакс посмотрел на свои швейцарские золотые часы фирмы «Бом и Мерсье». Три часа ночи, в это время он обычно уже видит десятый сон. День выдался тяжелым, и он чувствовал усталость. «Да, я, видно, стар уже для таких игр», — подумал он.

— Куда нам надо заехать? Это далеко?

— Нет, — пробормотал Ник.

В голове у Ника был сумбур. Ему часто приходилось убивать, и ему нравилось это занятие. Оно давало ощущение власти. Когда Ник убивал, он чувствовал себя всемогущим Богом. Но сегодня другие мысли обуревали его. Он не мог понять, почему ему приказали убить Томаса Колфакса. Колфакс был consigliere, человеком, к которому люди обращались в трудную минуту. После «крестного отца» consigliere был самым влиятельным членом Организации. Он не раз спасал Ника от тюрьмы.

«Черт! — подумал Ник. — Колфакс был прав. Майку не стоило доверять этой женщине. Мужчины думают головой, а женщины тем, что у них между ног. Попалась бы эта Дженнифер Паркер ему в руки! Как бы он ее...»

— Осторожно! Ты чуть не съехал с дороги!

— Извините. — Ник выровнял машину.

До свалки было уже недалеко. Ник почувствовал, что по спине у него струится пот. Он снова бросил взгляд на Томаса Колфакса.

«Его прихлопнуть — нечего делать. Все равно что ребенка придушить, но, черт возьми, ребенок-то не тот. Кто-то сбил Майкла с толку. Как он может убить его? Это все равно что убить своего отца».

Как жаль, что он не может сейчас поговорить с Сальваторе и Джо. Они бы посоветовали ему, что надо делать.

Справа показалась свалка. Он напрягся, как всегда перед убийством. Проведя рукой по левому боку, он нащупал короткоствольный «смит-вессон» 38-го калибра.

— Я бы сейчас с удовольствием поспал, — зевая, сказал Томас Колфакс.

Ну, скоро он заснет навсегда.

Машина приблизилась к свалке. Впереди машин не было. Ник поглядел в зеркало — сзади тоже дорога была пустой. Он резко нажал на педаль тормоза.

— Вот черт! — сказал Ник. — Похоже, колесо спустило.

Он остановил машину, открыл дверцу и вышел на дорогу. Незаметным движением Ник вытащил пистолет. Обойдя машину, он остановился возле другой дверцы:

— Вы мне не поможете?

Колфакс открыл дверцу и вышел.

— Вообще-то я мало разбираюсь... — Увидев в руке Ника пистолет, он осекся. Колфакс нервно сглотнул. — В-в чем д-дело, Ник? — Его голос дрожал. — Что я сделал?

Именно этот вопрос не давал покоя Нику весь вечер. Кто-то подставил Колфакса Майклу. Колфакс был на их стороне, он был одним из них. Когда младшего брата Ника арестовало ФБР, это Колфакс спас его. Он даже помог ему найти работу. «Я у него в долгу», — подумал Ник.

Он опустил руку с пистолетом:

— Клянусь, я не знаю, мистер Колфакс. Это несправедливо.

Колфакс посмотрел на него и кивнул:

— Делай, что тебе приказали, Ник.

— Господи, я не могу. Вы мой consigliere.

— Если ты отпустишь меня, Майк убьет тебя.

Ник знал, что Колфакс говорит правду. Майкл Моретти не прощал непослушания. Ник вспомнил про Томми Анжело. Томми сидел за рулем во время ограбления магазина меховых изделий. Майкл приказал ему уничтожить машину в утилизаторе на автомобильном кладбище в Нью-Джерси, которое принадлежало «семье». Но Анжело спешил к девчонке и бросил машину на одной из улиц Ист-Сайда, где ее и обнаружила полиция. На следующий день Анжело исчез, и поговаривали, что его запихнули в старый «шевроле» и сплющили в компакторе. Никто не мог безнаказанно обмануть Моретти и остаться живым. «Но выход есть», — подумал Ник.

— Майк не узнает об этом, — сказал он. Хотя он был тугодумом, сейчас его мозг работал с поразительной быстротой. — Послушайте, вам надо покинуть страну. Я скажу Майку, что закопал вас на свалке, и они не смогут найти ваше тело. А вы спрячетесь в Южной Америке или где-нибудь еще. Я думаю, деньги у вас найдутся.

Томас Колфакс не мог поверить, что ему даруется жизнь.

— Денег у меня полно, Ник. Если тебе когда-нибудь...

Ник замотал головой:

— Я делаю это не из-за денег. Я делаю это потому... потому, что уважаю вас. Только вы должны обезопасить меня. Вы можете улететь в Южную Америку завтра утром?

— Конечно, Ник. Только подбрось меня до моего дома. Мой паспорт там.

Через два часа Томас Колфакс сидел в реактивном лайнере компании «Истерн Эйрлайнз». Он летел в Вашингтон.

Глава 47

Это был их последний день в Акапулько, чудесное утро, когда легкий бриз раскачивал пальмовые листья. Пляж Ла-Конча был битком забит туристами, старающимися не упустить ни одного солнечного луча, прежде чем вернуться к своей однообразной жизни.

Джошуа подбежал к столику, за которым сидела Дженнифер. На нем были только плавки, подчеркивающие загар. Позади семенила миссис Макей.

— У меня было полно времени, чтобы завтрак переварился. Можно, я пойду покатаюсь на водных лыжах?

— Джошуа, ты только что поел.

— У меня быстрый обмен веществ, — не задумываясь объяснил он. — Поэтому пища переваривается мгновенно.

Дженнифер рассмеялась:

— Ладно. Беги.

— Ага. Посмотри, как я катаюсь.

Дженнифер смотрела, как Джошуа подбежал к причалу, где его ждала моторная лодка. Он о чем-то стал спорить с человеком, сидящим в лодке, затем они оба посмотрели в ее сторону. Дженнифер показала знаком «о'кей», человек в лодке кивнул, и Джошуа стал надевать лыжи.

Мотор взвыл, и Джошуа поднялся из воды, уверенно стоя на лыжах.

— Прирожденный спортсмен, — с гордостью сказала миссис Макей.

В этот момент Джошуа повернулся, чтобы помахать Дженнифер рукой, потерял равновесие и налетел на сваю причала. Дженнифер вскочила на ноги и помчалась к причалу. Но через секунду голова Джошуа показалась над водой. Он улыбался.

С бьющимся сердцем Дженнифер смотрела, как Джошуа снова надел лыжи. Катер сделал круг и вновь рванул вперед. Джошуа помахал Дженнифер рукой и устремился за катером, скользя по гребням волн. Она все стояла, глядя на него. Ей было страшно. Она подумала, что все матери, наверное, любят так своих детей, но эта мысль показалась ей невозможной. Она могла бы умереть за Джошуа, убить за него. «Я уже убила за него, — подумала она. — Только я сделала это руками Майкла Моретти».

— Он мог так расшибиться, — сказала миссис Макей.

— Слава Богу, этого не произошло.

Джошуа вернулся только через час. Когда катер пришвартовался к причалу, он отпустил трос и грациозно выехал прямо на песок.

Задыхаясь от восторга, он подбежал к Дженнифер:

— Ты бы видела это крушение, мама. Просто невероятно! Большая яхта перевернулась, а мы остановились и спасли им жизнь.

— Чудесно, сынок. И сколько жизней вы спасли?

— Их было шестеро.

— И вы их вытащили из воды?

Джошуа задумался:

— Ну, не совсем так. Они сидели на перевернутой яхте. Но если бы не мы, они бы наверняка погибли с голоду.

Дженнифер прикусила губу, чтобы не рассмеяться.

— Понятно. Значит, им повезло, что вы на них наткнулись?

— Еще бы!

— Ты не ударился, когда упал?

— Нет, конечно. — Он потрогал затылок. — У меня небольшая шишка.

— Дай я посмотрю.

— Зачем? Ты что, не знаешь, какие бывают шишки?

Дженнифер нежно провела рукой по голове Джошуа. Ее пальцы нащупали большую шишку.

— Да она размером с яйцо!

— Чепуха.

Дженнифер поднялась:

— Думаю, нам лучше вернуться в отель.

— Может, мы еще побудем здесь немного?

— Боюсь, что у нас нет времени. Надо собрать вещи. Ты же не хочешь пропустить свою игру в субботу?

Он вздохнул:

— Нет. Терри Уотерс спит и видит, как бы занять мое место.

— У него ничего не выйдет. Он труслив, как девчонка.

Джошуа серьезно кивнул:

— Это точно.

Когда они вернулись в «Лас брисас», Дженнифер позвонила управляющему и попросила вызвать врача. Врач пришел через полчаса. Это был представительный мужчина средних лет, одетый в старомодный костюм. Дженнифер открыла ему дверь.

— Что вас беспокоит? — спросил ее доктор Мендоса.

— Мой сын упал сегодня утром. У него на голове большая шишка. Я хочу убедиться, что с ним все в порядке.

Дженнифер провела его в комнату Джошуа, где он собирал свои вещи.

— Джошуа, это доктор Мендоса.

Джошуа поднял голову:

— Разве кто-нибудь заболел?

— Нет, никто не заболел. Доктор только посмотрит твою голову.

— Мам, ну ты чего! Со мной все в порядке!

— Я знаю, но я буду спокойна, если доктор Мендоса тебя осмотрит. Сделай это ради меня.

— Ох уж эти женщины! — сказал Джошуа. Он подозрительно посмотрел на доктора. — Надеюсь, вы не будете делать никаких уколов?

— Нет, сеньор. Я — безболезненный доктор.

— Такие мне нравятся.

— Садитесь.

Джошуа присел на кровать, и доктор Мендоса ощупал его голову. Джошуа зажмурил глаза от боли, но не заплакал. Открыв свой саквояж, доктор вытащил оттуда офтальмоскоп.

— Откройте пошире глаза.

Джошуа открыл глаза. Доктор Мендоса внимательно смотрел в объектив.

— Что вы там видите — голых женщин?

— Джошуа!

— Я просто спросил...

Доктор Мендоса посмотрел второй глаз.

— Здоров как бык. Так говорят у вас в Америке? — Он выпрямился и закрыл свой саквояж. — Приложите к голове лед. Завтра все пройдет.

Как будто камень упал с сердца у Дженнифер.

— Спасибо, — сказала она.

— Я оставлю счет у портье. До свидания, молодой человек.

— До свидания, доктор Мендоса.

Когда врач ушел, Джошуа повернулся к матери:

— Тебе нравится бросать деньги на ветер.

— Я знаю. Мне нравится выбрасывать деньги на такие вещи, как еда, здоровье...

— Я в команде самый сильный и здоровый.

— Вот и оставайся таким.

Он улыбнулся:

— Уж это я тебе обещаю.

В шесть вечера они сели в самолет, вылетающий в Нью-Йорк, и поздно ночью приехали домой в Сэндс-Пойнт. Всю дорогу Джошуа спал.

Глава 48

Комната была полна призраков. Адам сидел в своем кабинете, готовясь к телевизионному выступлению, и никак не мог сосредоточиться. Мысли его возвращались к Дженнифер. С тех пор как он вернулся из Акапулько, он не мог думать ни о чем другом. Встретившись с ней, он лишний раз убедился, что предчувствие его не обмануло. Адам знал это с самого начала. Он сделал неверный выбор. Ему не следовало бросать Дженнифер. Эта встреча напомнила ему о том, что у него было и от чего он сам отказался. Это было просто невыносимо.

Он находился в безвыходном положении. Ни шанса на успех, как бы сказал Блэр Роман.

В дверь постучали, и в комнату вошел Чак Моррисон, главный помощник Адама. В руках у него была кассета.

— Адам, можно отвлечь тебя на минутку?

— Это не может подождать, Чак? Я сейчас...

— Думаю, что не может. — В голосе Чака звучала плохо скрываемая радость.

— Ладно. Что там у тебя?

Чак Моррисон подошел ближе к столу.

— Мне только что позвонили. Может, конечно, звонил какой-нибудь псих, но если нет — то это просто подарок, хотя до Рождества еще далеко. Послушай.

Он вставил кассету в магнитофон, стоящий на столе Адама, и нажал на клавишу воспроизведения.

— *Как вы сказали вас зовут?*

— *Не имеет значения. Я не буду разговаривать ни с кем, кроме сенатора Уорнера.*

— *Сенатор сейчас занят. Напишите ему письмо, и я постараюсь...*

— *Нет! Послушайте. Это очень важно. Скажите сенатору Уорнеру, что я могу выдать ему Майкла Моретти. Я звоню вам, рискуя жизнью. Передайте это сенатору Уорнеру.*

— *Хорошо. Где вы находитесь?*

— В мотеле «Кэпитол» на 32-й улице. Комната четырнадцать. Скажите ему, пусть приходит после наступления темноты и убедится, что за ним никто не следит. Я знаю, что разговор записывается на пленку, если о нем узнает кто-нибудь еще, кроме сенатора Уорнера, я буду трупом через несколько минут.

Раздался сигнал отбоя, и пленка закончилась.

— Ну, что скажешь? — спросил Чак Моррисон.

Адам нахмурился:

— В городе полно идиотов. Но с другой стороны, этот парень знает, какая наживка нас интересует. Подумать только, Майкл Моретти.

В тот же день в десять часов вечера Адам Уорнер в сопровождении четырех агентов секретной службы постучал в дверь под номером четырнадцать в мотеле «Кэпитол». Дверь приоткрылась. Как только Адам увидел лицо человека, он повернулся к своим сопровождающим и сказал:

— Оставайтесь снаружи. Не подпускайте никого к номеру.

Дверь полностью распахнулась, и Адам зашел в комнату.

— Добрый вечер, сенатор Уорнер.

— Добрый вечер, мистер Колфакс.

Оба мужчины оценивающе разглядывали друг друга. Томас Колфакс, казалось, постарел с тех пор, когда Адам видел его в последний раз. Но что-то еще изменилось в нем. Внезапно Адам понял, в чем дело. Страх. Томас Колфакс боялся. Он всегда выглядел таким уверенным мужчиной, с презрением взиравшим на окружающих, теперь его уверенность куда-то пропала.

— Спасибо, что пришли, сенатор. — Голос Колфакса звучал напряженно.

— Как я понял, вы хотели поговорить со мной о Майкле Моретти.

— Я отдам его вам со всеми потрохами.

— Вы — адвокат Майкла Моретти. Почему вы решились это сделать?

— У меня есть свои причины.

— Предположим, что я соглашусь. Что вы хотите получить взамен?

— Прежде всего полную неприкосновенность. Во-вторых, мне надо уехать в другую страну, мне нужен будет паспорт и пластическая операция.

Итак, Майкл Моретти решил избавиться от Томаса Колфакса. Это было единственным объяснением. Адам не мог поверить в удачу. Он и мечтать не мог о таком повороте событий.

— Если я добьюсь, чтобы вам гарантировали неприкосновенность, — сказал Адам, — правда, я пока ничего не обещаю, вы понимаете, что вам придется выступить свидетелем на суде. Мне надо будет, чтобы вы рассказали все, что знаете.

— Согласен.

— Моретти знает, где вы находитесь?

— Он думает, что я мертв. — Колфакс нервно улыбнулся. — Если он найдет меня, то так будет на самом деле.

— Он не найдет вас. Если, конечно, мы придем к согласию.

— Я отдаю свою жизнь в ваши руки, сенатор.

— Откровенно говоря, — заметил Адам, — вы меня не интересуете. Мне нужен Майкл Моретти. Давайте договоримся о деталях. Если мы заключим соглашение, вы получите защиту от государства в полном объеме, если мы будем удовлетворены вашими свидетельскими показаниями, мы дадим достаточно денег, чтобы вы могли жить в выбранной вами стране под другой фамилией. Взамен вы должны сделать следующее: полностью рассказать о деятельности Майкла Моретти. Вы должны повторить свои показания перед присяжными большого жюри, и, когда мы арестуем Майкла Моретти, вы будете свидетелем обвинения. Согласны?

Томас Колфакс посмотрел в сторону. Наконец он сказал:

— Тони Гранелли, должно быть, перевернулся в гробу. Что происходит с людьми? Что происходит с честью?

Адам ничего не ответил. Перед ним стоял человек, сотни раз обходивший закон, человек, добивавшийся освобождения наемных убийц, человек, планировавший деятельность самой преступной организации в мире. И он еще спрашивал, что происходит с честью.

Томас Колфакс повернулся к Адаму:

— Согласен. Я хочу, чтобы наше соглашение было изложено на бумаге и подписано окружным прокурором.

— Вы получите эту бумагу. — Адам обвел взглядом убого обставленный номер. — Вам надо переехать отсюда.

— Я не поеду в другой отель. У Моретти везде уши.

— Только не там, куда вас отвезут.

Через десять минут после полуночи возле мотеля остановился военный грузовик и два джипа, за рулем которых сидели морские пехотинцы. Четыре военных полицейских зашли в комнату номер четырнадцать и через несколько секунд вышли оттуда, закрывая своими телами Томаса Колфакса. Адвоката посадили в грузовик. Процессия двинулась с места, направляясь в Куантико, штат Виргиния, в тридцати пяти милях к югу от Вашингтона. Спереди и сзади грузовика ехали джипы. Двигаясь на предельной скорости, машины оказались через сорок минут на базе морской пехоты США в Куантико.

Командир базы генерал-майор Рой Уоллес и взвод вооруженных морских пехотинцев ожидали караван у ворот. Генерал-майор повернулся к капитану, командующему взводом:

— Пленника сразу же отвести в камеру. Запрещается разговаривать с ним.

Генерал Уоллес смотрел, как машины въехали на территорию базы. Он отдал бы свое месячное жалованье, чтобы узнать личность человека в грузовике. База морских пехотинцев занимала площадь в триста десять акров, здесь также проводили тренировки учащиеся Академии ФБР. До сих пор тут не содержался ни один гражданский пленник. Это полностью противоречило уставу.

Два часа назад ему позвонил сам командующий морской пехотой США:

— Рой, к тебе везут одного человека. Освободи всех с гауптвахты и помести его в камеру. Держать его там до получения дальнейших распоряжений.

337

Генералу Уоллесу показалось, что он не так понял.

— Вы сказали, освободить всех с гауптвахты, сэр?

— Именно. Этот человек будет там один. Рядом никого не должно быть. Охрану удвоить. Ясно?

— Да, генерал.

— И еще, Рой. Если с этим человеком что-нибудь произойдет, пока он будет находиться на твоей базе, твоей заднице придется жарко. Я лично об этом позабочусь.

И командующий повесил трубку.

Генерал Уоллес посмотрел, как грузовик подъехал к гауптвахте, и затем вернулся к себе в кабинет. Он позвонил своему помощнику капитану Элвину Гилсу.

— Это касается человека, который будет находиться на гауптвахте, — сказал Уоллес.

— Слушаю вас, сэр.

— Главное — это обеспечить его безопасность. Сам отбери часовых. Никто не должен разговаривать с ним. Никакой почты, посылок, визитов. Ясно?

— Да, сэр.

— Я хочу, чтобы ты лично следил за приготовлением пищи.

— Слушаюсь.

— Если кто-нибудь будет интересоваться пленником, немедленно сообщать мне. Вопросы есть?

— Нет, сэр.

— Очень хорошо. Будь все время начеку. Если что-нибудь случится, твоей заднице придется жарко. Я лично об этом позабочусь.

Глава 49

Дженнифер проснулась утром от звука дождя и продолжала лежать в постели, слушая, как капли барабанят по стеклам. Она взглянула на циферблат будильника. Пора было вставать.

Через полчаса Дженнифер спустилась в столовую, чтобы позавтракать вместе с Джошуа. Но его там не было.

Миссис Макей вышла из кухни.

— Доброе утро, миссис Паркер.

— Доброе утро. А где Джошуа?

— Он, похоже, устал, и я разрешила ему немного поспать. В школу ему только завтра.

Дженнифер кивнула:

— Правильно.

Позавтракав, она поднялась наверх, чтобы попрощаться с Джошуа. Он еще крепко спал.

Дженнифер присела на край кровати.

— Эй, соня, не хочешь сказать мне «до свидания»?

Он медленно приоткрыл один глаз.

— Конечно, подружка. Счастливо, — сказал он сонным голосом. — Мне надо вставать?

— Нет. И вообще, почему бы тебе сегодня не полентяйничать? Оставайся дома и отдыхай. На улице все равно дождь.

Он сонно кивнул:

— Ладно, мама.

Его глаза закрылись, и он снова уснул.

Дженнифер целый день провела в суде, и когда вернулась домой, было уже семь вечера. Дождь, который моросил весь день, лил теперь как из ведра, и когда Дженнифер подъехала к дому, он показался ей крепостью, стоящей в густом тумане.

Миссис Макей открыла дверь и помогла Дженнифер снять мокрый плащ. Стряхнув капли дождя с волос, Дженнифер спросила:

— А где Джошуа?

— Он спит.

Дженнифер укоризненно посмотрела на миссис Макей:

— Он что, спит целый день?

— Господи, нет, конечно. Он вставал и занимался своими делами. Я приготовила ему обед, но когда поднялась наверх, чтобы позвать его, он снова спал. Я решила его не тревожить.

— Понятно.

Поднявшись наверх, Дженнифер тихонько вошла в комнату Джошуа. Он спал. Жара не было, и выглядел он вполне здоровым. Она пощупала пульс. Все в порядке. Зря она волновалась. Наверное, Джошуа набегался за день, поэтому и заснул так рано. Выйдя на цыпочках из комнаты, Дженнифер спустилась вниз.

— Миссис Макей, сделайте ему пару бутербродов и положите возле кровати. Он съест их, когда проснется.

Дженнифер быстро пообедала и принялась просматривать бумаги, готовясь к завтрашнему судебному разбирательству. Ей пришла в голову мысль позвонить Майклу и сказать, что вернулась, но она передумала — воспоминания о проведенной с Адамом ночи были еще свежи в памяти... Майкл мог почувствовать это. Уже был первый час ночи, когда она закончила работать.

Дженнифер встала и потянулась, разминая затекшие мышцы. Сложив бумаги в портфель, она погасила свет и поднялась наверх. Проходя мимо спальни Джошуа, она заглянула внутрь. Он спал. Нетронутые бутерброды лежали рядом с кроватью.

На следующее утро, когда Дженнифер спустилась к завтраку, Джошуа уже готовился идти в школу.

— Доброе утро, мама.

— Доброе утро, дорогой. Как ты себя чувствуешь?

— Отлично, я просто немного устал. Наверное, от мексиканского солнца.

— Наверное.

— Мне так понравился Акапулько. Может, поедем туда на следующие каникулы?

— Там видно будет. Ты рад вернуться в школу?

— Я отказываюсь отвечать на этот вопрос, так как эти сведения могут быть использованы против меня.

Днем, когда Дженнифер проводила снятие показаний под присягой, ей позвонила Синтия.

— Извините за беспокойство, но звонит миссис Стаут и...

Миссис Стаут была учительницей Джошуа.

— Соедини меня с ней.

Дженнифер подняла трубку:

— Добрый день, миссис Стаут. Что-нибудь случилось?

— Нет, нет, все в порядке. Мне не хотелось вас волновать. Просто я хотела посоветовать, чтобы вы отводили Джошуа больше времени на сон.

— Что вы хотите этим сказать?

— Он спал сегодня на всех уроках. Может, вы будете укладывать его чуть раньше?

Дженнифер уставилась на телефон.

— Хорошо... Я так и сделаю.

Медленно она повесила трубку и повернулась к посетителям.

— Извините, — сказала она и поспешила в приемную.

— Синтия, найди Дэна. Пусть он вместо меня снимет показания. У меня срочное дело.

— Но...

Дженнифер уже исчезла за дверью.

Она мчалась домой как сумасшедшая, нарушая все правила уличного движения. В ее мозгу рождались картины, одна другой ужаснее. Дорога казалась нескончаемой, и, подъезжая к дому, Дженнифер ожидала увидеть «скорую». Но возле дома никаких машин не было. Дженнифер ворвалась в дом.

— Джошуа!

Он сидел на диване и смотрел по телевизору бейсбольный матч.

— Привет, мам. Ты сегодня рано. Тебя уволили?

Дженнифер стояла в дверях, чувствуя огромное облегчение. «Какая же я идиотка», — подумала она.

— Ты бы видела последнюю подачу. Крэйг Сван — фантастический игрок!

— Как ты себя чувствуешь?

— Отлично.

Дженнифер положила ему ладонь на лоб. Температуры не было.

— Ты уверен, что с тобой все в порядке?

— Конечно. Что это с тобой? Может, что-нибудь случилось? Хочешь поговорить со мной как мужчина с мужчиной?

Она улыбнулась:

— Нет, дорогой. Я... У тебя ничего не болит?

Он застонал:

— У меня болит сердце за «Метс». Они проигрывают 5:6. Знаешь, что случилось при первой подаче?

Он быстро стал рассказывать про свою любимую команду. Дженнифер с нежностью смотрела на него, думая: «Это все моя мнительность. Все в порядке».

— Ты смотри игру, а я приготовлю обед.

С легким сердцем Дженнифер направилась на кухню. Она решила приготовить банановый пирог, который так нравился Джошуа.

Через полчаса, когда Дженнифер вернулась в комнату, Джошуа лежал на полу без сознания.

Казалось, что дорога к Мемориальной больнице Блайндермана никогда не кончится. Дженнифер сидела в «скорой», сжимая руку Джошуа. Санитар прижимал кислородную маску к лицу мальчика, который все еще был без сознания. «Скорая» мчалась, включив сирену. Но движение было интенсивным, и машина часто останавливалась. Любопытные прохожие смотрели в окна на женщину с бледным лицом и мальчика, лежащего без сознания.

— Почему бы не сделать стекло прозрачным только с одной стороны? — спросила Дженнифер.

Санитар встрепенулся:

— Что?

— Ничего... Ничего...

Наконец машина «скорой помощи» въехала во двор больницы. Двое врачей уже ждали возле дверей. Дженнифер беспомощно смотрела, как Джошуа вытащили из машины и внесли в больницу.

— Вы мама мальчика? — спросил один из врачей.

— Да.

— Пройдите сюда, пожалуйста.

Джошуа повезли на каталке делать рентген. Она хотела тоже пойти туда, но врач сказал:

— Сначала надо заполнить историю болезни.

Худощавая женщина за стойкой в приемном покое спросила:

— Как вы будете платить? У вас есть страховка?

Дженнифер хотелось накричать на нее, но она заставила себя сдержаться и ответить на все вопросы. Когда она заполнила несколько анкет, женщина наконец отпустила ее.

Дженнифер поспешила в рентгеновский кабинет, но там уже никого не было. Она побежала обратно, лихорадочно оглядываясь по сторонам. Мимо проходила медсестра.

Дженнифер вцепилась ей в руку:

— Где мой сын?

— Я не знаю, — сказала медсестра. — Как его зовут?

— Джошуа. Джошуа Паркер.

— Где вы его оставили?

— Ему делали рентге... — Язык у Дженнифер заплетался. — Что с ним сделали? Скажите мне!

Внимательно посмотрев на Дженнифер, медсестра сказала:

— Подождите здесь, миссис Паркер. Я постараюсь узнать... где он.

Медсестра вернулась через несколько минут:

— Вас хочет увидеть доктор Моррис. Сюда, пожалуйста.

У Дженнифер так дрожали ноги, что она едва могла идти.

— С вами все в порядке? — спросила медсестра.

От страха у Дженнифер пересохло во рту.

— Где мой сын?

Они зашли в комнату, уставленную непонятной аппаратурой.

— Пожалуйста, подождите здесь.

Через несколько минут пришел доктор Моррис. Это был полный мужчина с красным лицом и пожелтевшими от никотина пальцами.

— Миссис Паркер?

— Где Джошуа?

— Давайте пройдем ко мне в кабинет. — Он провел ее в небольшую комнату. — Садитесь.

— Джошуа... С ним ничего страшного, доктор?

— Мы пока еще не знаем. — Для его комплекции у него был поразительно мягкий голос. — Мне надо у вас кое-что узнать. Сколько лет вашему сыну?

— Только семь лет. — Слово «только» само сорвалось у нее с языка.

— В последнее время у него не было травм?

Перед глазами Дженнифер сразу же возникла картина, как Джошуа потерял равновесие на водных лыжах и ударился о сваю причала.

— С ним произошел несчастный случай, когда он катался на водных лыжах. Он ударился головой.

Доктор делал записи.

— Как давно это было?

— Несколько дней назад... В Акапулько.

— Он нормально себя чувствовал после этого?

— Да. У него вскочила шишка на голове, а так... все было в порядке.

— Провалы в памяти были?

— Нет.

— Изменения в психике?

— Нет.

— Конвульсии, головные боли, боли в мышцах?

— Нет.

Доктор перестал писать и посмотрел на Дженнифер.

— Ему уже сделали рентген, но этого недостаточно. Ему надо сделать сканирование на «КЭТ».

— На чем?..

— Это новое компьютерное оборудование из Англии, которое позволяет сделать фотографии мозга. И потом, очевидно, потребуется еще несколько тестов. Вы согласны?

— Е-если э-это н-необходимо, — еле выговорила она. — Ему не будет больно?

— Нет. Возможно, придется делать спинномозговую пункцию.

Она испугалась. С трудом Дженнифер сформулировала вопрос:

344

— Как вы думаете, что с ним? Что произошло с моим сыном? — Она не узнала своего голоса.

— Мне не хотелось бы строить догадки, миссис Паркер. Мы все узнаем через час или два. Он сейчас в сознании, если хотите, можете пройти к нему.

— Конечно!

Сестра провела ее в палату Джошуа. Бледный, он лежал на кровати. Когда Дженнифер вошла, он поднял глаза:

— Привет, мама.

— Привет. — Она присела на край кровати. — Как ты себя чувствуешь?

— Немного странно. Мне бы не хотелось тут оставаться.

Дженнифер взяла его за руку:

— Я с тобой, мой дорогой.

— У меня все двоится.

— Ты сказал об этом доктору?

— Ага. Я видел двух докторов. Надеюсь, он не пришлет тебе два счета.

Дженнифер обняла сына и прижала его к себе. Его тельце казалось таким беззащитным и хрупким.

— Мам?

— Что, дорогой?

— Ты не допустишь, чтобы я умер?

Ее глаза затуманились.

— Нет, Джошуа. Я не допущу этого. Доктор вылечит тебя, и я заберу тебя домой.

— Ладно. И ты пообещала мне, что мы еще раз поедем в Акапулько.

— Конечно, как только ты...

Но он уже спал.

Доктор Моррис вернулся с двумя санитарами в белых халатах.

— Мы бы хотели начать сейчас, миссис Паркер. Это займет немного времени. Пока отдохните.

345

Дженнифер смотрела, как они выкатили Джошуа из палаты. Она присела на край кровати, чувствуя страшную слабость. Силы оставили ее. Она сидела, безучастно глядя перед собой.

Через мгновение раздался голос:

— Миссис Паркер...

Дженнифер подняла голову и увидела доктора Морриса.

— Да, можете начинать тесты, — сказала Дженнифер.

Он странно посмотрел на нее:

— Мы уже все закончили.

Дженнифер посмотрела на часы. Она просидела здесь два часа. Как незаметно прошло время. Она посмотрела в глаза доктору, стараясь разглядеть там, какие у него для нее новости: хорошие или плохие? Сколько раз она делала это раньше, «читая» лица присяжных, узнавая наперед, каким будет их вердикт? Сто раз? Пятьсот раз? Но теперь, охваченная паникой, Дженнифер ничего не могла определить. Она задрожала.

— У вашего сына субдуральная гематома, — сказал доктор Моррис. — Говоря проще, сильная травма мозга.

У нее так пересохло в горле, что она не могла вымолвить ни слова.

— Ч-ч... — Она сглотнула. — Что это значит?

— Я должен немедленно прооперировать мальчика. Мне необходимо ваше разрешение.

«Он пытается сыграть со мной злую шутку. Сейчас он улыбнется и скажет, что с Джошуа все в порядке. Я просто хотел наказать вас, миссис Паркер, за то, что вы тратите мое время. С вашим сыном все в порядке. Просто ему надо выспаться. Мальчик растет. Вы только отнимаете у нас время, которое мы должны уделять действительно больным детям. Он снова улыбнется и скажет, чтобы я забирала Джошуа домой».

— Он молод, и у него крепкое тело, — продолжал доктор Моррис. — Это единственное, что позволяет надеяться на успех операции.

«Он хочет вскрыть череп моему ребенку, орудовать там своими острыми инструментами. Может, он разрушит то, что сделало Джошуа таким, какой он есть. Может, он убьет его».

— Нет! — резко выкрикнула она.

— Вы не даете нам разрешения на операцию?

— Я... — Она не могла сосредоточиться. — Что случится, если операцию не делать?

— Ваш сын умрет, — просто ответил доктор Моррис. — Отец мальчика здесь?

Адам! Как ей был сейчас нужен Адам. Чтобы он обнял ее и сказал, что с Джошуа будет все в порядке.

— Нет, — ответила Дженнифер. — Его здесь нет. Я... я даю вам разрешение. Оперируйте.

Доктор Моррис протянул ей листок бумаги:

— Распишитесь здесь, пожалуйста.

Дженнифер подписала, даже не посмотрев, что там написано.

— Сколько времени это займет?

— Я не смогу вам это сказать, пока я не вскрою... — Он увидел, как изменилось ее лицо. — Пока я не начну операцию, вы подождете здесь?

— Нет. — Стены, казалось, давили на нее. Она не могла дышать. — Есть тут место, где я могла бы помолиться?

Это была небольшая часовня с изображением Иисуса. Кроме Дженнифер, здесь никого не было. Она встала на колени, но не знала, как ей молиться. Она никогда не верила в Бога, так зачем же ему слушать сейчас ее молитвы? Она попыталась успокоить себя, чтобы поговорить с Господом, но страх сковал ее волю. Она во всем обвиняла себя.

«Если бы я не взяла Джошуа в Акапулько... Если бы я не разрешила ему кататься на водных лыжах... Если бы я не стала доверять мексиканскому врачу...» Если, если, если... Она пыталась заключить сделку с Богом. «Вылечи его, и я выполню любое твое желание».

Она отвергала Бога. «Если бы Бог существовал, разве бы он допустил, чтобы пострадал ребенок, который никогда не причинил никому зла? Что это за Бог, который позволяет, чтобы умирали дети?»

Наконец, измотав себя, она вспомнила слова доктора Морриса. «Он молод, и у него крепкое тело. Это единственное, что позволяет надеяться на успех операции».

Все будет хорошо. Конечно, все будет хорошо. Когда все это закончится, она увезет Джошуа куда-нибудь, где он сможет отдохнуть. Может быть, в Акапулько, если ему так хочется. Они будут играть, читать книги...

Не в силах больше ни о чем думать, Дженнифер опустилась на стул, и глаза ее закрылись. Кто-то тронул ее за руку, она подняла глаза и увидела доктора Морриса. Дженнифер посмотрела в его глаза, и ей не надо было ни о чем спрашивать.

Она потеряла сознание.

Глава 50

Тело Джошуа лежало на узком металлическом столе. Казалось, что он спит и видит приятные сны. Тысячи раз Дженнифер видела у него такое выражение лица, когда она сидела у его постели, наблюдая украдкой за своим маленьким сыном. А сколько раз она поправляла ему одеяло, чтобы он не замерз ночью.

Теперь тело Джошуа было холодным. Оно уже никогда не согреется. Его ясные глаза никогда уже не раскроются и не посмотрят на нее. Она никогда не увидит улыбку на его губах, не услышит его голос, не почувствует, как он обнимает ее своими ручонками. Голый, он лежал под простыней.

— Накройте его одеялом, — сказала Дженнифер. — Он ведь замерзнет.

— Он не... — Доктор Моррис посмотрел в ее глаза, и то, что он там увидел, заставило его сказать: — Да, конечно, миссис Паркер. — Повернувшись к сестре, он попросил: — Принесите одеяло.

В комнате было человек пять в белых халатах, и все они, казалось, что-то говорили Дженнифер, но она не разбирала слов. Ее как будто отделяла от них стеклянная стена. Она видела, как шевелятся их губы, но не слышала ни звука. Она хотела прогнать их прочь, но боялась напугать Джошуа. Кто-то потряс ее за плечо, и наваждение исчезло. Комната внезапно наполнилась звуками, казалось, все говорили одновременно.

— ...Необходимо сделать вскрытие, — говорил доктор Моррис.

— Если вы еще раз дотронетесь до моего ребенка, — спокойным голосом сказала Дженнифер, — я убью вас.

И она улыбнулась всем, так как не хотела, чтобы они рассердились на Джошуа.

Медсестра попыталась увести Дженнифер из палаты, но та лишь покачала головой.

— Я не могу оставить его одного. Кто-нибудь может выключить свет, а Джошуа боится темноты.

Кто-то взял ее за руку, и Дженнифер почувствовала, как ей сделали укол. Через секунду по всему телу у нее разлилось тепло, и она уснула.

Дженнифер проснулась только во второй половине дня. Она была в палате. Кто-то раздел ее и уложил в кровать. Она встала, оделась и пошла искать доктора Морриса. Дженнифер была неестественно спокойна.

— Мы сами займемся похоронами, миссис Паркер, — сказал доктор Моррис. — Вам не надо ни о чем...

— Я сама займусь этим.

— Хорошо. — Он замялся, обдумывая следующую фразу. — Что касается вскрытия... Я понимаю, утром вы совсем не имели в виду...

— Вы ошибаетесь.

В следующие два дня Дженнифер прошла через все ритуалы смерти. Она обратилась в местное похоронное бюро и договорилась обо всем необходимом. Она выбрала белый гроб с сатиновым подкладом. Дженнифер вела себя уверенно, глаза ее были сухими, но позже, когда она попыталась припомнить то время, в мозгу не сохранилось никаких воспоминаний. Казалось, кто-то, завладев ее телом и сознанием, управлял всеми ее поступками. Она находилась в состоянии глубокого шока, спасаясь от безумия за его защитной оболочкой.

Когда Дженнифер собиралась уходить из похоронного бюро, агент сказал:

— Если вы хотите, чтобы ваш сын был похоронен в своей одежде, принесите ее, и мы оденем мальчика.

— Я сама одену Джошуа.

Он удивленно посмотрел на нее:

— Ну, если вы так хотите, но...

Дженнифер уже скрылась за дверью. Агент подумал, представляет ли она, что значит одеть мертвое тело.

Дженнифер подъехала к дому и поставила машину в гараж.

Миссис Макей была на кухне. Ее глаза были красными от слез, а лицо осунулось от горя.

— О миссис Паркер! Я не могу поверить!..

Дженнифер не видела и не слышала ее. Она прошла мимо миссис Макей и поднялась в комнату Джошуа. Она была такой же, как и раньше. Ничего не изменилось, только она была пустой. Книжки Джошуа, его игрушки, лыжи, бейсбольная бита — все было здесь, ожидая его. Дженнифер остановилась на пороге, пытаясь вспомнить, зачем она сюда пришла. Ах, да. Одежда для Джошуа. Она подошла к шкафу. Там висел синий костюм, который она купила ему на последний день рождения. Он был в нем, когда они ужинали вместе в ресторане «Лютес». Она отчетливо помнила тот вечер. Джошуа выглядел совсем большим, и Дженнифер внезапно подумала: «Когда-нибудь он пригласит сюда свою невесту». Этот день не наступит никогда. Он никогда не вырастет. Не будет невесты. Не будет жизни.

Рядом с костюмом висели джинсы, брюки и спортивные майки, одна из них с названием бейсбольной команды, в которой играл Джошуа. Дженнифер бесцельно перебирала одежду, потеряв счет времени.

Миссис Макей подошла к ней:

— С вами все в порядке, миссис Паркер?

— Спасибо, со мной все в порядке, — вежливо ответила Дженнифер.

— Может, вам чем-нибудь помочь?

— Нет, спасибо. Я ищу подходящую одежду, чтобы одеть Джошуа. Как вы думаете, что бы он хотел надеть? — Ее голос был вполне нормальным, даже веселым, но глаза были мертвы.

Взглянув в них, миссис Макей испугалась.

— Может, вы приляжете отдохнуть? А я позвоню врачу.

Дженнифер продолжала перебирать одежду. Наконец она сняла плечики с бейсбольной формой.

— Думаю, что он захочет ее надеть. Так, что ему еще понадобится?

Миссис Макей беспомощно смотрела, как Дженнифер подошла к комоду и вытащила оттуда нижнее белье, носки и рубашку. «Джошуа понадобятся эти вещи, так как он уезжает на каникулы. На долгие каникулы».

— Как вы думаете, он не замерзнет в этом?

Миссис Макей разрыдалась.

— Перестаньте, пожалуйста. Дайте, я всем займусь, — умоляющим тоном попросила она.

Но Дженнифер уже спускалась вниз.

Тело находилось в морге. Джошуа лежал на длинном столе и от этого казался еще меньше.

Когда Дженнифер вернулась с одеждой для Джошуа, служащий сказал ей:

— Я только что разговаривал с доктором Моррисом. Мы оба пришли к выводу, что лучше мы сами займемся всем этим. Мы уже привыкли...

Дженнифер улыбнулась ему:

— Выйдите отсюда.

Сглотнув, служащий сказал:

— Да, миссис Паркер.

Подождав, пока он выйдет из комнаты, Дженнифер повернулась к своему сыну.

Посмотрев на его умиротворенное лицо, она сказала:

— Твоя мама обо всем позаботится, дорогой. Я надену на тебя бейсбольную форму. Хочешь?

Она сняла с него простыню, посмотрела на его голое тельце и принялась одевать его. Натягивая ему трусики, она вздрогнула — его тело было холодным и твердым, как мрамор. Дженнифер пыталась убедить себя, что это холодное, безжизненное тело не ее сын, что Джошуа где-то далеко, ему тепло и он счастлив. Но она не могла в это поверить. Джошуа лежал на столе. Холод, исходящий от него, передался и ей. Она яростно повторяла себе: «Хватит! Хватит! Хватит!»

Она сделала глубокий вдох и, когда успокоилась, снова принялась одевать Джошуа. Она надела ему брюки, а когда она подняла его голову, чтобы натянуть рубашку, голова выскользнула у нее из рук и ударилась об стол.

— Извини, Джошуа, — вскрикнула Дженнифер, — прости меня!

Она заплакала.

Дженнифер понадобилось почти три часа, чтобы одеть Джошуа. Теперь на нем были его любимая бейсбольная форма, белые носки и кроссовки. Бейсбольная кепка закрывала бы его лицо, и Дженнифер положила ее ему на грудь.

Когда похоронный агент заглянул в комнату, Дженнифер стояла рядом с одетым Джошуа, держа его за руку и разговаривая с ним.

Он подошел к ней и тихо спросил:

— Мы займемся им сейчас?

Дженнифер бросила последний взгляд на своего сына.

— Пожалуйста, будьте аккуратнее. Знаете, он ударился головой.

Похороны были скромными. Когда маленький белый гроб опускали в могилу, рядом стояли только Дженнифер и миссис Макей. Сначала Дженнифер хотела сообщить о похоронах Кену Бэйли, ведь Кен и Джошуа любили друг друга, но потом передумала. Кен уже жил в другом мире.

Когда стали засыпать могилу землей, миссис Макей сказала:

— Пойдемте, я отвезу вас домой.

— Со мной все в порядке, — вежливо сказала Дженнифер. — Джошуа и я больше не нуждаемся в ваших услугах, миссис Макей. Я выплачу вам причитающееся жалованье и дам рекомендации. Мы с Джошуа благодарим вас за все.

Миссис Макей смотрела, как Дженнифер развернулась и пошла прочь. Она шла очень осторожно, будто по узкому коридору, где может пройти только один человек.

В доме были тишина и покой. Она прошла в комнату Джошуа, закрыла за собой дверь, легла на его кровать и стала смотреть на вещи, которые он так любил. Теперь весь ее мир был в этой комнате. Ей не надо было теперь никуда идти, не надо было ничего делать. У нее был только Джошуа. Она принялась вспоминать, начиная с того дня, как он родился...

Первые шаги Джошуа... Его первые слова... Джошуа идет сам в школу, маленький храбрый человечек... Джошуа лежит в постели с ветрянкой с несчастным выражением лица... Джошуа и его команда выигрывают матч... Джошуа плавает на лодке... Кормит слона в зоопарке... Джошуа поет ее любимую песню в День матери... Воспоминания нахлынули на нее, они прекращались тем днем, когда они с Джошуа должны были вылететь в Акапулько.

Акапулько... Там она встречалась с Адамом и занималась с ним любовью. Она наказана за то, что думала только о себе. «Конечно, — подумала Дженнифер. — Это мое наказание. Это мой ад».

И она начинала все снова, с того дня, когда родился Джошуа. Первые шаги Джошуа... Его первые слова... Кар-кар... Мама, поиграй с твоим мальчиком...

Время для нее перестало существовать. Иногда Дженнифер слышала звонок телефона, однажды кто-то стучал во входную дверь, но эти звуки не имели для нее никакого смысла. Она не позволяла, чтобы кто-нибудь вторгался в ее мир и мир Джошуа. Она перестала есть и пить, отгородившись от всего. Она жила вне времени и понятия не имела, сколько лежит в его кровати.

Через пять дней она услышала, как кто-то снова барабанит в дверь, но ее это не интересовало. Кто бы там ни был, пусть убирается прочь. Как в полусне она услышала звон разбитого стекла, через несколько секунд дверь в комнату распахнулась, и на пороге появился Майкл Моретти.

Посмотрев на исхудавшую, с запавшими глазами Дженнифер, он прошептал:

— Господи...

Майклу Моретти пришлось напрячь все свои силы, чтобы вытащить ее из комнаты. Она брыкалась, истерично кричала, пыталась выцарапать ему глаза. Ник Вито ждал внизу, и они вдвоем с трудом затолкали Дженнифер в машину. Дженнифер понятия не имела, кто они и куда ее везут. Она лишь знала, что ее забирают от сына. Она хотела сказать, что умрет, если они ее не отпустят, но была уже не в силах этого сделать. Она уснула.

Проснувшись, Дженнифер обнаружила, что находится в светлой комнате с огромным окном, в которое были видны горы и озеро. Рядом с кроватью читала журнал медсестра в белом халате. Она подняла голову, когда Дженнифер открыла глаза.

— Где я? — Ей было трудно говорить.

— Вы у друзей, мисс Паркер. Вас привез сюда мистер Моретти. Он очень беспокоился о вас. Он будет рад, когда узнает, что вы проснулись.

Медсестра поспешно вышла из комнаты. Дженнифер лежала и старалась ни о чем не думать. Но воспоминания возвращались, и от них никуда нельзя было убежать, негде спрятаться. Дженнифер поняла, что хотела покончить с собой, но не призналась себе в этом. Она просто хотела умереть и ожидала, когда это произойдет. Майкл спас ее. Какая ирония.

Не Адам, а Майкл. Она решила, что несправедливо обвинять Адама. Она скрывала от него правду, не говорила, что у него родился сын и что у него умер сын. Джошуа мертв. Теперь она должна была посмотреть правде в лицо. Боль была невыносимая, и она знала, что ей придется жить с ней всю жизнь. Но она сможет вынести ее. Она должна будет это сделать.

Услышав шаги, Дженнифер подняла голову. В комнату вошел Майкл. Он стоял, изумленно глядя на нее. Он чуть с ума не сошел, когда Дженнифер исчезла. Он боялся, что с ней что-нибудь случилось.

Подойдя к кровати, Майкл посмотрел на нее.

— Почему ты ничего мне не сказала? — Он присел на край постели. — Мне очень жаль.

Она взяла его за руку:

— Спасибо, что привез меня сюда. Я... думаю, что я вела себя глупо.

— Немного.

— Я давно здесь?

— Четыре дня. Тебя «кормили» внутривенно.

Дженнифер кивнула, но каждое движение отдавалось болью. Она чувствовала себя измученной.

— Сейчас тебе принесут завтрак. Доктор сказал, чтобы ты побольше ела.

— Я не голодна. Кажется, я никогда больше не буду есть.

— Будешь.

К удивлению Дженнифер, Майкл оказался прав. Когда медсестра принесла яйца всмятку, тосты и чай на подносе, Дженнифер почувствовала, как она голодна.

Майкл остался и наблюдал за ней. Когда она закончила есть, он сказал:

— Завтра мне надо лететь в Нью-Йорк. Я вернусь через пару дней.

Наклонившись, он нежно поцеловал ее.

— Увидимся в пятницу. — Он ласково провел пальцами по ее лицу. — Я хочу, чтобы ты побыстрее выздоровела. Слышишь?

Взглянув на него, Дженнифер ответила:

— Слышу.

Глава 51

Большой актовый зал базы морской пехоты был заполнен до отказа. Снаружи дежурил взвод вооруженной охраны. В зале происходило нечто беспрецедентное. Возле стены на стульях расположились присяжные большого жюри. За длинным столом сидели Адам Уорнер, Роберт Ди Сильва и заместитель директора ФБР. Напротив сидел Томас Колфакс.

Это была идея Адама — доставить присяжных на базу.

— Только там мы можем обезопасить Колфакса.

Предложение Адама было принято, и закрытое слушание должно было вот-вот начаться.

Адам обратился к Колфаксу:

— Назовите, пожалуйста, свое имя.

— Томас Колфакс.

— Кто вы по профессии, мистер Колфакс?

— Я адвокат, имеющий лицензию на практику в штате Нью-Йорк, равно как и во многих других штатах.

— Как давно вы занимаетесь этой деятельностью?

— Более тридцати пяти лет.

— У вас много клиентов?

— Нет, сэр. У меня только один клиент.

— Кто ваш клиент?

— Более тридцати пяти лет им был Антонио Гранелли, ныне покойный. Теперь его место занял Майкл Моретти. Я представляю интересы Майкла Моретти и его Организации.

— Вы имеете в виду организованную преступность?

— Да, сэр.

— Учитывая ваше положение в Организации, можно смело предположить, что вам многое известно о ее деятельности?

— Полагаю, что мне известно почти все.

— Включая преступные деяния?

— Да, сенатор.

— Можете ли вы раскрыть характер этих деяний?

Томас Колфакс говорил более двух часов. Его голос был громким и уверенным. Он называл имена, города, даты. Присутствующие затаив дыхание слушали Колфакса.

Он рассказывал о контрактах на убийство, об убийствах свидетелей, о вымогательстве, грабежах, рабстве. Герои его повествования как будто сошли с картин Хиеронимуса Босха. Впервые стал ясен размах крупнейшего в мире преступного синдиката.

Иногда Адам или Роберт Ди Сильва задавали вопросы, чтобы получить недостающую информацию.

Адам не мог поверить в свою удачу, но, когда допрос уже подходил к концу, разразилась катастрофа.

Один из присяжных задал вопрос об операции по отмыванию денег.

— Да, это произошло два года назад. Я в то время выполнял другое поручение Майка, так что операцию провернула Дженнифер Паркер.

Адам замер.

— Дженнифер Паркер? — спросил Роберт Ди Сильва. В его голосе слышалось ликование.

— Да, сэр, — мстительно сказал Томас Колфакс. — Она теперь советник «семьи».

Адам отчаянно пытался остановить его, вычеркнуть эти слова из стенограммы, но было слишком поздно. Ди Сильва почуял след, и теперь ничто не могло остановить его.

— Расскажите о ней, — попросил он.

Томас Колфакс продолжал:

— Дженнифер Паркер замешана в организации фиктивных корпораций, отмывании денег и...

Адам попытался вмешаться:

— Я не...

— ...убийстве.

В зале воцарилась тишина.

— Мы, — нарушил молчание Адам, — должны придерживаться фактов, мистер Колфакс. Вы же не хотите нам сказать, что Дженнифер Паркер замешана в убийстве.

— Именно это я и хочу сказать. Она приказала убить человека, который похитил ее сына. Похитителя звали Фрэнк Джексон. Она просила Моретти убить его, и тот убил.

В зале зашумели.

Ее сына! «Тут какое-то недоразумение», — подумал Адам.

— Я думаю... — Он запнулся. — Я думаю, у нас и так много различных улик, чтобы прислушиваться к слухам. Мы...

— Это не слухи, — уверил его Томас Колфакс. — Я был в комнате с Майклом Моретти, когда она позвонила.

Адам с такой силой сжимал руки, что костяшки пальцев побелели.

— Свидетель выглядит уставшим. Я думаю, на первый раз достаточно.

— Мне бы хотелось объяснить вам некоторые процедуры... — обратился к присяжным Роберт Ди Сильва.

Адам не слушал его. Он размышлял, где могла быть Дженнифер. Она снова исчезла. Адам несколько раз пытался найти ее. Но теперь он был в отчаянии. Он должен немедленно поговорить с ней. Чем быстрее, тем лучше.

Глава 52

Силы правопорядка США начали беспрецедентную тайную операцию. Федеральное бюро по борьбе с организованной преступностью и рэкетом работало бок о бок с ФБР, таможней, почтой, налоговой службой, Федеральным бюро по борьбе с наркотиками и другими агентствами.

Расследовались убийства, заговоры с целью убийства, вымогательства, неуплата налогов, торговля наркотиками, подделка ценных бумаг.

Томас Колфакс дал им ключ от ящика Пандоры, заполненного преступлениями и коррупцией. Скоро большая часть преступного бизнеса должна была исчезнуть.

Главный удар должен быть нанесен по «семье» Майкла Моретти, пострадают и другие «семьи».

В Соединенных Штатах и за рубежом федеральные агенты тайно собирали информацию о людях, значившихся в их списках. Агенты в Турции, Мексике, Сан-Сальвадоре, Марселе и Гондурасе связывались со своими коллегами, предоставляя им данные о преступной деятельности в их странах. В сети ловили мелкую рыбешку и обещали ей прощение, если будут выданы настоящие боссы. Вся операция проходила без шума, чтобы не вспугнуть тех, на которых скоро обрушится шторм.

Председатель сенатской комиссии Адам Уорнер постоянно принимал посетителей в своем доме, и эти встречи нередко заканчивались далеко за полночь. Не было никаких сомнений, что, когда все закончится и Организация Майкла Моретти будет раздавлена, победа на президентских выборах Адаму обеспечена.

Он должен был выглядеть счастливым. Но Адам чувствовал себя ужасно, переживая самый тяжелый моральный кризис в своей жизни. Дженнифер Паркер была замешана в преступной деятельности, и Адам должен был предупредить ее, сказать, чтобы она скрылась, пока есть такая возможность. Но у него были и другие обязательства перед комиссией, носившей его имя, перед сенатом Соединенных Штатов. Он был палачом Дженнифер. Как же он мог быть ее защитником? Если он предупредит ее и это вскроется, все, что сделано его комиссией, пойдет насмарку, так как это подорвет веру в нее.

Адама поразило заявление Колфакса о том, что у Дженнифер есть ребенок.

Он должен был поговорить с ней.

Адам набрал номер телефона ее конторы, но секретарша ответила:

— Извините, мистер Адамс, мисс Паркер нет.

— Это очень важно. Вы не знаете, как мне с ней связаться?

— Нет, сэр. Может, кто-нибудь другой может вам помочь?

Никто не мог ему помочь.

На следующей неделе Адам звонил в контору Дженнифер по нескольку раз в день. И каждый раз секретарша отвечала, что мисс Паркер отсутствует.

Адам сидел в своем кабинете, готовясь в очередной раз позвонить Дженнифер, когда вошла Мэри Бет. Адам повесил трубку.

Подойдя к нему, Мэри Бет нежно провела ладонью по его волосам.

— Ты выглядишь усталым, дорогой.

— Я в порядке.

Она подошла к креслу и села напротив мужа.

— Все получается, не так ли, Адам?

— Похоже, так.

— Надеюсь, что все скоро закончится. У тебя такая нагрузка.

— Я привык, Мэри Бет. Не беспокойся обо мне.

— Но я волнуюсь. Кстати, в списке есть имя Дженнифер Паркер, не так ли?

Адам резко вскинул голову:

— Как ты об этом узнала?

Она рассмеялась:

— Адам, ты превратил дом в общественное заведение. До меня доходят всякие разговоры. Всем так хочется поскорее поймать Майкла Моретти и его подружку. — Она наблюдала за лицом Адама, но оно было непроницаемым.

С гордостью посмотрев на мужа, Мэри Бет подумала: «Мужчины такие наивные». Она знала о Дженнифер Паркер гораздо больше, чем Адам. Мэри Бет всегда поражало, какими блестящими бизнесменами и политиками могут быть мужчины и как они глупы, когда дело касается женщин. Сколько выдающихся деятелей женаты на самых настоящих ничтожествах. Мэри Бет понимала, почему у Адама начался роман с Дженнифер. Адам был видный и привлекательный мужчина. И как всех мужчин, его можно было уговорить. Философией Мэри Бет было — простить, но не забыть.

Мэри Бет знала, что надо ее мужу. Все, что она делала, было направлено ему на благо. Что ж, когда это все закончится, она увезет его куда-нибудь. Он действительно выглядел усталым. Они оставят Саманту с няней, а сами уедут в какое-нибудь романтическое место. Например, на Таити.

Выглянув в окно, Мэри Бет увидела двух секретных агентов. Она еще не разобралась в своих чувствах к ним. Мэри Бет не нравилось вторжение в ее жизнь, но, с другой стороны, это напоминало ей, что ее муж — кандидат в президенты США. Хотя нет. Ее муж будет президентом США. Все так говорят. Мэри Бет уже представляла себя в Белом доме, и от этой мысли ей становилось приятно. Ее любимым занятием было фантазировать, как она переделает все в Белом доме. Часами она сидела в своей комнате, мысленно передвигая мебель, планируя, что она будет делать, когда станет «первой леди».

Она была в комнатах, куда не допускали посетителей: библиотеке Белого дома, где стояло почти три тысячи книг, Китайской комнате, Зале для дипломатических приемов, жилых комнатах семьи президента и гостевых спальнях.

Они с Адамом будут жить в этом доме, станут частью истории. Мэри Бет поежилась, вспомнив, как Адам чуть не лишился всего этого, связавшись с Дженнифер Паркер. Слава Богу, все закончилось.

Она посмотрела на Адама, сидящего за столом с осунувшимся лицом.

— Может, приготовить тебе кофе, дорогой?

Адам хотел отказаться, но затем передумал:

— Это было бы чудесно.

— Он снимет твою усталость.

Как только Мэри Бет вышла из комнаты, Адам снял трубку и принялся набирать номер. Был уже вечер, и он знал, что контора Дженнифер закрыта, но кто-то должен был отвечать на звонки. Долго никто не подходил к телефону, но наконец трубку сняли.

— Я звоню по срочному делу, — сказал Адам. — Несколько дней я пытаюсь связаться с мисс Паркер. Это мистер Адамс.

— Минуточку. — После небольшой паузы голос сказал: — Извините, мистер Адамс, я не знаю, где мисс Паркер. Что вы хотите ей передать?

— Ничего. — Адам бросил трубку. Его душила ярость. Он знал, что Дженнифер все равно не сможет позвонить ему.

Сидя на диване, он думал, что скоро будут подписаны десятки ордеров на арест. Один из них будет за убийство.

В него будет впечатано имя Дженнифер.

Прошло пять дней, прежде чем Майкл вернулся в охотничий домик, где была Дженнифер. В эти дни она отдыхала, ела, совершала долгие прогулки. Услышав, как подъезжает машина Майкла, она вышла встречать его.

Осмотрев ее, Майкл сказал:

— Ты выглядишь гораздо лучше.

— Я чувствую себя лучше. Спасибо.

Они пошли по тропинке, ведущей к озеру.

— У меня есть к тебе одно поручение.

— Какое?

— Я хочу, чтобы ты завтра вылетела в Сингапур.

— Сингапур?

— Одного стюарда задержали там в аэропорту с грузом кокаина. Его зовут Стефан Бьорк. Сейчас он в тюрьме. Я хочу, чтобы ты освободила его под залог, прежде чем он начнет говорить.

— Ладно.

— И побыстрее возвращайся. Я буду скучать по тебе.

Притянув ее к себе, он нежно поцеловал ее в губы и прошептал:

— Я люблю тебя, Дженнифер.

И она знала, что никому другому он не говорил этих слов.

Но было поздно. Все кончено. Что-то умерло в ней навсегда. Осталось только чувство вины и одиночества. Она решила сказать Майклу, что уходит от него. У нее не будет ни Адама, ни Майкла. Ей надо уехать далеко отсюда и начать все сначала. Ей надо было платить свои долги. Она выполнит последнюю просьбу Майкла и скажет ему об этом, когда вернется.

На следующее утро она вылетела в Сингапур.

Глава 53

Ник Вито, Тони Санто, Сальваторе Фьоре и Джозеф Колелла обедали в «Тони Плэйс». Они сидели в первой кабинке и автоматически поворачивались, когда кто-нибудь входил. Хотя в данное время не было никаких конфликтов между «семьями», но предосторожность никогда не помешает.

— Что случилось с Джимми? — спросил Колелла.

— Этот козел влюбился в сестру детектива. Эта стерва запудрила ему мозги и вместе с братом-легавым заставила пойти на встречу с Майком, спрятав микрофон в штанах.

— Ну и дальше? — спросил Фьоре.

— Но Джимми так трясся от страха, что захотел поссать. Расстегнул ширинку, и микрофон выпал из штанов.

— Черт!

— Вот так получилось с Джимми. Майк отдал его Джино, и тот задушил его шнуром от микрофона. Он делал это suppilu suppilu* — очень медленно.

Дверь открылась, и четверо мужчин повернули головы. Вошел продавец газет с дневным выпуском «Нью-Йорк пост».

— Эй, сынок, иди сюда, — позвал его Джозеф Колелла и, повернувшись к друзьям, объяснил: — Хочу посмотреть результаты вчерашних скачек.

Продавец, старик лет семидесяти, протянул Джозефу Колелле газету, и тот дал ему доллар.

— Сдачу оставь себе.

Именно так сказал бы Майкл Моретти. Джозеф хотел открыть газету, но внимание Ника Вито привлекла фотография на первой полосе.

— Эй, — сказал он, — этого парня я где-то видел.

Тони Санто посмотрел ему через плечо:

— Конечно, видел, придурок. Это же Адам Уорнер — кандидат в президенты.

— Нет, — настаивал Ник, — я его видел своими глазами. — Он наморщил лоб, стараясь вспомнить, где это было. Внезапно он вспомнил:

_____
* Медленно, медленно (ит.).

363

— Ага! Этот парень сидел в баре с Дженнифер Паркер. В Акапулько.

— Что это ты говоришь?

— Помнишь, я в прошлом месяце возил груз? Тогда я и видел этого парня с Дженнифер. Они сидели за столиком и пили.

Сальваторе Фьоре уставился на него:

— Ты уверен?

— Ну. А чего?

— Думаю, об этом стоит рассказать Майку.

Посмотрев на Ника Вито, Майкл Моретти сказал:

— Ты рехнулся. Что может иметь общего Дженнифер Паркер с сенатором Уорнером?

— Не знаю, босс. Я только знаю, что они вместе сидели в баре.

— Вдвоем?

— Ну.

— Я решил, что надо рассказать тебе об этом, — добавил Сальваторе Фьоре. — Этот Уорнер так нагадил нам со своей сенатской комиссией. С чего это Дженнифер сидела с ним вдвоем?

Именно это и хотел узнать Майкл Моретти. Дженнифер рассказывала о своей поездке в Акапулько. Она называла имена людей, с которыми там встречалась. Но про Адама Уорнера она умолчала.

Майкл повернулся к Тони Санто:

— Кто сейчас руководит профсоюзом управляющих домами?

— Чарли Корелли.

Через пять минут Майкл Моретти уже разговаривал с Чарли Корелли по телефону.

— ...«Белмонт Тауэрз», — сказал Майкл. — Девять лет назад там жил один мой друг. Я бы хотел поговорить с парнем, который в то время был управляющим домом. — Выслушав ответ, Майкл сказал: — Спасибо, приятель. За мной должок. — И повесил трубку.

Ник Вито, Санто, Фьоре и Колелла наблюдали за ним.

— Что, ублюдки, нечем заняться? А ну выматывайтесь отсюда!

Гангстеры поспешно скрылись за дверью.

Майкл сидел, представляя Дженнифер вместе с Адамом Уорнером. Почему она ничего не сказала про него? И отец Джошуа, якобы убитый во Вьетнаме. Почему Дженнифер никогда не рассказывала о нем?

Майкл встал и принялся расхаживать по комнате.

Через три часа Тони Санто завел в комнату испуганного человека в потертой одежде. На вид ему было лет шестьдесят.

— Это Вэлли Кавольски, — сказал Тони.

Майкл встал и пожал Кавольски руку.

— Спасибо, что пришел, Вэлли. Присаживайся. Хочешь что-нибудь выпить?

— Нет, спасибо, мистер Моретти. Большое спасибо. — Он разве что не кланялся.

— Не надо нервничать. Я просто хочу задать тебе пару вопросов, Вэлли.

— Конечно, мистер Моретти. Все, что вы прикажете.

— Ты все еще работаешь в «Белмонт Тауэрз»?

— Я? Нет, сэр. Я ушел оттуда лет пять назад. У моей тещи сильный артрит, и...

— Ты помнишь жильцов?

— Да, сэр. Большинство из них. Они были...

— Ты помнишь Дженнифер Паркер?

Вэлли просиял:

— Да, конечно. Такая изысканная леди. Я даже помню номер ее квартиры. Двадцать девятая. Мне она нравилась.

— К ней часто ходили гости?

Вэлли поскреб затылок:

— Трудно сказать, мистер Моретти. Я только видел, как она приходила и уходила.

— А мужчины оставались у нее на ночь?

Вэлли Кавольски покачал головой:

— Что вы, сэр. Никогда.

Итак, все это чепуха. Майкл облегченно вздохнул. Он знал, что Дженнифер никогда бы...

— Иногда она вместе со своим женихом ходила.

Майкл подумал, что ослышался.

— У нее был жених?

— Ну да. Мисс Паркер жила с ним.

Эти слова прозвучали громом для Майкла. Он потерял над собой контроль. Схватив Вэлли за грудки, он поднял его в воздух:

— Болван! Я ведь спрашивал тебя... Как его зовут?

Кавольски чуть не умер от страха.

— Не знаю, мистер Моретти. Клянусь Господом, не знаю.

Майкл отшвырнул его в сторону. Схватив газету, он сунул ее Кавольски под нос.

Увидев фотографию Адама Уорнера, тот возбужденно воскликнул:

— Это он! Ее жених!

Майклу показалось, что мир рухнул. Дженнифер лгала ему все это время. Она изменяла ему с Адамом Уорнером! Они смеялись над ним за его спиной. Дженнифер наставляла ему рога!

Его охватила жажда мщения, и он знал, что убьет их обоих.

Глава 54

Дженнифер сначала прилетела в Лондон, а потом в Сингапур с посадкой в Бахрейне. В новом аэропорту было полно народу. Люди спали на скамейках и на полу. При входе в магазин, торгующий спиртным, висело объявление, что распивающие спиртные напитки в общественном месте будут арестованы. Атмосфера была враждебная, и Дженнифер с облегчением вздохнула, когда объявили посадку.

«Боинг-747» приземлился в сингапурском аэропорту Чанжи в шестнадцать сорок. Это был новый аэропорт, построенный в четырнадцати милях от города вместо старого международного. Кое-где еще велись отделочные работы.

Таможня помещалась в огромном светлом зале, где для удобства пассажиров стояли тележки для багажа. Таможенники были вежливыми и работали быстро. Через пятнадцать минут Дженнифер уже направлялась к стоянке такси.

Около выхода к ней подошел полный китаец средних лет:

— Мисс Дженнифер Паркер?

— Да.

— Меня зовут Чоу Линг. — Именно это имя назвал ей Майкл. — Лимузин ждет.

Чоу Линг лично наблюдал, как багаж Дженнифер положили в багажник. Через несколько минут они уже направлялись в сторону города.

— Полет был приятным? — спросил Чоу Линг.

— Да, спасибо. — Но ее сейчас больше волновал Стефан Бьорк.

Как бы читая ее мысли, Чоу Линг кивнул в сторону огромного здания, стоявшего вдали от дороги. Оно было огорожено высоким забором с проволокой под напряжением.

— Это тюрьма Чанжи, где находится Бьорк.

По углам стояли вышки с вооруженными часовыми, перед входом был заслон из колючей проволоки. Там тоже стояли охранники.

— Во время войны, — сообщил Чоу Линг, — сюда поместили всех англичан, находившихся на острове.

— Когда я смогу увидеться с Бьорком?

— Это очень щекотливая ситуация, — уклончиво ответил Чоу Линг. — Правительство решительно борется с наркотиками. Даже если человек попадается в первый раз, к нему нет снисхождения. Ну а те, кто торгует наркотиками... — Чоу Линг выразительно пожал плечами. — Сингапур контролируется несколькими могущественными «семьями» — Шоу, Танг, Тан Чин Туан и Ли Куан Кью. Эти «семьи» контролируют финансы и торговлю Сингапура. Им не нужны здесь наркотики.

— У вас тут должны быть влиятельные друзья.

— Ну, полицейский инспектор Дэвид Тоу — весьма рассудительный человек.

Дженнифер было интересно, сколько стоит эта «рассудительность», но она решила не спрашивать. Они уже въехали в Сингапур, и казалось, что деревья и цветы растут повсюду. По обе стороны Макперсон-роуд современные постройки чередовались со старинными пагодами. Некоторые прохожие были одеты в туники и тюрбаны, другие щеголяли по последней западной моде. Город казался современной столицей со старинной культурой. Торговые центры сияли чистотой. Вокруг был безукоризненный порядок. Дженнифер отметила это.

Чоу Линг улыбнулся:

— Очень просто. Тех, кто мусорит, штрафуют на пятьсот долларов. Этот закон соблюдается четко.

Лимузин повернул на Стивенс-роуд, и впереди на холме Дженнифер увидела красивое белое здание, утопающее в зелени.

— Это «Шангри-Ла», ваш отель.

Вестибюль был огромным и безукоризненно чистым. Повсюду мрамор и стекло.

Пока Дженнифер регистрировалась, Чоу Линг сказал:

— Инспектор Тоу свяжется с вами. — Он протянул Дженнифер визитную карточку: — Вы всегда можете застать меня по этому номеру.

Улыбающийся служащий взял багаж Дженнифер и провел ее к лифтам. Здесь, рядом с искусственным водопадом, располагались сад и бассейн. Такого красивого отеля, как «Шангри-Ла», Дженнифер еще никогда не видела. Ее номер состоял из большой гостиной и спальни. Терраса выходила в сад, где было море цветов и кокосовых пальм. «Напоминает Гогена», — подумала Дженнифер.

Дул ветерок. Именно такие дни нравились Дженнифер. И Джошуа. «Мы будем ходить под парусом сегодня днем? А, мам?» «Перестань!» — приказала себе Дженнифер.

Она подошла к телефону:

— Я бы хотела заказать междугородный переговор с Соединенными Штатами. Нью-Йорк. Мистер Майкл Моретти. — Она продиктовала номер.

— Извините, — ответила телефонистка, — все линии заняты. Попробуйте позвонить чуть позже.

— Спасибо.

Внизу телефонистка посмотрела на человека, стоящего рядом с пультом.

Тот одобрительно кивнул.

— Хорошо, — сказал он. — Очень хорошо.

Через час позвонил инспектор Тоу.

— Мисс Дженнифер Паркер?

— Да.

— Это инспектор Дэвид Тоу. — У него был едва заметный акцент.

— Да, инспектор. Я ждала вашего звонка. Мне хотелось бы встретиться с...

Инспектор перебил ее:

— Вы не могли бы поужинать со мной?

Предупреждение. Очевидно, он полагает, что телефон прослушивается.

— С удовольствием.

«Великий Шанхай» был большим и шумным рестораном, где в основном сидели местные жители, громко разговаривая между собой. На эстраде играл оркестр, и привлекательная девушка пела популярные американские песни.

К Дженнифер подошел метрдотель:

— Столик для одного человека?

— Я должна встретиться с инспектором Тоу.

Лицо метрдотеля расплылось в улыбке.

— Инспектор ждет вас. Сюда, пожалуйста. — Он провел Дженнифер к столику, стоящему у самой эстрады.

Инспектору Тоу было около сорока. Это был высокий симпатичный мужчина со смуглой кожей, одетый в безукоризненный костюм.

Он помог Дженнифер сесть. С эстрады оглушительно гремел рок. Наклонившись к Дженнифер, он сказал:

— Можно, я закажу вам что-нибудь выпить?

— Да, спасибо.

— Рекомендую чендол.

— Что?

— Напиток из кокосового молока, кокосового сахара и желе. Вам понравится.

Инспектор поднял голову, и тут же появилась официантка. Он заказал напитки и дим сум — китайские закуски.

— Вы не против, если я сам сделаю заказ?

— Буду только рада.

— Как мне кажется, в вашей стране женщинам нравится командовать. Здесь этим пока занимаются мужчины.

Дженнифер была не в настроении, чтобы спорить с ним. Этот человек ей был нужен. Из-за ужасного шума и музыки разговаривать было невозможно. Дженнифер огляделась. Она и раньше бывала в восточных странах, но люди в Сингапуре — и мужчины и женщины — были необычайно красивыми.

Официантка поставила перед Дженнифер бокал. Напиток был похож на газированный шоколад с плавающими в нем комками.

Инспектор Тоу заметил выражение ее лица:

— Надо размешать.

— Не слышу!

— Надо размешать, — прокричал он.

Дженнифер послушно размешала напиток. Она попробовала его на вкус. Он был ужасно сладкий, но Дженнифер одобрительно кивнула.

— Очень необычно.

На столе появились тарелки со всевозможными закусками.

Некоторые деликатесы Дженнифер никогда не видела, но она решила не спрашивать, что это такое. Закуска была превосходной.

Инспектор Тоу пытался перекричать шум:

— Этот ресторан известен кухней «Нонья». Это китайские блюда с малайскими специями. Все рецепты передаются устно.

— Я хотела бы поговорить с вами о Стефане Бьорке.

— Не слышу. — Музыка оглушала.

Дженнифер наклонилась к инспектору:

— Я хочу знать, когда мне можно будет встретиться со Стефаном Бьорком.

Жестами инспектор показал, что не понимает ее. Дженнифер внезапно догадалась, зачем он привел ее сюда — чтобы поговорить с ней в безопасности или чтобы вообще не разговаривать.

Блюда следовали одно за другим. Все они были необычайно вкусными. Единственное, что беспокоило Дженнифер, так это то, что она так и не смогла поговорить о Стефане Бьорке.

Когда они поужинали и вышли на улицу, инспектор Тоу сказал:

— У меня здесь машина.

Он щелкнул пальцами, и тут же к ним подъехал «мерседес». Инспектор открыл дверцу перед Дженнифер. За рулем сидел полицейский в форме. Что-то здесь было не так. «Если бы инспектор хотел поговорить конфиденциально, — подумала Дженнифер, — он сделал бы так, чтобы мы были одни».

Она села сзади, и инспектор расположился рядом.

— Вы впервые в Сингапуре?

— Да.

— Вы многое здесь увидите.

— Я сюда приехала не на экскурсию, инспектор. Мне надо вернуться домой как можно быстрее.

Инспектор Тоу вздохнул:

— Вы, американцы, всегда спешите. Вы когда-нибудь слышали о Багис-стрит?

— Нет.

Дженнифер повернулась, чтобы получше рассмотреть инспектора Тоу. У него было подвижное лицо и выразительные глаза. Он казался весьма общительным человеком, хотя умудрился ничего не сказать за целый вечер.

Машина остановилась, чтобы пропустить велорикшу. Инспектор Тоу с презрением посмотрел на сидящих в ней двух туристов:

— Когда-нибудь мы уберем их с улиц города.

Дженнифер и инспектор Тоу вышли из машины за квартал до Багис-стрит.

— Здесь запрещено движение на автомобилях, — объяснил инспектор.

Взяв Дженнифер за руку, он повел ее по тротуару. Здесь было так людно, что идти приходилось с трудом. Багис-стрит оказалась узкой улочкой, по обе стороны которой стояли лотки с овощами, фруктами, рыбой и мясом. Были здесь и маленькие ресторанчики, обслуживающие посетителей под открытым небом. Дженнифер была поражена буйством красок и запахов. Инспектор Тоу крепко сжал ее руку и потянул за собой, пробираясь через толпу. Они остановились у ресторана, все три столика которого были заняты. Инспектор схватил за руку проходящего официанта, и через несколько секунд появился владелец. Инспектор что-то сказал ему по-китайски. Хозяин подошел к одному из столиков и стал разговаривать с гостями. Те посмотрели на инспектора, быстро встали и ушли. Тоу и Дженнифер усадили за столик.

— Вам что-нибудь заказать?

— Нет, спасибо. — Дженнифер смотрела на людское море, заполнявшее улицу. При других обстоятельствах ей было бы здесь очень приятно. Сингапур — прекрасный город, в котором можно получить массу удовольствий, если рядом любимый человек.

— Смотрите, — сказал инспектор Тоу. — Скоро полночь.

Дженнифер посмотрела по сторонам. Сначала она ничего не заметила. Потом увидела, как торговцы одновременно стали убирать свои лотки. Через десять минут вся торговля свернулась, и владельцы киосков исчезли.

— Что случилось? — спросила Дженнифер.

— Сейчас увидите.

В конце улицы толпа зашумела и принялась расходиться к тротуарам. По середине улицы шла китаянка в длинной, плотно прилегающей к телу ночной рубашке. Такой красивой девушки Дженнифер никогда еще не видела. Она шла медленно и гордо, останавливаясь у столиков и затем продолжая путь.

Когда девушка проходила мимо их столика, Дженнифер смогла рассмотреть ее получше. Вблизи она казалась еще прекраснее. У нее было миловидное лицо и великолепная фигура. На ночной рубашке из белого шелка были разрезы, чтобы все смогли рассмотреть ее точеные ножки и упругие груди.

Дженнифер хотела задать инспектору вопрос, но тут появилась вторая девушка. Она была еще красивее, чем первая, если это только возможно. За ней шли еще две красавицы. Через минуту Багис-стрит была заполнена красивыми девушками. Здесь были индианки, китаянки и малазийки.

— Это проститутки, — догадалась Дженнифер.

— Да. Транссексуалы.

Дженнифер удивленно посмотрела на него. Невероятно. Повернувшись, она снова посмотрела на девушек. В них не было ничего мужского.

— Вы шутите.

— Их называют «Билли Бойз».

Дженнифер была поражена:

— Но ведь они...

— Им всем сделали операцию. Они считают себя женщинами. — Он пожал плечами. — А что тут такого? От них никакого вреда. Понимаете ли, — добавил он, — проституция у нас запрещена законом. Но «Билли Бойз» привлекают туристов, и, если они не нарушают порядок, полиция смотрит на все сквозь пальцы.

Дженнифер еще раз посмотрела на девушек, останавливающихся возле столиков в поисках клиентов.

— Они неплохо зарабатывают. Такса — двести долларов.

Большинство девушек уже сидели за столиками. Некоторые вставали и уходили вместе с клиентами.

— За ночь они устраивают два-три таких представления, — объяснил инспектор. — Они приходят на Багис-стрит в полночь, а до шести утра должны уйти, чтобы можно было снова вести торговлю с лотков. Когда захотите, мы уйдем отсюда.

— Я уже все посмотрела.

Когда они шли по улице, Дженнифер вдруг вспомнила Кена Бэйли. «Надеюсь, он счастлив», — подумала она.

Возвращаясь на машине домой, Дженнифер решила, что все равно поговорит о Стефане Бьорке, несмотря на присутствие шофера.

Когда машина выехала на Орчард-роуд, Дженнифер решительно сказала:

— Насчет Стефана Бьорка...

— Ах да. Я обо всем договорился. Вы можете встретиться с ним завтра в десять утра.

Глава 55

В Вашингтоне Адама Уорнера вызвали с совещания. Был срочный звонок из Нью-Йорка.

Звонил окружной прокурор Роберт Ди Сильва. Он не мог скрыть своей радости.

— Присяжные большого жюри решили привлечь к ответственности всех, кого мы хотели. Абсолютно всех! Нам надо действовать. — Адам молчал. — Вы слышите меня, сенатор?

— Слышу, — ответил Адам с наигранным энтузиазмом. — Потрясающая новость.

— Мы начнем операцию через двадцать четыре часа. Если вы прилетите в Нью-Йорк, мы сможем провести утром совещание с участвующими в деле. Вы прилетите?

— Да, — ответил Адам.

— Я обо всем договорюсь. Значит, завтра, в десять утра.

— Я буду. — Адам повесил трубку.

«Присяжные большого жюри решили привлечь к ответственности всех, кого мы хотели. Абсолютно всех».

Адам снял трубку и принялся набирать номер.

Глава 56

Комната для посещений в тюрьме Чанжи была небольшой. Побеленные известкой стены, в центре — длинный стол, по обе стороны которого стояли деревянные стулья. На одном из них сидела Дженнифер. Она подняла голову, когда дверь открылась, и вооруженный охранник ввел Стефана Бьорка.

Бьорку было около сорока. У него было осунувшееся лицо и выпученные глаза. «Щитовидка не в порядке», — подумала Дженнифер. Лицо Бьорка было в свежих кровоподтеках. Он сел напротив Дженнифер.

— Меня зовут Дженнифер Паркер. Я — ваш адвокат. Я постараюсь вытащить вас отсюда.

Посмотрев на нее, он сказал:

— Поторопитесь.

Была ли это мольба или угроза? Дженнифер вспомнила слова Майкла: «Я хочу, чтобы ты освободила его под залог, прежде чем он начнет говорить».

— С вами здесь хорошо обращаются?

Покосившись на охранника, стоящего возле двери, он сказал:

— Да. Все в порядке.

— Я подала прошение об освобождении вас под залог.

— Каковы мои шансы? — В его голосе звучала надежда.

— Довольно высокие. Через два, максимум три дня вы выйдете отсюда.

— Вытащите меня отсюда поскорее.

— Скоро увидимся. — Дженнифер встала.

— Спасибо. — Стефан протянул ей руку.

— Нельзя! — резко произнес охранник.

Они оба повернулись.

— Никаких прикосновений.

Бросив взгляд на Дженнифер, Стефан Бьорк хрипло прошептал: «Поспешите!»

Когда Дженнифер вернулась в отель, ей передали, что звонил инспектор Тоу. Зайдя в номер, она услышала, как звонит телефон. Это был инспектор.

— Пока вы ждете, мисс Паркер, может, осмотрите город?

Сначала Дженнифер хотела отказаться, но потом она поняла, что делать ей нечего до того момента, пока Стефан Бьорк не сядет в самолет. До этого ей не следует огорчать инспектора Тоу.

— Спасибо, — ответила Дженнифер. — С большим удовольствием.

Они пообедали в «Кампачи», затем выехали из города, направляясь в сторону Малайзии по Букит Тима-роуд. Мимо проплывали живописные деревушки. Люди были хорошо одеты и выглядели счастливыми. Дженнифер и инспектор Тоу посетили кладбище Кранжи и Военный мемориал. Когда они поднялись по мраморным ступенькам, то увидели огромный мраморный крест и громадную колонну вдали. На кладбище было много белых крестов.

— Война принесла нам много бед, — сказал инспектор Тоу. — Мы потеряли многих родных и близких.

Дженнифер промолчала. Она вспомнила могилу в Сэндс-Пойнт. Но она не хотела думать, что лежит там под надгробным камнем.

В Манхэттене, на Гудзон-стрит, проходило совещание представителей различных правоохранительных органов страны. В наполненной народом комнате царило ликование. Многие из собравшихся потратили долгие годы, по крупицам собирая улики против гангстеров, убийц и вымогателей, но каждый раз талантливый адвокат добивался их освобождения. Но сейчас все было по-иному. У них имелись свидетельства consigliere Томаса Колфакса. Тридцать пять лет он был осью мафии. Он выступит в суде, назовет имена, даты, факты и цифры.

Адам больше всех приложил усилий, чтобы приблизить этот день. Это будет его триумфальная колесница, которая привезет его в Белый дом. Но теперь все пошло прахом. Перед Адамом лежал список тех, кто подлежал аресту. Под четвертым номером стояло имя Дженнифер Паркер — за соучастие в убийстве и планировании других федеральных преступлений.

Обведя взглядом собравшихся, Адам заставил себя сказать:

— Я... я вас всех поздравляю.

Он хотел добавить еще что-нибудь, но комок в горле помешал ему. Презрение к самому себе было сильнее физической боли.

«Испанцы правы, — подумал Майкл Моретти, — месть хороша тогда, когда она остынет». Дженнифер Паркер была вне его досягаемости. Но она скоро вернется. А пока Майкл Моретти мог пофантазировать, представляя себе, как он поступит с ней. Она изменяла ему во всех смыслах этого слова, и он окажет ей специальные почести.

В Сингапуре Дженнифер еще раз попыталась дозвониться до Майкла.

— Извините, — ответила ей телефонистка, — но линия с Соединенными Штатами занята.

— Попробуйте чуть позже, хорошо?

— Конечно, мисс Паркер.

Телефонистка посмотрела на человека, стоявшего рядом с пультом, и тот заговорщицки улыбнулся ей.

Сидя в своем кабинете, Роберт Ди Сильва смотрел на листок ордера на арест. В него было впечатано имя Дженнифер Паркер.

«Наконец-то она у меня в руках», — подумал он и зловеще улыбнулся.

377

Ей позвонила телефонистка:

— К вам пришел инспектор Тоу. Он ожидает в вестибюле.

Дженнифер удивилась. Она совсем не ждала его. Может, у него есть какие-нибудь новости про Бьорка.

Она спустилась в вестибюль.

— Извините, что заранее не позвонил вам, — сказал инспектор Тоу. — Мне надо поговорить с вами наедине.

— У вас есть какие-нибудь новости?

— Мы можем поговорить в машине. Я хочу вам что-то показать.

Они повернули на Ио Чу Канг-роуд.

— Какие-то проблемы? — спросила Дженнифер.

— Никаких. Залог будет внесен послезавтра.

Куда он ее везет?

Они подъехали к группе домов, стоящих на Джалан Гоатопах-роуд, и шофер остановил машину.

Инспектор Тоу повернулся к Дженнифер:

— Я думаю, это заинтересует вас.

— Что именно?

— Пойдемте. Сейчас вы все увидите.

Здание, в которое они вошли, снаружи выглядело старым и неухоженным, но больше всего Дженнифер поразил запах, в нем было что-то дикое и примитивное.

Молодая девушка поспешила к ним навстречу:

— Вам нужен гид? Я...

Инспектор Тоу отмахнулся:

— Мы сами.

Он взял Дженнифер за руку и повел ее дальше. По обе стороны располагались шесть огромных емкостей, откуда доносились странные звуки. Дженнифер и инспектор Тоу подошли к одной из них. На стене висела табличка: «Не протягивайте руки. Опасно». Дженнифер посмотрела вниз. В бассейне было полно крокодилов и аллигаторов — несколько дюжин. Они постоянно двигались, залезая друг на друга.

Дженнифер поежилась:

— Что это?

— Ферма по выращиванию крокодилов. — Он посмотрел на рептилий. — Когда они достигают возраста от трех до шести лет, с них снимают шкуру и делают из нее бумажники, ремни и туфли. Видите, почти у всех крокодилов открыта пасть. Так они отдыхают. Но когда пасть закрыта, надо смотреть в оба.

Они подошли к бассейну, где лежали два огромных аллигатора.

— Этим по пятнадцать лет. Их используют в качестве производителей.

— Они такие уродливые. — Дженнифер повела плечами. — Как они только могут терпеть друг друга.

— Они и не могут, — ответил инспектор Тоу. — Кстати, они спариваются довольно редко.

— Это доисторические существа.

— Именно. Их род насчитывает миллионы лет. Они живут так, как жили их доисторические предки.

Дженнифер было непонятно, зачем он привез ее сюда. Если инспектор думал, что эти отвратительные чудовища заинтересуют ее, то он ошибался.

— Может, мы пойдем? — спросила Дженнифер.

— Сейчас. — Инспектор посмотрел на девушку, которую они встретили у входа. Она шла к первому бассейну с подносом в руках.

— Сегодня день кормежки, — объяснил инспектор. — Смотрите.

Он подвел Дженнифер к первому бассейну.

— Крокодилов кормят рыбой и свиными легкими раз в три дня.

Девушка принялась кидать еду в бассейн, и вода там сразу же забурлила. Крокодилы накинулись на свежую еду, разрывая ее на части своими острыми зубами. Дженнифер увидела, как два крокодила вцепились в один кусок мяса и тут же принялись нападать друг на друга. Вскоре вода окрасилась в цвет крови. Приблизились другие крокодилы и набросились на двух раненых рептилий, кусая их за головы, пока не оголилось мясо. Они пожирали их живьем.

Дженнифер замутило.

— Давайте уйдем отсюда, пожалуйста.

Инспектор Тоу крепко сжал ее руку:

— Одну минутку.

Он постоял еще немного, наблюдая за крокодилами, а затем повел Дженнифер к выходу.

В ту ночь Дженнифер снились крокодилы, рвущие друг друга на куски. Два из них превратились в Адама и Майкла. Дженнифер проснулась, вся дрожа. Она так и не смогла заснуть до утра.

Начались облавы. Федеральные агенты и сотрудники других правоохранительных органов одновременно начали операцию в десятках штатов и других странах. Все было продумано до мелочей.

В Огайо был арестован сенатор, когда он выступал в женском клубе, рассказывая о роли честности в правительстве.

В Нью-Орлеане закрыта нелегальная букмекерская организация.

В Амстердаме арестованы контрабандисты бриллиантов.

В городе Гэри, штат Индиана, был арестован директор банка, который «отмывал» деньги Организации.

В Канзас-Сити закрыт магазин подержанных товаров, в котором продавали краденые вещи.

В Фениксе, штат Аризона, были арестованы шесть детективов из полиции нравов.

В Неаполе закрыта кокаиновая лаборатория.

В Детройте арестована банда похитителей автомобилей.

Не дозвонившись Дженнифер по телефону, Адам Уорнер пришел к ней в контору.

Синтия сразу же узнала его.

— Извините, сенатор Уорнер. Мисс Паркер уехала за границу.

— Где она сейчас?

— В отеле «Шангри-Ла» в Сингапуре.

Адам обрадовался. Теперь он может позвонить ей и сказать, чтобы она не возвращалась.

Дженнифер как раз выходила из душа, когда в номер вошла горничная:

— Извините. Когда вы сегодня уезжаете?

— Я уезжаю не сегодня, а завтра.

Горничная растерялась:

— Мне велели подготовить номер для гостя, который приезжает сегодня вечером.

— Кто это вам сказал?

— Управляющий.

На телефонный узел отеля позвонили из-за границы. За пультом сидела другая телефонистка, и другой человек стоял рядом.

— Нью-Йорк вызывает мисс Дженнифер Паркер? — Телефонистка посмотрела на стоящего рядом человека. Тот покачал головой. — Извините. Мисс Паркер выехала сегодня из отеля.

Облавы продолжались. Людей арестовывали в Гондурасе, Сан-Сальвадоре, Турции, Мексике. В тюрьму садились убийцы, грабители и торговцы наркотиками.

Операция развивалась по плану.

В Нью-Йорке Роберт Ди Сильва пристально следил за развитием событий. У него радостно стучало сердце, когда он думал о том, как в его сети попадут Дженнифер Паркер и Майкл Моретти.

Майкл Моретти ускользнул от полиции по чистой случайности. В годовщину смерти тестя Майкл и Роза пошли на кладбище. Через пять минут после того как они ушли, агенты ФБР ворвались в дом Майкла Моретти и в его фирму. Не застав его ни в одном из этих мест, они устроили засаду.

Дженнифер вспомнила, что ей надо зарезервировать билет на самолет для Стефана Бьорка. Она позвонила в «Сингапур Эйрлайнз».

— Меня зовут Дженнифер Паркер, у меня билет на рейс сто двенадцать, вылетающий завтра в Лондон. Я бы хотела забронировать еще один билет.

— Хорошо. Подождите, пожалуйста.

Дженнифер ждала у телефона, и через несколько минут голос спросил:

— Вы сказали — Паркер? П-А-Р-К-Е-Р?

— Да.

— Ваш предыдущий заказ аннулирован, мисс Паркер.

Дженнифер всполошилась:

— Аннулирован? Кем?

— Не знаю. Вас вычеркнули из списка пассажиров.

— Это какая-то ошибка. Впишите меня заново.

— Извините, мисс Паркер. Больше мест нет.

Инспектор Тоу разберется со всем этим, решила Дженнифер. Она согласилась поужинать с ним. За ужином она все ему и расскажет.

Инспектор заехал за ней рано.

Дженнифер рассказала ему о путанице в отеле и о недоразумении с билетами.

Инспектор Тоу пожал плечами:

— Наша известная халатность. Я разберусь.

— А как насчет Стефана Бьорка?

— Все готово. Его отпустят послезавтра утром.

Инспектор сказал что-то шоферу по-китайски, и машина развернулась в обратную сторону.

— Вы еще не видели Калланг-роуд. Интересное место.

Машина повернула направо и выехала на Лавендер-роуд, а затем свернула налево. Здесь начиналась Калланг-роуд. Повсюду висели объявления магазинов, торгующих цветами и венками. Через несколько кварталов машина снова повернула.

— Где мы?

Наклонившись к Дженнифер, инспектор тихо сказал:

— Мы на Безымянной улице.

Машина замедлила ход. По обе стороны улицы располагались похоронные бюро: «Тан Кии Сенг», «Клин Нох», «Анг

Юнг Лонг», «Гох Сун». Впереди виднелась похоронная процессия.

Скорбящие были в белых одеждах, играл небольшой оркестр — труба, саксофон и барабан. Тело покойного утопало в цветах.

Дженнифер повернулась к инспектору:

— Что это?

— Здесь расположены Дома Смерти. — Он посмотрел на Дженнифер. — Но смерть — это часть жизни, не правда ли?

Дженнифер взглянула в его холодные глаза, и ей внезапно стало страшно.

Затем они поехали в «Золотой Феникс», и, когда их посадили за столик, Дженнифер спросила:

— Инспектор Тоу, зачем вы возили меня на крокодиловую ферму и улицу с Домами Смерти?

Посмотрев на нее, он непринужденно ответил:

— Я полагал, это заинтересует вас. Тем более что вы приехали сюда, чтобы освободить своего клиента, мистера Бьорка. Многие молодые люди нашей страны умирают из-за наркотиков, которые ввозятся в Сингапур, мисс Паркер. Я мог бы, конечно, отвезти вас в больницы, где их лечат, но, я подумал, что будет более наглядно, если вы увидите, где заканчивается их жизнь.

— Это не имеет ко мне ни малейшего отношения.

— Все зависит от точки зрения. — Доброжелательность исчезла из его голоса.

— Послушайте, инспектор Тоу, — сказала Дженнифер. — Я уверена, что вам хорошо заплатили...

— В мире не хватит денег, чтобы купить меня.

Он встал и подал кому-то знак. Дженнифер обернулась. Два человека в серых костюмах направлялись к столику.

— Мисс Дженнифер Паркер?

— Да.

Она сразу узнала в них федеральных агентов.

— ФБР. У нас есть документы на вашу выдачу и ордер на арест. Вы полетите сегодня с нами в Нью-Йорк.

Глава 57

Покидая кладбище, Майкл Моретти посмотрел на часы и увидел, что опаздывает на деловую встречу. Он решил позвонить в свою фирму и перенести встречу на другое время. Остановившись по дороге возле телефонной будки, он набрал номер. Трубку сразу же сняли, и голос ответил:

— «Акме Билдерс».

— Это Майк. Скажи...

— Мистера Моретти нет. Позвоните попозже.

Майкл напрягся.

— Я — в «Тони Плэйс», — сказал он и бросил трубку.

Он поспешил к машине. Увидев выражение его лица, Роза спросила:

— Все в порядке, Майкл?

— Не знаю. Я завезу тебя к твоему двоюродному брату. Никуда оттуда не уходи, пока я тебе не позвоню.

Тони проводил Майкла в его кабинет, располагавшийся в дальней части ресторана.

— Мне передали, что легавые у тебя дома и в конторе, Майк.

— Спасибо, — ответил Майкл. — Посмотри, чтобы мне не мешали.

— Хорошо.

Тот вышел из кабинета, и Майкл запер за ним дверь. Затем он подошел к телефону и принялся набирать номер.

Через двадцать минут он уже знал о размерах обрушившейся на него катастрофы. Когда ему сообщили о произведенных арестах и облавах, он не мог поверить в случившееся. Все его солдаты и лейтенанты были арестованы, на тайные квартиры совершены облавы, захвачены бухгалтерские книги с секретными записями. Это был какой-то кошмар. Полиция получала информацию из Организации.

Майкл позвонил другим «семьям» во всех концах Соединенных Штатов, и все они требовали от него отчета о том, что происходит. Все они несли потери и не знали, откуда идет утечка информации. Но они подозревали, что из «семьи» Моретти.

Джимми Гуардиано из Лас-Вегаса выдвинул ультиматум.

— Я звоню по поручению комиссии, Майкл. — Национальная комиссия считалась верховной властью, выше власти каждой отдельной «семьи», когда возникала опасность. — Полиция шерстит все «семьи». Какая-то крупная шишка раскололась. Идет слух, что это кто-то из твоих ребят. Мы даем тебе двадцать четыре часа, чтобы найти и успокоить его.

И раньше полиция совершала облавы, но в ее сети попадалась мелкая рыбешка, расходный материал. Теперь же, впервые за всю историю, брали крупных боссов. «Какая-то крупная шишка раскололась. Идет слух, что это кто-то из твоих ребят». Он был прав. «Семья» Майкла пострадала больше всех, и полиция шла по пятам Моретти. Кто-то дал им надежные улики, иначе они бы не осмелились на такую шумную операцию. Но кто это мог быть?

Кто бы это ни был, он давал полиции информацию, известную только самому Майклу и его двум главным лейтенантам — Сальваторе Фьоре и Джозефу Колелле. Только они знали, где находятся секретные бухгалтерские книги, которые попали в лапы ФБР. Еще об этом знал Томас Колфакс, но он давно уже покоится на свалке в Нью-Джерси.

Майкл подумал о Сальваторе Фьоре и Джозефе Колелле. Трудно было поверить, что кто-то из них нарушил omerta (закон молчания) и заговорил. Они с самого начала были с ним. Он позволил им заниматься на стороне «акульим промыслом» и содержать небольшие публичные дома. Зачем они предали его? Ответ, конечно, был простым — кресло, в котором он сидел. Они хотели занять его. Как только его возьмет полиция, они станут главными. Они работали вместе и вместе пошли против него.

Майкла охватила слепая ярость. Эти тупые болваны хотели сбросить его, но им не удастся насладиться победой. Но первым делом ему надо было выпустить под залог арестованных из «семьи» Моретти. Ему был необходим надежный адвокат: Колфакс мертв, а Дженнифер... Дженнифер! Его сердце сжалось. Он вспомнил, как сказал ей: «Возвращайся побыстрее. Я тебя люблю». Он сказал ей эти слова, а она предала его. Ну что ж, она заплатит за это.

Майкл позвонил, и через пятнадцать минут в кабинет поспешно вошел Ник Вито.

— Что происходит? — спросил Майкл.

— Тут полным-полно легавых. Мне пришлось два раза объехать квартал.

— У меня есть для тебя работа, Ник.

— Конечно, босс. Что мне делать?

— Займись Сальваторе и Джо.

Ник Вито уставился на него:

— Я... я не понимаю. Когда вы сказали «займись ими», вы ведь не имели в виду?..

— Я имел в виду, чтобы ты выбил из них мозги! — заорал Майкл. — Тебе по слогам сказать надо?

— Н-нет, — запинаясь, ответил Ник Вито. — Я просто хотел сказать, что Сал и Джо — ваши главные помощники!

Майкл встал, в его глазах появился зловещий блеск.

— Ты собираешься учить меня, Ник?

— Нет, Майк. Я... Конечно, я займусь ими. Когда?..

— Сейчас. Прямо сейчас. Сегодня они не должны увидеть, как взойдет луна. Понял?

— Ага.

Майкл сжал кулаки:

— Если бы у меня было время, я сам бы занялся ими. Пусть помучаются, Ник. Пусть умрут медленно. Suppilu suppilu.

— Конечно. Я понял.

Дверь открылась, и вбежал Тони с бледным лицом.

— Там пришли два федеральных агента с ордером на арест. Клянусь тебе, я не знаю, как они пронюхали, что ты здесь. Я...

Повернувшись к Нику Вито, Майкл рявкнул:

— Быстро отсюда! Через черный ход! — Посмотрев на Тони, он добавил: — Скажи им, я в туалете. Я выйду позже.

386

Майкл снял телефонную трубку и набрал номер. Через минуту он уже разговаривал с одним судьей из Верховного суда.

— Тут два типа из ФБР пришли с ордером на арест.

— В чем тебя обвиняют, Майк?

— Не знаю и знать не хочу. Сделай так, чтобы меня выпустили под залог. Мне некогда сидеть в тюрьме. У меня масса дел.

На том конце провода воцарилась тишина, а потом судья осторожно сказал:

— Боюсь, что на этот раз я не смогу помочь тебе, Майк. Слишком много шума, и если я попытаюсь...

Когда Майкл заговорил, в его голосе звучало презрение:

— Послушай, ты, козел. Если я проведу в тюрьме хотя бы час, я позабочусь, чтобы ты попал за решетку на всю оставшуюся жизнь. Тебе что, мало от меня перепадало? Или ты хочешь, чтобы я рассказал окружному прокурору, сколько дел ты закрыл по моей просьбе? Или сообщить ему номер твоего счета в швейцарском банке? Или ты...

— Ради Бога, Майк!

— Тогда пошевеливайся!

— Я постараюсь что-нибудь сделать, — сказал судья Лоренс Уолдман. — Я постараюсь...

— Давай, дерьмо! Делай побыстрее. Слышишь меня, Ларри? Побыстрее! — Майкл швырнул трубку на рычаг.

Его мозг работал быстро и четко. Он не боялся попасть в тюрьму. Он знал, что судья Лоренс Уолдман выполнит то, что он ему сказал, а Ник Вито разберется с Фьоре и Колеллой. Без их показаний правительство ничего не сможет доказать.

Майкл посмотрел в зеркало, висящее на стене, причесался, поправил галстук и вышел к ожидающим его агентам ФБР.

Судья Лоренс Уолдман сделал все так, как ему было сказано. На предварительном слушании дела адвокат, подобранный судьей Уолдманом, потребовал выпустить обвиняемого под залог. Залог был установлен в сумме пятьсот тысяч долларов.

В бессильном бешенстве Ди Сильва смотрел, как Майкл Моретти вышел из зала суда.

Глава 58

Умственные способности Ника Вито были довольно ограниченными. Его ценность заключалась в том, что он выполнял все приказы, не задавая вопросов. И выполнял как надо. В него не раз стреляли и угрожали ножом, но он не знал, что такое страх. Теперь он понял, что это такое. Своим умишком он не мог охватить суть происходящего, но у него было предчувствие, что ответственность за это лежала на нем.

Он слышал о волне арестов и облав. Ходили слухи, что в их «семье» завелся предатель. Даже со своим ограниченным интеллектом Ник Вито понимал, что это случилось после того, как он отпустил Томаса Колфакса. Ник Вито знал, что Сальваторе Фьоре и Джозеф Колелла тут ни при чем. Они были для него как братья и верно служили Организации. Но если он расскажет об этом Майклу Моретти, ему не жить. Тогда виновным мог быть только Томас Колфакс, но его считали мертвым.

Это была сложная дилемма для Ника Вито. Он любил Сальваторе и Джо. Немало хорошего они сделали для него, как и Томас Колфакс. Но он помог Колфаксу, и вот что из этого вышло. Поэтому Ник решил не допускать никакой сентиментальности. Речь теперь шла о его собственной жизни. Убив Фьоре и Колеллу, он выгородит себя. Но они были как братья для него, поэтому он убьет их быстро.

Узнать, где они находятся, не составило для Ника никакого труда. Они всегда говорили, куда едут, на случай, если срочно понадобятся Майклу. Сальваторе Фьоре был у своей любовницы на 83-й улице, недалеко от Музея естественной истории. Ник Вито знал, что Сальваторе всегда приезжал туда к пяти часам и лишь потом шел домой к жене. Ник колебался, не зная, как ему лучше поступить — подождать, пока Фьоре выйдет на улицу, или же убить его прямо в квартире. Слишком нервное занятие — ждать, решил он. Ник Вито и так нервничал. Уж слишком ему было не по себе. «Когда это все закончится, — подумал он, — я попрошу у

Майка отпуск. Возьму пару девчонок и махну на Багамы». От этой мысли ему стало лучше.

Остановив машину за углом, Ник Вито вошел в подъезд и поднялся по ступенькам. На третьем этаже он подошел к двери в конце коридора и стал барабанить по ней кулаком.

— Откройте! Полиция!

Он услышал возню за дверью, и через несколько секунд дверь приоткрылась. Он увидел лицо и часть обнаженного тела Марины, любовницы Сальваторе.

— Ник! — воскликнула она. — Как ты меня напугал! Сняв цепочку с двери, она впустила его внутрь.

— Сал, это Ник пришел!

Из спальни вышел голый Сальваторе Фьоре.

— Привет, Ники! Какого черта тебе тут надо?

— Майк кое-что просил передать тебе.

Ник вытащил пистолет 22-го калибра с глушителем и нажал на спусковой крючок. Боек ударил по капсюлю патрона, и пуля вылетела из ствола со скоростью тысяча футов в секунду. Первая пуля попала Фьоре в переносицу, вторая — в левый глаз. Когда Марина открыла рот, чтобы закричать, Ник повернулся и выстрелил ей в голову. Когда она упала на пол, он на всякий случай выстрелил ей в грудь. «Жаль убивать такую куколку, — подумал Ник, — но Майку не понравится, если останутся свидетели».

Лошадь, владельцем которой был Джозеф Колелла, бежала в восьмом этапе на ипподроме «Белмонт Парк» в Лонг-Айленде. На дистанции в полторы мили она почти всегда выходила победительницей. Колелла всегда говорил Нику, когда надо ставить на его лошадь. Ник немало приобрел, пользуясь его советами. Колелла и сам иногда ставил немного денег за Ника, когда в заездах участвовали его лошади. Направляясь в ложу Колеллы, Ник с огорчением подумал, что полезных советов больше не будет.

Зайдя в ложу, Ник Вито обратился к стоящему к нему спиной Колелле:

— Как дела, приятель?

— Привет, Ник! Ты вовремя пришел. «Королева красоты» выиграет этот забег. Я сделал ставку за тебя.

— Отлично, Джо.

Ник Вито приставил пистолет к спине Джозефа Колеллы и выстрелил три раза. Лошади как раз вышли на второй круг, и рев толпы заглушил выстрел. Колелла рухнул на пол. Ник сначала хотел достать у него из кармана билеты со ставками, но потом решил не делать этого. Ведь лошадь могла и проиграть.

Повернувшись, Ник Вито не спеша направился к выходу и смешался с толпой.

Зазвонил личный телефон Майкла Моретти.

— Мистер Моретти?

— Кто его спрашивает?

— Капитан Тэннер.

Майкл вспомнил его. Капитан полиции. Район Куинс. Получает деньги от Организации.

— Я слушаю.

— У меня есть информация, которая вас заинтересует.

— Откуда ты звонишь?

— Из телефона-автомата.

— Давай.

— Я узнал, от кого идет информация о вашей Организации.

— Ты опоздал. Об этих ребятах уже побеспокоились.

— Их было несколько? Я слышал только о Томасе Колфаксе.

— Ты ошибаешься. Колфакс мертв.

Теперь удивился капитан Тэннер:

— Как это может быть? Он сейчас на военной базе в Куантико изливает свою душу всякому, кто хочет послушать.

— Ты с ума сошел, — рявкнул Моретти. — Уж я-то знаю... — Он замолчал. Что он знал? Он приказал Нику Вито убить Колфакса, и тот сказал, что исполнил приказ. Майкл наморщил лоб. — Ты уверен, Тэннер?

— Мистер Моретти, стал бы я звонить, если бы не был уверен?

— Я все проверю. Если ты прав, за мной должок.

— Спасибо, мистер Моретти.

Капитан Тэннер повесил трубку, довольный собой. Он знал, что Майкл Моретти — человек благодарный. В этот раз Тэннер получит достаточно, чтобы уйти в отставку и жить припеваючи. Он вышел из телефонной будки. Дул холодный октябрьский ветер.

Два человека стояли возле будки, и, когда Тэннер хотел обойти их, они загородили ему дорогу.

— Капитан Тэннер? — Один из них показал свое удостоверение. — Я лейтенант Вест из отдела внутренней безопасности. С вами хочет поговорить полицейский комиссар.

Майкл Моретти медленно положил трубку на рычаг. Звериный инстинкт подсказывал ему, что Ник Вито лгал. Томас Колфакс был еще жив. Все стало на свои места. Это Колфакс был предателем. А он послал Ника убить Фьоре и Колеллу. Какой же он глупец! Безмозглый гангстер обвел его вокруг пальца, и он потерял двух верных помощников! Майкла охватила ярость.

Он снял трубку и набрал номер. Разговор был коротким. Он позвонил еще по одному номеру и стал ждать.

Когда ему позвонил Ник, Майкл заставил себя говорить спокойным голосом.

— Ну как, Ник?

— Порядок, босс. Они умерли медленной смертью, как вы приказывали.

— Я ведь всегда могу на тебя положиться, Ник, правда?

— Конечно, босс.

— Ник, выполни еще одну просьбу. Один из наших ребят оставил машину на углу Йорк-стрит и 95-й улицы. «Камаро» красного цвета. Ключи за козырьком. Машина нам нужна для одного дела вечером. Пригони ее сюда, ладно?

— Ладно, босс. Когда она вам понадобится? Я собираюсь...

— Сейчас. Прямо сейчас, Ник.

— Понял.

— Пока, Ник.

Майкл повесил трубку. Ему хотелось бы посмотреть, как Ника разнесет в клочья, но у него были более важные дела.

Скоро должна была вернуться Дженнифер Паркер, и он хотел подготовиться к ее приезду как следует.

Глава 59

«Такое впечатление, что тут Голливуд, — подумал генерал-майор Рой Уоллес, — и мой пленник — кинозвезда».

В актовом зале базы работали техники из роты связи, разматывая провода и устанавливая камеры, микрофоны, осветительные приборы.

Было решено записать на пленку свидетельства Томаса Колфакса.

— Это на всякий случай, — сказал окружной прокурор Роберт Ди Сильва. — Мы знаем, что здесь его никто не достанет, но видеопленки не помешают.

Все согласились.

Все было готово, осталось привести Томаса Колфакса.

Актер чертов!

Томас Колфакс беседовал в своей камере с Дэвидом Терри из министерства юстиции. Он занимался помощью тем свидетелям, которые желали исчезнуть.

— Я вкратце расскажу вам о федеральной программе безопасности свидетелей, — сказал Терри. — После окончания суда мы отправим вас в ту страну, которую вы сами выберете. Ваша мебель и другие вещи будут храниться на специальном складе в Вашингтоне под кодовым номером. Мы отправим их позднее. Никто не узнает, где вы находитесь. Мы выдадим вам новые документы и, если вы желаете, изменим вашу внешность.

— Я сам об этом позабочусь. — Никто не должен знать, какую внешность он себе выберет.

— Обычно, когда мы выдаем свидетелям новые паспорта, мы также находим им работу по специальности и вручаем

392

определенную сумму. В вашем случае, насколько я понимаю, деньги не имеют значения.

Интересно, подумал Томас Колфакс, что бы сказал Дэвид Терри, если бы узнал, сколько денег лежит у него на счетах в банках Германии, Швейцарии и Гонконга. Он даже и сам не знал точной суммы. По приблизительным подсчетам — девять или десять миллионов долларов.

— Нет, — сказал Колфакс, — деньги не имеют значения.

— Хорошо. Первым делом надо решить, какую страну вы хотите выбрать. Вы уже думали об этом?

Вопрос был простым, но за ним стояло нечто большее. Этот человек спрашивал, где он хочет прожить всю свою оставшуюся жизнь. Ведь Колфакс понимал, что он уже никогда не сможет уехать оттуда. Это будет его крепость, и только там он будет в безопасности.

— Бразилия.

Это был логический выбор. У него там имелась плантация в две тысячи акров, купленная на имя панамской компании, через которую невозможно выйти на него. Он сможет нанять себе такую охрану, что даже если Моретти и узнает, где его искать, то не сможет добраться до него. Томасу Колфаксу нравились латиноамериканки. Говорят, что, когда человеку шестьдесят пять, он уже не интересуется женщинами, но Колфакс чувствовал, что его сексуальный аппетит увеличился с возрастом. Особенно ему нравилось быть в постели с двумя-тремя молодыми девушками одновременно. И чем моложе, тем лучше.

— С Бразилией проблем не будет, — уверил его Терри. — Наше правительство купит вам там маленький дом, и...

— В этом нет никакой необходимости. — Колфакс чуть не рассмеялся, представив, что он будет жить в маленьком доме. — Самое главное — новые документы. И вы должны переправить меня в Бразилию. Всем остальным я займусь сам.

— Как пожелаете, — сказал Терри, вставая. — Думаю, мы все обсудили, мистер Колфакс. — Он улыбнулся. — Сложностей не предвидится. Как только вы дадите показания в суде, вас посадят в самолет, вылетающий в Южную Америку.

— Спасибо. — Колфакса охватил восторг. Получилось! Майкл совершил ошибку, недооценивая его. И он поплатится за это!

Его выступление, когда он будет давать показания, снимут на пленку. Интересно, наложат ли ему грим? Он посмотрел в зеркало, висящее на стене. «Недурно для мужчины моего возраста, — подумал он. — Отлично выгляжу. Девушкам в Латинской Америке нравятся зрелые мужчины с проседью в волосах».

Услышав, как открылась дверь, он повернулся. Сержант морской пехоты принес ему обед. Перед съемками надо подкрепиться.

В первый день Колфакс пожаловался на качество пищи, и генерал Уоллес приказал, чтобы кто-то всегда снимал пробу. И вообще любое замечание Колфакса было равносильно приказу. Все желания исполнялись немедленно, и он пользовался этим. В камере установили телевизор, принесли мебель. Он получал ежедневно газеты и журналы.

Поставив поднос на столик, сервированный на двоих, сержант, как обычно, сказал:

— Выглядит довольно аппетитно.

Вежливо улыбнувшись, Колфакс сел за стол. Слегка недожаренный ростбиф, как он любил, картофельное пюре и йоркширский пудинг. Сержант тоже сел за стол, взял вилку и нож и принялся есть. Это была идея генерала Уоллеса — чтобы у Томаса Колфакса был свой «пробователь пищи». «Как у королей в старые времена», — подумал Колфакс. Он смотрел, как сержант попробовал мясо, пюре и пудинг.

— Ну как?

— По правде говоря, сэр, я предпочитаю хорошо прожаренный ростбиф.

Взяв вилку и нож, Колфакс начал есть. Сержант ошибался. Мясо было превосходным. Колфакс взял хрен и слегка помазал им ростбиф. Когда он откусил мясо во второй раз, он понял, что происходит нечто ужасное. Горло обожгло, и боль распространилась по всему телу. Мышцы свело, и Колфакс стал задыхаться. Сержант наблюдал за ним. Томас Колфакс схватился за горло и попытался сказать сержанту, что происходит, но горло было парализовано. Жжение охватило все тело, агония усиливалась. Его тело выгнулось, и он рухнул на пол.

Сержант посмотрел на него, нагнулся и поднял Колфаксу веко.

Убедившись, что он мертв, сержант позвал на помощь.

Глава 60

Самолет рейса 246 компании «Сингапур Эйрлайнз» приземлился в лондонском аэропорту Хитроу в семь тридцать утра. Пассажиров попросили оставаться на местах, пока агенты ФБР не вывели Дженнифер и не доставили ее в помещение службы безопасности аэропорта.

Дженнифер хотела купить газету, чтобы понять, в чем дело и что происходит в Соединенных Штатах, но ей было в этом отказано. Охранники также не отвечали на ее вопросы.

Через два часа все трое сели на самолет компании «TWA», следующий в Нью-Йорк.

В здании Верховного суда проводилось экстренное совещание. Присутствовали Адам Уорнер, Роберт Ди Сильва, генерал-майор Рой Уоллес и представители ФБР.

— Черт возьми, как это могло случиться? — Голос Ди Сильвы дрожал от ярости. Он повернулся к генералу: — Вам же объяснили, как нам был важен Томас Колфакс.

Генерал беспомощно развел руками:

— Мы приняли все меры предосторожности, сэр. Сейчас мы ищем человека, подсыпавшего синильную кислоту в...

— Мне плевать, кто это сделал! Колфакс мертв!

— Как повлияет смерть Колфакса на развитие событий? — спросил один из присутствующих.

— Самым ужасным образом, — ответил Ди Сильва. — Одно дело, когда он сам дает показания, и совсем другое дело, когда мы покажем присяжным бухгалтерские книги. Могу побиться об заклад, какой-нибудь адвокат-пройдоха станет говорить, что мы сами подделали записи.

— Что же теперь делать?

— Будем продолжать начатое, — ответил окружной прокурор. — Скоро из Сингапура привезут Дженнифер Паркер. Против нее у нас хватит улик. Когда она пойдет на дно, она потянет за собой и Моретти. — Он повернулся к Адаму: — Вы согласны, сенатор?

Адаму стало плохо.

— Извините. — Он быстро вышел из комнаты.

Глава 61

Сигнальщик в защитных наушниках махал двумя флажками, указывая «Боингу-747» путь на стоянку. Самолет развернулся, и по команде сигнальщика летчик выключил двигатели.

В салоне самолета стюардесса объявила:

— Дамы и господа, мы только что совершили посадку в аэропорту имени Кеннеди. Благодарим вас за то, что вы летели самолетом компании «TWA». Пожалуйста, оставайтесь на своих местах, пока вас не пригласят к выходу. Спасибо за внимание.

Послышались недовольные голоса пассажиров. Через секунду дверь распахнулась. Два агента ФБР, сидевших вместе с Дженнифер в первом ряду, встали.

Один из них повернулся к Дженнифер:

— Пойдемте.

Пассажиры с любопытством наблюдали, как странная троица покинула самолет. Через несколько минут снова раздался голос стюардессы:

— Благодарим вас за терпение, дамы и господа. Пожалуйста, выходите.

У бокового входа в аэропорт их ждал правительственный лимузин. Сначала они сделали остановку в городском исправительном центре. Когда там записали все ее данные, один из агентов ФБР сказал:

— Извините, что не можем оставить вас здесь. Нам приказали доставить вас в тюрьму на Рикер-Айленд.

За всю дорогу никто не произнес ни слова. Дженнифер молча сидела между двумя агентами, лихорадочно думая.

С момента ареста никто не сказал ей, в чем она обвиняется, поэтому Дженнифер не знала, насколько серьезно ее положение. Она предполагала, что надо готовиться к самому худшему, ведь получить право на экстрадицию из другой страны было делом крайне сложным.

Сидя в тюрьме, она ничего не сможет предпринять. Поэтому в первую очередь необходимо добиться освобождения под залог.

Они ехали по мосту, ведущему на Рикер-Айленд, и Дженнифер увидела пейзаж, сотни раз мелькавший за окном, когда она приезжала сюда к своим клиентам. Теперь она сама была заключенной.

«Это ненадолго, — подумала Дженнифер. — Майкл вытащит меня отсюда».

Агенты ФБР провели ее в административное здание, и один из них вручил дежурному бумаги на арест и экстрадицию.

— Дженнифер Паркер.

Охранник посмотрел на нее:

— Мы ждали вас, мисс Паркер. Для вас приготовлена камера номер три.

— У меня есть право на один телефонный звонок.

Охранник кивнул в сторону телефонного аппарата:

— Пожалуйста.

Дженнифер сняла трубку, молясь, чтобы Майкл Моретти был на месте.

Она стала набирать номер.

Майкл Моретти ждал звонка от Дженнифер. Последние двадцать четыре часа он не мог думать ни о чем ином. Ему постоянно сообщали, где находилась Дженнифер: она прилетела в Лондон, она вылетела в Нью-Йорк, она прилетела в Штаты. Майкл сидел за столом, мысленно представляя, как ее везут в тюрьму на Рикер-Айленд. Дженнифер обязательно потребует разрешить ей позвонить. Она позвонит ему. Он освободит ее через час, и она приедет к нему. Майкл не мог дождаться, когда Дженнифер войдет к нему в кабинет.

Она совершила непростительный поступок. Отдала свое тело человеку, который хочет погубить его. Что она отдала ему еще? Какие секреты ему рассказала?

Адам Уорнер был отцом сына Дженнифер. Теперь Майкл был в этом уверен. С самого начала Дженнифер лгала ему. Она говорила, что отец Джошуа мертв. «Что ж, — сказал сам себе Майкл, — скоро так оно и будет». Какая ирония судьбы. С одной стороны, у него было мощное оружие, при помощи которого он мог дискредитировать и уничтожить Адама Уорнера. Он мог шантажировать его, угрожая раскрыть его связь с Дженнифер. Но если он так поступит, он выдаст сам себя. Когда другие «семьи» узнают — а они узнают, — что женщина Майкла была любовницей председателя сенатской комиссии по борьбе с мафией, он станет всеобщим посмешищем. Он потеряет свой авторитет. Рогоносец не может быть доном. Поэтому шантаж здесь не пойдет. Ему придется уничтожить своих врагов другим способом.

Майкл посмотрел на грубо выполненную схему, лежавшую перед ним на столе. Это был маршрут, по которому Адам Уорнер поедет сегодня вечером на званый обед. Эта карта стоила Майклу пять тысяч долларов. Адам Уорнер заплатит своей жизнью.

Зазвонил телефон, и Майкл вздрогнул. Он снял трубку и услышал голос Дженнифер. Голос, шептавший ему нежности, просивший его о любви...

— Майкл? Ты меня слышишь?

— Да. Где ты?

— Они привезли меня в тюрьму на Рикер-Айленд. Меня обвиняют в убийстве. Залог еще не установили. Ты можешь?..

— Сейчас тебя отпустят. Сиди и жди. Ладно?

— Да, Майкл, — с облегчением сказала она.

— За тобой заедет Джино.

Поговорив с Дженнифер, Майкл принялся набирать номер. Разговор длился пару минут.

— Мне все равно, какую сумму установят в качестве залога. Ее должны выпустить сейчас!

Повесив трубку, он нажал на кнопку вызова, расположенную на столе. Вошел Джино Галло.

— Дженнифер Паркер в тюрьме на Рикер-Айленд. Ее выпустят через час или два. Заезжай за ней и привези сюда.

— Ясно, босс.

Майкл откинулся в кресле.

— Скажи ей, что с сегодняшнего дня Адам Уорнер уже не будет нам мешать.

Джино Галло обрадовался:

— Правда?

— Правда. Он поедет на званый обед, но по пути с ним произойдет несчастный случай. На мосту Нью-Канаан.

Джино Галло улыбнулся:

— Отлично, босс.

Майкл кивнул в сторону двери:

— Поторапливайся.

Окружной прокурор Роберт Ди Сильва изо всех сил старался сделать так, чтобы Дженнифер не выпускали под залог. Он обратился к судье Уильяму Беннетту.

— Ваша честь, — сказал Ди Сильва, — мисс Паркер обвиняется в совершении тяжких преступлений. Нам пришлось просить ее выдачи у Сингапура. Если ее выпустят под залог, она скроется в другой стране, с которой у нас нет договора об экстрадиции. Ваша честь, я прошу не выпускать ее под залог.

Джон Лестер, бывший судья, представляющий интересы Дженнифер, сказал:

— Окружной прокурор слишком сгущает краски, ваша честь. Моя клиентка не собирается никуда уезжать или скрываться от правосудия. Она находилась в Сингапуре по делам. Если бы правительство попросило ее вернуться, она сделала бы это добровольно. Она — уважаемый юрист, имеет большую практику. Это просто немыслимо — предполагать, что она может сбежать.

Спор длился более получаса.

Наконец судья Беннетт сказал:

— Устанавливается залог в пятьсот тысяч долларов.

— Спасибо, ваша честь, — сказал адвокат Дженнифер. — Мы заплатим залог.

Через пятнадцать минут Джино Галло помогал Дженнифер сесть в «мерседес».

— Вам не пришлось долго ждать, — сказал он.

Дженнифер ничего не ответила. Она думала о том, что происходит. В Сингапуре она была в изоляции и понятия не имела, какие события происходят в Штатах. Но она знала, что ее арест не был случайным. Она не нужна им одна. Ей надо было срочно поговорить с Майклом и узнать, что случилось. Уж слишком уверенно вел себя Ди Сильва, когда предъявил ей обвинение в убийстве.

Джино Галло произнес два слова, которые привлекли внимание Дженнифер:

— ...Адам Уорнер...

Дженнифер встрепенулась:

— Что вы сказали?

— Я сказал, что Адам Уорнер больше не будет нам мешать. Майкл позаботится об этом.

Дженнифер почувствовала, как у нее застучало сердце.

— Да? Когда?

Джино Галло посмотрел на часы:

— Минут через пятнадцать. Все будет выглядеть как несчастный случай.

У Дженнифер пересохло во рту.

— Где?.. — Ей было трудно говорить. — Где это произойдет?

— Нью-Канаан. На мосту.

Они проезжали через Куинс. Впереди был торговый центр.

— Джино, остановите около аптеки, пожалуйста. Мне надо кое-что купить.

— Конечно. — Он мастерски затормозил у самого входа. — Помочь?

— Нет, спасибо. Я на минутку.

Выйдя из машины, Дженнифер поспешно вошла в аптеку. В глубине находилась телефонная будка. Дженнифер порылась в сумочке. Кроме сингапурских монет, нет никакой мелочи. Она подошла к кассиру и протянула ему доллар.

— Разменяйте, пожалуйста.

Скучающий кассир взял у нее доллар и дал ей горсть мелочи. Дженнифер помчалась к телефону. Но там уже стояла полная женщина и набирала номер.

— Мне надо срочно позвонить, — сказала Дженнифер. — Не могли бы вы...

Окинув Дженнифер взглядом, женщина продолжала набирать номер.

— Привет, Хейзл, — закудахтала она. — Мой гороскоп был прав. Ужасный день! Помнишь те туфли, которые я хотела купить в «Делманс»? У них осталась одна пара моего размера, и они только что ее продали. Представляешь?

Коснувшись руки женщины, Дженнифер попросила умоляющим голосом:

— Пожалуйста!

— Идите к другому телефону, — зашипела она и вернулась к разговору. — Помнишь те замшевые туфли, что мы видели вместе? Все, их продали. Знаешь, что я сделала? Я сказала продавщице...

Закрыв глаза, Дженнифер стояла, не замечая происходящего вокруг, внутренняя мука переполняла ее. Майкл не должен убить Адама. Она должна сделать все, чтобы не допустить этого.

Закончив разговаривать, женщина повесила трубку и повернулась к Дженнифер.

— Вообще-то мне надо было бы еще раз позвонить, чтобы преподать вам урок, — сказала она и ушла, довольная собой.

Дженнифер схватила телефонную трубку. Она позвонила Адаму на работу.

— Извините, — сказала секретарша, — сенатора Уорнера нет. Что ему передать?

— Мне он срочно нужен. Как я могу с ним связаться.

— Извините, но это невозможно. Если вы хотите передать...

Дженнифер повесила трубку. Секунду поразмыслив, она набрала другой номер.

— Кабинет окружного прокурора.

— Мне надо поговорить с мистером Ди Сильвой. Это Дженнифер Паркер.

— Извините, мистер Ди Сильва сейчас на совещании. Я не...

— Позовите его к телефону. Срочно! Я не могу ждать! — Голос Дженнифер дрожал.

— Минуточку, — сказала секретарша после секундного колебания.

Через минуту Роберт Ди Сильва подошел к телефону.

— Да? — холодно произнес он.

— Слушайте внимательно, — сказала Дженнифер. — Адама Уорнера собираются убить. Это случится в ближайшие десять — пятнадцать минут. Они хотят совершить убийство на мосту в Нью-Канаан.

Она повесила трубку. Больше она ничего не могла сделать. Она представила, как его убьют, и по телу у нее пробежала дрожь. Посмотрев на часы, она принялась молча молиться, чтобы Роберт Ди Сильва успел предотвратить убийство.

Положив трубку на рычаг, Роберт Ди Сильва посмотрел на собравшихся в его кабинете.

— Кто это?

— Дженнифер Паркер. Она сказала, что Адама Уорнера собираются убить.

— А зачем она позвонила вам?

— Кто ее знает?

— Вы думаете, что это правда?
— Нет, конечно.

Дженнифер вошла в комнату, и Майкл, несмотря ни на что, снова залюбовался ее красотой. Так было всегда, когда он видел ее. Внешне она была красивейшей из женщин. Но внутри она была предательницей. Он посмотрел на губы, что целовали Адама Уорнера, и на тело, что было в его объятиях.

— Майкл, — сказала она. — Как я рада тебя видеть. Спасибо, что так быстро освободил меня.

— Нет проблем. Я ждал тебя, Дженнифер. — Ей не понять смысла этих слов.

Она опустилась в кресло.

— Майкл, скажи, ради Бога, что происходит? Что случилось?

Он изучающе посмотрел на нее, не переставая удивляться. Она была виновата в развале его империи и после этого невинно спрашивает, что происходит.

— Ты знаешь, почему меня привезли в Штаты?

«Конечно, — подумал он. — Чтобы ты еще что-нибудь им рассказала». Он вспомнил желтую канарейку со свернутой шеей. Скоро так случится и с Дженнифер.

Дженнифер посмотрела в его темные глаза:

— С тобой все в порядке?

— В жизни не чувствовал себя лучше. — Он откинулся в кресле. — Через несколько минут все наши проблемы будут решены.

— Что ты имеешь в виду?

— С сенатором Уорнером произойдет несчастный случай. Это приостановит работу комиссии. — Он бросил взгляд на часы. — Мне вот-вот должны позвонить.

Что-то странное и зловещее было в его голосе. Внезапно Дженнифер почувствовала себя в опасности. Она знала, что ей надо отсюда уйти.

Она встала.

— Я еще не распаковала вещи. Я пойду...

— Сядь. — У Дженнифер пробежал холодок по спине.

— Майкл...

— Сядь!

Она посмотрела на дверь. Прислонившись к косяку, Джино Галло смотрел на нее с непроницаемым лицом.

— Ты никуда не пойдешь, — сказал ей Майкл.

— Замолчи!

Они сидели в ожидании, глядя друг на друга. В полной тишине громко тикали часы. Дженнифер пыталась прочесть что-нибудь в глазах Майкла, но они были непроницаемыми.

Тишину разорвал телефонный звонок. Майкл взял трубку.

— Алло? Ты уверен? Сматывайтесь оттуда. — Он повесил трубку и посмотрел на Дженнифер. — На мосту в Нью-Канаан полно полицейских.

Дженнифер почувствовала несказанное облегчение, настоящий восторг. Майкл наблюдал за ней, и она постаралась скрыть свои чувства.

— Что это значит? — спросила Дженнифер.

— Ничего, — ответил Майкл. — Уорнера убьют не там.

Глава 62

Двойной мост на Гарден-Стэйт-Паркуэй не обозначен на карте. Гарден-Стэйт-Паркуэй пересекает реку Рэритен по двум мостам, по одному движение идет в северном направлении, по другому — в южном.

Лимузин только что проехал Перт-Амбой, направляясь к мосту, ведущему на юг. Адам Уорнер сидел на заднем сиденье. Рядом с ним — агент секретной службы. Еще два агента расположились спереди.

Агента Клэя Рэддина назначили телохранителем сенатора шесть месяцев назад, и он за это время хорошо узнал Адама Уорнера. Он считал сенатора искренним и открытым человеком, но сегодня тот был на редкость молчалив и замкнут. «Глубокая тревога» — эти слова пришли на ум агенту Рэддину. У него не было никаких сомнений, что Адам Уорнер станет следующим президентом Соединенных Штатов, и

Рэддин обязан был следить, чтобы с ним ничего не случилось. Он еще раз мысленно проверил все принятые меры предосторожности и с удовлетворением отметил, что ничего не упустил из виду.

Взглянув на будущего президента, агент Рэддин подумал: какие мысли тревожат Адама Уорнера?

В голове у Адама был сумбур. Ди Сильва сообщил ему, что Дженнифер Паркер арестована. Он не мог себе представить, что ее заперли в клетке, как дикого зверя. Он любил Дженнифер так, как не любил никого.

Один из секретных агентов повернулся к нему:

— Мы приедем в Атлантик-Сити ровно в назначенное время, господин президент.

Господин президент. Опять эти слова. Согласно последнему опросу общественного мнения, он обогнал всех своих конкурентов. Он был новым народным героем. Адам знал, что немалую роль в этом сыграло его участие в комиссии по расследованию деятельности мафии. Комиссии, которая погубит Дженнифер Паркер.

Адам посмотрел в окно и увидел, что они приближаются к двойному мосту. Прямо перед мостом была боковая дорога, и там стоял грузовик. Когда лимузин приблизился к мосту, грузовик тронулся с места, и обе машины въехали на мост одновременно.

Водитель нажал на тормоза и замедлил ход.

— Ты только посмотри на этого идиота!

Зашипело коротковолновое радио:

— «Маяк один»! Ответьте, «Маяк один»!

Секретный агент, сидевший на переднем сиденье, взял микрофон:

— «Маяк один» слушает.

Обе машины шли рядом. Грузовик был слева, и кабины водителя не было видно. Лимузин попытался вырваться вперед, но громадная машина тоже увеличила скорость.

— Черт возьми, что это он делает? — пробормотал шофер лимузина.

405

— У нас срочное сообщение от окружного прокурора. «Лиса один» в опасности! Как меня поняли?

Грузовик внезапно вильнул вправо, стукнув кузовом лимузин и заставив его прижаться к перилам моста. Агенты секретной службы выхватили пистолеты.

— Вниз!

Адам почувствовал, как его толкнули на пол. Агент Рэддин прикрыл его своим телом.

Агенты секретной службы опустили стекла с левой стороны, но куда они могли стрелять? Кузов грузовика закрывал вид. Кабины водителя не было видно. Раздался еще один удар, и снова лимузин бросило на перила. Шофер отчаянно крутил руль влево, стараясь удержать автомобиль на мосту, но грузовик продолжал толкать его. Внизу блестели холодные воды реки Рэритен. Мост проходил на высоте двухсот футов над рекой.

Секретный агент, сидящий рядом с водителем, схватил микрофон и принялся кричать в него:

— Это «Маяк один»! SOS! Внимание всем постам!

Но все в машине понимали, что слишком поздно звать на помощь. Шофер попытался остановить лимузин, но безуспешно. Через несколько секунд огромный грузовик столкнет их с моста. Шофер то нажимал на тормоза, то давил на газ, но грузовик продолжал прижимать лимузин к перилам. Сидящие в машине почувствовали, как перила стали поддаваться.

Грузовик толкал машину изо всех сил. Внезапно передние колеса зависли над водой. Машина наклонилась, и все приготовились к смерти.

Адам не испытывал страха, только невыносимую грусть потери. Ему надо было остаться с Дженнифер, растить с ней детей — и внезапно какой-то инстинкт подсказал ему, что у них был ребенок.

Машина снова качнулась, и Адам закричал, проклиная несправедливую судьбу.

Послышался шум лопастей вертолетов, и через секунду пулеметные очереди. Грузовик дернулся и внезапно остановился. Адам и секретные агенты слышали, как над ними кружили вертолеты. Никто не шевелился, так как от малейшего движения машина могла свалиться вниз.

Вдали послышались сирены полицейских машин и через несколько минут отрывистые команды полицейских. Двигатель грузовика снова заработал. Он медленно стал отъезжать в сторону. Грузовик отъехал, и Адам мог теперь видеть, что происходит. На мосту стояло штук пять полицейских машин. Вооруженные полицейские были повсюду. К окну подошел капитан полиции.

— Думаю, что вряд ли мы сможем открыть двери, — сказал он. — Мы вытащим вас через окно. Так проще.

Сначала вытащили Адама, делали это медленно и осторожно, чтобы не нарушить равновесие. Затем полицейские помогли выбраться секретным агентам.

Капитан полиции повернулся к Адаму Уорнеру:

— Все в порядке, сэр?

Адам взглянул на автомобиль, зависший над рекой.

— Да, — ответил он. — Все в порядке.

Майкл Моретти посмотрел на настенные часы.

— Вот и все. — Он повернулся к Дженнифер. — Твой дружок уже на дне реки.

Дженнифер побледнела:

— Ты не...

— Не беспокойся. Тебя будут судить честно. — Он посмотрел на Джино Галло: — Ты передал ей, что Адама Уорнера убьют на мосту в Нью-Канаан?

— Как вы мне и сказали, сэр.

Майкл посмотрел на Дженнифер:

— Суд окончен.

Он встал и подошел к креслу, в котором она сидела. Схватив за блузку, он рывком поставил ее на ноги.

— Я любил тебя, — прошептал он.

Размахнувшись, он ударил ее по лицу. Затем второй раз, третий, и Дженнифер упала на пол.

— Вставай. Поедем на прогулку.

В голове у Дженнифер шумело. Майкл грубо поднял ее.

— Может, мне ею заняться, босс? — спросил Джино Галло.

— Нет. Подгони машину к черному входу.

— Понял, босс. — Он быстро вышел из комнаты.

Дженнифер и Майкл остались одни.

— Зачем? — спросил он. — У нас был весь мир, а ты отказалась от этого. Почему?

Она молчала.

— Хочешь, я тебя трахну, как в добрые старые времена? — Майкл грубо схватил ее за руку. — Хочешь? — Дженнифер молчала. — Ты уже больше никогда не потрахаешься ни с кем, слышишь? Ты будешь на дне реки вместе со своим любовником! Составишь ему компанию.

В комнату ворвался Джино. На его лице была смертельная бледность.

— Босс, там...

Раздался шум и треск. Майкл выхватил из ящика стола пистолет. В этот момент дверь распахнулась. На пороге стояли два федеральных агента с оружием в руках.

— Ни с места!

Майклу хватило доли секунды, чтобы принять решение. Он направил пистолет на Дженнифер и выстрелил. Он видел, как пули вошли в ее тело, прежде чем агенты открыли стрельбу. Он увидел, как из груди у нее брызнула кровь, и почувствовал, как одна, а потом вторая пуля разорвали его плоть. Он видел, как Дженнифер лежала на полу, и не знал, что причиняет ему большую боль — ее смерть или своя. Еще одна пуля попала в него, и он уже ничего больше не чувствовал.

Глава 63

Двое врачей вывезли Дженнифер из операционной и повезли на каталке в отделение интенсивной терапии. Рядом шел полицейский в форме. В больничном коридоре было полно детективов и журналистов.

К дежурной сестре подошел человек и спросил:

— Могу ли я увидеть Дженнифер Паркер?

— Вы член ее семьи?

— Нет. Друг.

— Извините. Никаких посещений. Она в отделении интенсивной терапии.

— Я подожду.

— Это займет много времени.

— Не имеет значения, — ответил Кен Бэйли.

Через боковую дверь вошел Адам Уорнер в сопровождении агентов секретной службы. Его лицо было усталым и осунувшимся.

Его ждал врач.

— Сюда, сенатор Уорнер. — Он провел Адама в свой кабинет.

— Как она? — спросил Адам.

— Надежды почти никакой. Мы вытащили из нее три пули.

Дверь распахнулась, и в кабинет поспешно вошел Роберт Ди Сильва. Посмотрев на Адама, он произнес:

— Как я рад, что с тобой все в порядке.

— Как я понимаю, лишь благодаря тебе я остался жив. Как ты узнал о покушении?

— Мне позвонила Дженнифер Паркер. Она сказала, что тебя хотят убить на мосту в Нью-Канаан. Я предполагал, что это какой-то отвлекающий маневр, но рисковать не стал и послал туда полицию. А тем временем направил к тебе пару вертолетов. Чтобы они прикрыли тебя. Я полагаю, что Паркер готовила тебе ловушку.

— Нет, — сказал Адам. — Нет.

Роберт Ди Сильва пожал плечами:

— Мне все равно, сенатор. Самое главное, что ты жив. — Он повернулся к врачу: — Она выживет?

— Маловероятно.

Роберт Ди Сильва неправильно понял выражение лица Адама:

— Не волнуйся, даже если она и выживет, мы прижмем ее к ногтю. — Он пригляделся к Адаму. — Да на тебе лица нет. Возвращайся домой и отдохни.

— Сначала я хочу видеть Дженнифер Паркер.

— Она в коме, — сказал врач. — И может не выйти из нее.

— Я все равно хочу взглянуть на нее.

— Конечно, сенатор. Сюда, пожалуйста.

Врач повел Адама по коридору, следом за ними шел Ди Сильва. Они остановились у двери с надписью «Интенсивная терапия».

Открыв дверь, врач сказал Адаму:

— Она в первой палате.

Перед дверью в палату стоял полицейский. Увидев окружного прокурора, он встал смирно.

— Никого не пускать в палату без моего письменного разрешения. Ясно? — сказал Ди Сильва.

— Да, сэр.

Адам и Ди Сильва вошли в палату. Здесь стояли три кровати. Две были пусты, а на третьей лежала Дженнифер. Подойдя ближе, Адам посмотрел на нее. Ее лицо было бледным даже на фоне белой подушки, глаза закрыты. Но она казалась от этого даже моложе и привлекательнее. Адам смотрел на невинную девушку, которую встретил много лет назад. Девушку, которая сказала ему: «Если бы у меня были деньги, неужели я бы жила в таком убожестве. Мне все равно, что вы сделаете. Я только хочу, чтобы меня оставили в покое». Он вспомнил ее смелость, идеализм, незащищенность. Она была ангелом, верила в справедливость и боролась за нее. Что же произошло? Он любил ее тогда, любил и сейчас. Это он сделал неправильный выбор, который сломал их жизни. Он знал, что никогда не сможет избавиться от этой вины.

Адам повернулся к врачу.

— Сообщите мне, когда она... — он запнулся. — ...это случится.

— Конечно, — сказал врач.

Посмотрев в последний раз на Дженнифер, Адам молча попрощался с ней. Повернувшись, он вышел из палаты к ожидающим его репортерам.

* * *

Как через плотную пелену Дженнифер услышала, что мужчины ушли. Она не понимала, что они говорили, так как боль заглушала их слова. Ей показалось, что она услышала голос Адама, но она знала, что этого не может быть. Он был мертв. Она попыталась открыть глаза, но это было выше ее сил.

Мысли путались в ее голове... В комнату вошел Абрахам Уилсон с коробкой в руках. Он споткнулся, коробка упала, и оттуда вылетела желтая канарейка... Роберт Ди Сильва закричал: «Держите ее! Не упустите!..» Майкл Моретти поймал ее и смеялся, а отец Райен говорил: «Смотрите! Это настоящее чудо!..» Конни Гэррет танцевала, и все аплодировали, а миссис Купер сказала: «Я подарю вам штат Вайоминг... Вайоминг... Вайоминг...» И Адам вошел с букетом алых роз, а Майкл сказал: «Это от меня»... Дженнифер сказала: «Я поставлю их в воду», но ваза выскользнула у нее из рук, вода разлилась по полу и превратилась в озеро... Она с Адамом была на яхте, а Майкл догонял их на водных лыжах... Он превратился в Джошуа, улыбнулся, помахал рукой и потерял равновесие... Она закричала: «Не падай... Не падай... Не падай...» Огромная волна захлестнула Джошуа, и он, как Иисус, поднялся на небо.

На какое-то мгновение сознание Дженнифер прояснилось.

Джошуа нет.

Адама нет.

Майкла нет.

Она осталась одна. У каждого своя смерть. Ей будет легко умереть.

Ее охватило чувство покоя. Скоро ей не будет больно.

Глава 64

Был холодный январский день, когда Адам Уорнер произносил клятву, став сороковым президентом Соединенных Штатов. Его жена была одета в шубу из темного соболя, которая оттеняла ее лицо и делала беременность почти незаметной. Она стояла рядом с дочерью и смотрела, как Адама приводят к присяге. Вся страна радовалась вместе с ней. Они были самыми лучшими американцами: порядочными, честными и были достойны жить в Белом доме.

В маленькой юридической конторе в Келсо, штат Вашингтон, Дженнифер Паркер в одиночестве смотрела по телевизору вступление в должность нового президента. Она видела, как церемония закончилась и Адам вместе с Мэри Бет и Самантой спустились с подиума, окруженные агентами секретной службы. Дженнифер выключила телевизор, и экран погас. Как будто она выключила свое прошлое, отреклась от того, что было с ней, от любви и смерти, боли и радости. Ничто не смогло погубить ее. Она выжила.

Надев пальто и шапку, она вышла из кабинета и остановилась на секунду, чтобы посмотреть на надпись на двери: «Дженнифер Паркер. Адвокат». Она подумала о присяжных, что признали ее невиновной. Она была адвокатом, как был адвокатом ее отец. И она будет верна своей профессии, стараясь восстановить ускользающую справедливость. Выйдя на улицу, она направилась к зданию суда.

Дженнифер не спеша шла по безлюдным улицам. Шел снег, укутывая мир белой пеленой. Из дома напротив раздался взрыв смеха. Это был настолько чуждый звук, что Дженнифер остановилась и прислушалась. Затем она подняла воротник пальто и снова пошла по улице, глядя вперед на падающий снег, как будто пытаясь заглянуть в будущее.

Но на самом деле она пыталась заглянуть в прошлое, стараясь узнать, когда же случилось так, что для нее умерла радость.

НОВЫЕ СОВРЕМЕННЫЕ ЛЮБОВНЫЕ РОМАНЫ

СЕРИЯ «ИНТРИГА»

ИЗДАТЕЛЬСТВО АСТ ПРЕДЛАГАЕТ

Любовь героев романов серии «Интрига» подвергается страшным испытаниям. Повороты их судеб непредсказуемы, и каждый неверный шаг грозит обернуться трагедией. Но, даже идя по лезвию бритвы, отделяющей жизнь от гибели, продолжают прекрасные женщины и их бесстрашные возлюбленные бороться за свое счастье. Сюжеты романов серии "Интрига" поражают динамизмом, а невероятные ситуации и стремительное развитие событий соседствуют с блестящим знанием авторами нравов богемы и высшего света.

Книги издательства АСТ можно заказать по адресу:
107140, Москва, а/я 140 АСТ – "Книги по почте".
Издательство высылает бесплатный каталог.

ИЗДАТЕЛЬСТВО АСТ
ПРЕДЛАГАЕТ

СЕРИЯ НОВЫХ СОВРЕМЕННЫХ ЛЮБОВНЫХ РОМАНОВ "СТРАСТЬ"

МАРГАРЕТ ПЕМБЕРТОН

Горе от богатства

ДЖУДИТ МАКНОТ

Помнишь ли ты...

Героини незабываемых, увлекательных романов серии "Страсть" - наши современницы. Книги этой серии способны убедить в том, что неистовые чувства и романтические переживания вовсе не ушли в прошлое - напротив, по-прежнему занимают главное место в жизни женщины. Действие романов серии "Страсть" динамично, характеры отличаются оригинальностью и остротой, а эротические сцены буквально завораживают читательниц своей красотой и возвышенностью...

Книги издательства АСТ можно заказать по адресу: 107140, Москва, а/я 140 АСТ – "Книги по почте".

Издательство высылает бесплатный каталог.

Издательская группа АСТ

Издательская группа АСТ, включающая в себя около **50 издательств** и редакционно-издательских объединений, предлагает вашему вниманию **более 10 000** названий книг самых разных видов и жанров. Мы выпускаем классические произведения и книги современных авторов. В наших каталогах — интеллектуальная проза, детективы, фантастика, любовные романы, книги для детей и подростков, учебники, справочники, энциклопедии, альбомы по искусству, научно-познавательные и прикладные издания, а также широкий выбор канцтоваров.

В числе наших авторов мировые знаменитости Сидни Шелдон, Стивен Кинг, Даниэла Стил, Джудит Макнот, Бертрис Смолл, Джоанна Линдсей, Сандра Браун, создатели российских бестселлеров Борис Акунин, братья Вайнеры, Андрей Воронин, Полина Дашкова, Сергей Лукьяненко, Фридрих Незнанский братья Стругацкие, Виктор Суворов, Виктория Токарева, Эдуард Тополь, Владимир Шитов, Марина Юденич, а также любимые детские писатели Самуил Маршак, Сергей Михалков, Григорий Остер, Владимир Сутеев, Корней Чуковский.

Книги издательской группы АСТ вы сможете заказать и получить по почте в любом уголке России. Пишите:

107140, Москва, а/я 140

ВЫСЫЛАЕТСЯ БЕСПЛАТНЫЙ КАТАЛОГ

Вы также сможете приобрести книги группы АСТ по низким издательским ценам в наших **фирменных магазинах:**

В Москве:

- Звездный бульвар, д. 21, 1 этаж, тел. 232-19-05
- ул. Татарская, д. 14, тел. 959-20-95
- ул. Каретный ряд, д. 5/10, тел. 299-66-01, 299-65-84
- ул. Арбат, д. 12, тел. 291-61-01
- ул. Луганская, д. 7, тел. 322-28-22
- ул. 2-я Владимирская, д. 52/2, тел. 306-18-97, 306-18-98
- Большой Факельный пер., д. 3, тел. 911-21-07
- Волгоградский проспект, д. 132, тел. 172-18-97
- Самаркандский бульвар, д. 17, тел. 372-40-01

мелкооптовые магазины

- 3-й Автозаводский пр-д, д. 4, тел. 275-37-42
- проспект Андропова, д. 13/32, тел. 117-62-00
- ул. Плеханова, д. 22, тел. 368-10-10
- Кутузовский проспект, д. 31, тел. 240-44-54, 249-86-60

В Санкт-Петербурге:

- проспект Просвещения, д. 76, тел. (812) 591-16-81 (магазин «Книжный дом»)

Издательская группа АСТ
129085, Москва, Звездный бульвар, д. 21, 7 этаж.
Справки по телефону (095) 215-01-01, факс 215-51-10
E-mail: astpub@aha.ru   http://www.ast.ru

Литературно-художественное издание

Шелдон Сидни

Гнев ангелов

Художественный редактор О.Н. Адаскина
Компьютерный дизайн: Е.Н. Волченко
Технический редактор О.В. Панкрашина
Младший редактор Н.К. Белова

Общероссийский классификатор продукции
ОК-005-93, том 2; 953000 — книги, брошюры

Гигиеническое заключение
№ 77.99.14.953.П.12850.7.00 от 14.07.2000 г.

ООО «Издательство АСТ»
Лицензия ИД № 02694 от 30.08.2000 г.
674460, Читинская область, Агинский район,
п. Агинское, ул. Базара Ринчино, д. 84.
Наши электронные адреса:
WWW.AST.RU
E-mail: astpub@aha.ru

При участии ООО «Харвест». Лицензия ЛВ № 32 от
10.01.2001. 220040, Минск, ул. М. Богдановича, 155-1204.

Налоговая льгота — Общегосударственный
классификатор Республики Беларусь
ОКРБ 007-98, ч. 1; 22.11.20.300.

Республиканское унитарное предприятие
«Полиграфический комбинат имени Я. Коласа».
220600, Минск, ул. Красная, 23.